D1401348

ENCICLOPEDIA DE LA ENFERMERIA

ENCICLOPEDIA DE LA ENFERMERIA

Volumen 1

Fundamentos - Técnicas

OCEANO/CENTRUM

Es una obra de

OCEANO
GRUPO EDITORIAL

Ellen Baily Raffensperger
Licenciada en Enfermería, Sibley Memorial Hospital, Washington, D.C.
Mary Lloyd Zusy
Licenciada en Enfermería, Montgomery Community College Takoma Park, Maryland
Lynn Claire Marchesseault
Licenciada en Enfermería, Visiting Nurse Association of Northern Virginia Arlington, Virginia
Jean D. Neeson
*Profesora del Departamento de Cuidados de Enfermería y Salud Familiar,
Escuela de Enfermería, Universidad de California. Directora del programa
Women's Health Nurse Practitioner. San Francisco, California*

EQUIPO EDITORIAL

Dirección: Carlos Gispert
Subdirección y Dirección de Producción: José Gay
Dirección de Edición: José A. Vidal
* * *
Dirección de obra: Joaquín Navarro
Editor: Dr. Xavier Ruiz
Edición general: Adolfo Cassan, Jorge Coderch, Xavier Ruiz
Equipo editorial de Enfermería: Eulalia Albuquerque, José de Andrés,
María Asunción Codina Marcet, Mª Dolores Lozano Vives, Carmen Sánchez
Colaboradores: Miguel Barrachina, Mercedes Establier, Antonia García,
Pedro González, Emma Torío
Ilustración: Montserrat Marcet
Compaginación: Mercedes Prats Bru
Preimpresión: Manuel Teso
Sistemas de Cómputo: Mª Teresa Jané, Gonzalo Ruiz
Producción: Antonio Aguirre, Antonio Corpas, Alex Llimona, Antonio Surís
Procedencia de las ilustraciones: AGE Fotostock, Archivo Océano,
Mónica Borra, Manuela Carrasco, Centre National de la Recherche
Iconographique, A. Sieveking/Collections, Fototeca Stone, Juan Pejoán,
Ángel Sahun Ballabriga/Retratería, SIEMENS, Centro de atención primaria
del INSALUD en Castejón de Sos.

Plan general de la obra

V

Índices del volumen I

De las láminas

De las tablas

Proceso de atención de enfermería

1

Los objetivos y características de la atención de enfermería son muy diversos y variados, tanto como lo son las personas, familias o comunidades destinatarias de la misma, sus necesidades específicas y los eventuales problemas de salud que presenten. Desde una perspectiva holística, que toma en consideración todas las dimensiones del individuo y su entorno, se deben tener en cuenta, pues, las necesidades fisiológicas, psicológicas, sociales, culturales y espirituales del ser humano. Cualquier factor que impida o dificulte la satisfacción de tales necesidades, ya sea interno (individual) o bien externo (ambiental), priva al individuo de su total autonomía y puede requerir una actuación de enfermería destinada al restablecimiento de la salud en su sentido más amplio.

Niveles de actuación

La labor de enfermería está orientada no solamente hacia la atención del individuo enfermo, que requiere unas actividades concretas para el alivio de sus padecimientos y la recuperación de la salud, sino también hacia el individuo sano, en el área de la promoción de la salud. Simplificadamente, se acepta que la labor de enfermería comprende tres niveles:

• *Nivel primario*, encaminado al mantenimiento y promoción de la salud y la prevención de

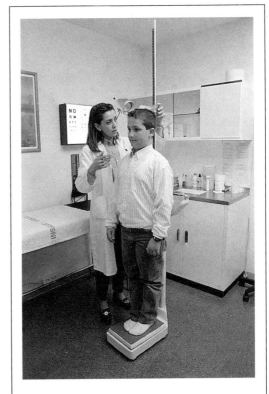

La atención de enfermería tiene entre sus objetivos primarios la promoción de la salud y la prevención de la enfermedad, tanto desde una perspectiva asistencial como desde una vertiente pedagógica, detectando los posibles factores de riesgo y brindando la información más oportuna para evitar los peligros que pueden amenazar la salud de un individuo, una familia o una comunidad.

la enfermedad. Este nivel, de prevención básica, implica una actividad de enfermería tanto asistencial como pedagógica y se centra en la concienciación acerca de la importancia de la salud y sobre la responsabilidad individual, familiar o comunitaria para mantenerla, así como en la oportuna información sobre los eventuales peligros que pueden amenazar la salud y los medios que pueden emplearse para conservar un estado óptimo de bienestar físico, psicológico y social.

- *Nivel secundario*, correspondiente a las intervenciones asistenciales o curativas que tienen por objeto tratar los problemas de salud ya establecidos o potenciales y prevenir su eventual agravamiento, mediante la elaboración e instauración de un plan de actuaciones de enfermería destinado también a evitar o reducir el riesgo de posibles complicaciones.

- *Nivel terciario*, dirigido a la rehabilitación y correspondiente a las intervenciones de enfermería orientadas al apoyo del paciente en su adaptación a determinadas dificultades ocasionadas por un problema de salud y la superación de los efectos de eventuales secuelas. El objetivo de este nivel consiste en la consecución de un grado de satisfacción óptimo de las necesidades personales básicas a

pesar de las limitaciones temporales o permanentes impuestas por el estado de salud.

En cualquiera de los niveles definidos, toda labor de enfermería debe basarse en un conjunto de pautas elementales que constituyen un auténtico proceso, más o menos complejo según las características de cada caso, pero siempre sometido a las reglas de un método concreto que posibilite la adecuada formulación de los cuidados requeridos y su correcta instauración.

Metodología

Para cumplir sus cometidos fundamentales, la enfermería práctica requiere la concepción y aplicación de un modelo o método a partir del cual se puedan estructurar de una manera eficaz todas las intervenciones, desde el primer contacto con el paciente hasta la finalización de las actividades encuadradas dentro de su ámbito de responsabilidades. El modelo plenamente aceptado en la actualidad corresponde al método científico, considerado el más idóneo para la solución de problemas y basado en una secuencia elemental: la comprensión del problema, la recogida de da-

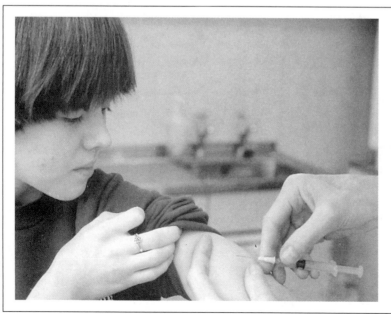

El nivel secundario de actuación de enfermería corresponde al conjunto de tareas asistenciales o curativas encaminadas al tratamiento de los problemas de salud, potenciales o ya establecidos, mediante la aplicación de unos métodos planificados en cada caso particular con el objetivo de solventar la alteración que presente el paciente, prevenir su agravamiento y evitar o reducir al máximo las posibles complicaciones.

La metodología que usualmente se aplica en el proceso de enfermería corresponde al modelo científico, pero siempre sobre la base de una perspectiva holística, que toma en consideración todas las dimensiones del individuo y su entorno, atendiendo a sus necesidades fisiológicas y también a las psicológicas, sociales, culturales y espirituales.

tos, la formulación de hipótesis de trabajo, la comprobación de las hipótesis y la formulación de conclusiones.

Este método científico general, basado en el conocimiento procedente de la información y la experiencia así como en la racionalización, aplicado al campo de la enfermería hace posible los siguientes puntos esenciales:

- Una mejor aproximación a los problemas y necesidades del paciente.
- Un adecuado establecimiento de prioridades en todo lo referente a las necesidades del paciente.
- La adecuada formulación de las estrategias de actuación oportunas para cubrir las necesidades del paciente.
- Una máxima eficacia y continuidad en el trabajo asistencial.
- Una óptima coordinación de las diferentes intervenciones del equipo sanitario.

Bases del proceso de enfermería

Con el propósito de precisar y solventar de manera eficaz las necesidades de cada paciente, es indispensable establecer una serie de pautas que, en su conjunto, constituyen el *proceso de atención de enfermería*. Se trata de un proceso continuo pero integrado por diferentes etapas o fases, ordenadas lógicamente, que tienen como objetivo fundamental la adecuada planificación y ejecución de los oportunos cuidados orientados al bienestar del paciente. Cabe destacar, sin embargo, que tales etapas, aunque pueden definirse y analizarse de forma independiente, en realidad están íntimamente relacionadas y son ininterrumpidas, puesto que el proceso de enfermería implica una actuación constante y a todos los niveles para poder determinar y cubrir los requerimientos del paciente no sólo desde una dimensión física o biológica, sino también desde las perspectivas psicológica, sociológica, cultural y espiritual.

Sucintamente, el proceso de enfermería abarca, por una parte, la recogida, el análisis y la interpretación de los datos precisos para determinar las necesidades del paciente, y por otra, la planificación de los cuidados oportunos, su ejecución y su evaluación global. A fines didácticos, pueden distinguirse cinco fases, cada una de las cuales debe ser adecuadamente cumplimentada para el logro satisfactorio de los objetivos: valoración, diagnóstico, planificación de cuidados, ejecución y evaluación.

FASE DE VALORACIÓN

La etapa inicial del proceso de enfermería, de cuya correcta cumplimentación depende en buena parte su desarrollo global, corresponde a la recogida de datos. Mediante la recopilación de información, basada en la observación y la entrevista al paciente así como en toda otra fuente disponible, se pretende elaborar un inventario de todo aquello referente al enfermo que aporte un conocimiento indispensable sobre sus características personales, sus dificultades o padecimientos, sus hábitos de vida y el estado de satisfacción de sus necesidades fundamentales.

En este paso de valoración, pues, se intenta averiguar tanto como sea posible, dentro de las limitaciones que imponga cada situación específica, sobre el propio paciente, su familia y su entorno, a fin de poder identificar sus necesidades, problemas y preocupaciones.

Obtención de datos

La labor de recopilación y posterior análisis de datos se basa unas veces en la observación directa, ya sea en forma de signos clínicos o bien de referencias verbales claras recogidas en el curso de la entrevista o la exploración, mientras que en otras ocasiones deriva de un proceso de deducción, a partir de la interpretación de expresiones y referencias indirectas.

Entre los datos a obtener, pueden diferenciarse unos que son objetivos, detectados di-

La fase de valoración es la etapa inicial del proceso de enfermería y requiere la máxima exactitud posible tanto en los datos obtenidos del paciente como en los resultados de los análisis y demás estudios que se efectúen para evaluar su estado de salud y sus necesidades.

rectamente por el personal de enfermería, y otros que son subjetivos, facilitados por el propio paciente y dignos también de toda consideración. En cualquier caso, la recogida de datos siempre supone un esfuerzo de comprobación, selección y clasificación, puesto que toda la información recabada, incluyendo la subjetiva, debe ser contrastable y admitida también por el resto del equipo de salud que participe en la atención del paciente.

En la etapa de valoración, además de averiguar todo lo relacionado específicamente con el motivo de consulta, debe procurarse la obtención de datos que, a modo de sugerencia, recojan información sobre los siguientes ámbitos:

• *Información de carácter general*: nombre, edad, sexo, estado civil, lugar de residencia, etcétera.

La **rehabilitación** constituye un nivel de atención esencial para ayudar al paciente a superar las secuelas de la enfermedad y hacer posible que progresivamente se reintegre a sus actividades normales, aprovechando al máximo sus capacidades.

La actuación de enfermería incluye muy diversas labores, entre las que destacan aquéllas encaminadas a la detección de problemas de salud potenciales o ya establecidos con la mayor prontitud posible, de tal modo que puedan establecerse precozmente las líneas de intervención más oportunas para intentar corregir las alteraciones antes de que deparen secuelas.

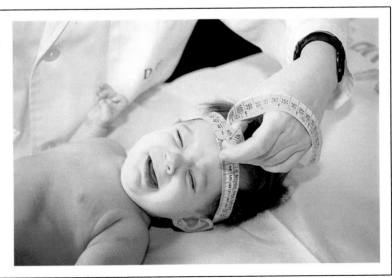

La obtención de datos, basada en la información recogida durante la entrevista al paciente, es un punto fundamental de la fase de valoración que constituye el primer paso del proceso de enfermería. Un interrogatorio efectuado en un clima de confianza con el paciente, atendiendo a todas sus inquietudes, permite elaborar una correcta historia clínica, piedra angular de toda actuación sanitaria.

La exploración física permite obtener datos objetivos de la máxima importancia para contrastar la información subjetiva brindada por el paciente sobre su dolencia y, así, sentar unas sólidas bases para establecer la orientación diagnóstica. En esta etapa de valoración, debe recabarse toda la información que pueda ser de utilidad para tal finalidad, desde la determinación de las constantes vitales que presente el paciente en el momento del examen hasta los datos procedentes de los diversos métodos de inspección, auscultación, palpación y percusión que reflejen su estado actual.

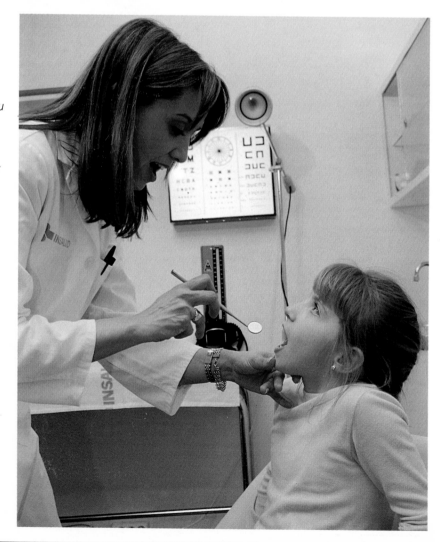

- *Características personales*: idioma, raza, religión, nivel socioeconómico, nivel de educación, ocupación, etcétera.
- *Hábitos*: estilo de vida, tipo de alimentación, hábitos de defecación, pautas habituales de ejercicio o actividad física, hábitos de descanso, relajación y sueño, higiene personal, ocio y actividades recreativas, etcétera.
- *Sistemas de apoyo*: familiar, comunitario y social.
- *Antecedentes personales y familiares relacionados con la salud*: antecedentes hereditarios, enfermedades pasadas y actuales, embarazos, intervenciones quirúrgicas, accidentes, etcétera.
- *Estado físico*:
  — Constantes vitales: pulso, temperatura corporal, presión arterial, frecuencia respiratoria.
  — Peso y talla.
  — Funciones fisiológicas: estado de conciencia, patrones de respiración, alimentación, excreción, sueño, movimiento, etcétera.
  — Datos procedentes de los diversos métodos de exploración física general (inspección, auscultación, palpación, percusión) que reflejen la situación actual del paciente.
- *Datos biológicos*: grupo sanguíneo y Rh, déficit sensoriales o motrices, alergias, uso de prótesis, resultados de pruebas disponibles, etcétera.
- *Datos psicosociales*: nivel de estrés, ansiedad, sufrimiento o confort, estado emocional y mental, situación de crisis, grado de autonomía, nivel de comunicación, adaptación personal y cultural, etcétera.

Fuentes de información

Los datos útiles requeridos para la valoración del estado del paciente y sus necesidades pueden provenir de diversas fuentes, si bien, cuando resulta posible, se considera que la información primaria debe obtenerse a partir del propio paciente, a través de la entrevista y el examen físico, los datos de laboratorio y los resultados de las pruebas complementarias.

La entrevista es un método de comunicación que constituye una auténtica técnica de observación, en la cual se plantean preguntas directas sobre los puntos de interés pero, donde también se brinda al paciente la oportunidad de expresarse libre y espontáneamente, animándolo asimismo a manifestar sus sentimientos y preocupaciones. El cuestionario debe cubrir diversas áreas de interés, y para que sea completo conviene recurrir al uso de formularios preestablecidos, en especial si no se tiene suficiente experiencia. No obstante, se trata no sólo de preguntar y escuchar con atención las respuestas del paciente, sino también de mirar sus expresiones faciales y gestos, así como de advertir la forma en que habla y traduce de forma no verbal sus emociones, puesto que todo ello puede brindar una información de inestimable importancia que, de otra manera, podría llegar a pasar inadvertida.

También debe tenerse en cuenta la información procedente de fuentes secundarias, co-

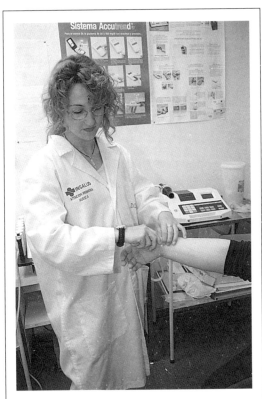

La exploración física, en la cual se combinan los procedimientos básicos de inspección, auscultación, palpación y percusión, es un paso crucial para determinar las constantes vitales del paciente y establecer la situación actual de su estado de salud.

La obtención de datos para la fase de valoración tiene como base la entrevista al paciente, de quien, siempre que sea posible, surge la información primaria, pero también se debe aprovechar la información procedente de otras fuentes, como son las aportaciones de familiares y acompañantes que complementan las averiguaciones y que, en determinados casos, constituyen la única fuente veraz disponible.

mo son las aportaciones de familiares e integrantes del entorno del paciente (datos indispensables en ciertos servicios: urgencias, pediatría, psiquiatría), así como los datos registrados en la historia clínica actual o en alguna anterior y los informes derivados de los demás miembros del equipo de salud.

Como complementación, cabe recurrir al material bibliográfico oportuno que permita adquirir o reforzar los conocimientos indispensables para elaborar un análisis crítico de la información obtenida (libros, revistas especializadas), así como recabar la información conveniente de expertos o profesionales con conocimientos específicos en determinados ámbitos.

La recogida de datos, aun constituyendo el punto de partida de la actuación de enfermería, debe ser continua mientras persista la relación con el paciente. A lo largo de su trabajo, pues, el personal de enfermería no debe dejar de observar, indagar, consultar, cuestio-

nar y recopilar datos relativos al paciente a su cargo, dado que de este modo probablemente se adquiera una información capaz, incluso, de aconsejar una modificación o el replanteamiento del proceso de enfermería en cualquier punto de su desarrollo.

FASE DE DIAGNÓSTICO

La segunda fase del proceso de enfermería corresponde al análisis e interpretación de los datos recogidos en la etapa previa. Su finalidad consiste en determinar con la mayor claridad posible y de manera concisa el problema específico que presenta el paciente y las fuentes de dificultad que lo provocan. Se trata, pues, de elaborar el *diagnóstico de enfermería*, punto prioritario para establecer la situación y las necesidades del paciente, así como para plantear los cuidados de enfermería más oportunos. Gracias a esta fase del proceso, en definitiva, pueden sacarse conclusiones válidas acerca de los problemas que presenta el paciente y, consecuentemente, es posible diseñar un plan de atenciones adaptado a sus necesidades. Por otra parte, la precisión del diagnóstico facilita la comprensión del caso al resto del equipo sanitario.

Básicamente, en esta etapa se intenta examinar y dimensionar con la máxima objetividad posible los datos recopilados, para posteriormente confrontarlos con los parámetros normales de los diversos factores que aseguran las necesidades del ser humano. De este modo, pueden determinarse las alteraciones presentes en el paciente o que el propio enfermo experimenta, los problemas actuales y los potenciales, aparentes y no aparentes, que permitan conformar un cuadro global de la situación. Para ello, hay que considerar atentamente los hechos, comportamientos, signos y síntomas; identificar las relaciones existentes entre los diversos elementos; determinar el grado de autonomía

La recopilación de datos
procedentes del interrogatorio y la exploración del paciente debe ser metódica y tan completa como sea posible en cada ocasión, a fin de poder efectuar una valoración basada en un cuadro completo de la situación, siendo conveniente complementar la información con las aportaciones de otros integrantes del equipo de salud y expertos con conocimientos específicos en determinados ámbitos, cuya participación en esta fase del proceso de enfermería permite elaborar un análisis crítico mejor fundamentado.

del paciente; indagar las causas que provocan las dificultades que presenta el enfermo;
establecer prioridades y prever posibles consecuencias. Siempre debe tenerse en cuenta
que todo cambio desfavorable en la satisfacción de alguna necesidad fundamental (de
orden biológico, psicológico, social, cultural
o espiritual) que se manifiesta a través de
signos observables, directos o indirectos, resulta de utilidad para la formulación del
diagnóstico de enfermería.

En el siguiente capítulo, dedicado específicamente al diagnóstico de enfermería, se pro-
fundizará en todas estas cuestiones.

FASE DE PLANIFICACIÓN DE CUIDADOS

En esta fase, sobre la base de los datos reca-
bados en la etapa de valoración y en el diagnóstico de enfermería establecido, se planifi-
can las estrategias encaminadas a prevenir,
minimizar o corregir los problemas identificados previamente. Es una etapa orientada a
la acción, ya que se trata de establecer un
plan de actuación y determinar sus diferentes
pasos, los medios requeridos para su consecución, las intervenciones concretas que se
deben instaurar y las precauciones que corresponde adoptar en el curso de todo el proceso de enfermería.

Es posible que en una situación aguda o de
amenaza para la vida la decisión de las intervenciones requeridas deba ceñirse a los procedimientos indispensables e inmediatos, pero en la mayor parte de los casos es posible
llevar a cabo una planificación más detallada;
en aquellas ocasiones en que se impone actuar sin dilación, la planificación global se
postergará al momento en que se cuente con
todos los requisitos indispensables.

Prioridades y objetivos

En primer lugar, la fase de planificación requiere el establecimiento de un orden de
prioridades entre las necesidades identificadas
en el paciente, diferenciando los problemas
actuales de los potenciales, y los comunes, de
otros más raros. A partir de tal jerarquización,
pueden estipularse los objetivos que deben
perseguir los cuidados de enfermería para sol-

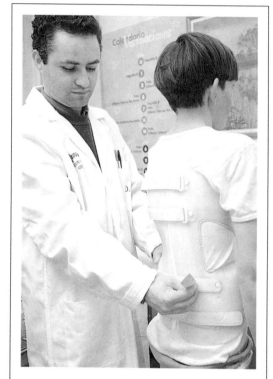

La fase de planificación de cuidados es una
etapa fundamental del proceso de enfermería en
la cual se establecen las estrategias para reducir
o solucionar los problemas identificados y se
determinan los pasos básicos para alcanzar los
objetivos propuestos y los medios necesarios para
llevar a cabo las actuaciones concretas que
posibiliten su consecución.

ventar los problemas del paciente y suplir
aquellos factores que él no puede llevar a cabo por sí mismo para satisfacer sus necesidades y resolver su problema de dependencia.
Tales objetivos pueden ser de muy diferente
naturaleza: de índole psicomotriz, cognitiva,
afectiva, etc. Puede tratarse de objetivos a corto, a medio o a largo plazo, así como de objetivos circunstanciales o de objetivos permanentes, según sean las características de cada
caso.

Una vez establecido el orden de prioridades,
se intenta determinar, con la máxima precisión posible, el conjunto de intervenciones
necesarias para alcanzar los objetivos propuestos. En este sentido, deben contemplar-
se las acciones que tendrá que realizar el personal de enfermería para poder conseguir el

bienestar del paciente y su mejoría, así como las acciones que deberán demandarse al propio enfermo y sus familiares, asegurando la ayuda y las enseñanzas oportunas, en un intento de lograr la mayor independencia del enfermo.

También deben planificarse los elementos de vigilancia y evaluación, para lo cual es necesario que los objetivos de intervención sean personalizados y mensurables.

El plan de cuidados, además de ser una herramienta básica para el trabajo del profesional que tiene a su cargo al enfermo, constituye también un instrumento de comunicación y de unificación de las intervenciones del equipo de salud, lo que resulta de suma utilidad para potenciar la actividad coordinada de todos los miembros y garantizar la eficacia y continuidad de los cuidados.

Participación del paciente

La formulación del plan de actuaciones debe contemplar, siempre que sea posible y en función de su estado de salud física y mental, la colaboración del paciente. La cooperación del propio enfermo en la confección del plan de atenciones, tanto en lo referente a la estipulación de prioridades como en lo que respecta a la determinación de los cuidados oportunos, resulta de la máxima utilidad a la hora de solicitar su participación activa durante el curso del proceso.

En muchas ocasiones, el personal de enfermería, en una labor eminentemente pedagógica, puede resolver la falta de conocimientos del paciente o enseñarle cómo resolver problemas mediante instrucciones, ejemplos y supervisión de ensayos, de tal modo que incremente su independencia y se encargue de cubrir parte de los cuidados incluidos en la planificación global. Lo mismo cabe decir respecto de los familiares, que pueden colaborar de una manera activa y eficaz si se hacen partícipes del plan de actuaciones.

En cualquier caso, siempre debe informarse al paciente y a sus allegados del plan de enfermería, describiendo las intervenciones que se desarrollarán y solicitando una colaboración activa cuando sea factible, preciso o conveniente.

FASE DE EJECUCIÓN

Esta etapa corresponde a la puesta en práctica del plan de actuaciones elaborado previamente y cuya meta es la de conducir el paciente, al menos idealmente, hacia la óptima satisfacción de sus necesidades. En tales actuaciones, dependiendo de cada situación, pueden intervenir, según sean las necesidades, posibilidades y disponibilidades, el paciente, el equipo de enfermería y la familia del enfermo.

Dentro de lo posible, se intenta que sea el propio paciente, con la debida ayuda y supervisión, quien lleve a cabo el máximo de los cuidados planificados, aunque tal ideal no siempre es accesible. De todos modos, aun cuando en un primer tiempo los cuidados hayan de quedar exclusivamente en manos del personal de enfermería, a medida que se produzca una evolución positiva se intentará que la responsabilidad pase progresivamente al paciente, que de este modo irá adquiriendo independencia, a la par que se reduce la suplencia proporcionada por el personal de enfermería.

En esta fase, la relación entre personal de enfermería y el paciente adquiere su máxima significación. En este sentido, no sólo se debe tender a la resolución de los problemas de salud concretos del paciente, sino que también resulta fundamental conceder la debida atención a su dimensión como persona, incluyendo sus preocupaciones, temores y ansiedades. Siempre debe tenerse presente que tan importantes como la aplicación de las técnicas médico-quirúrgicas son factores tales como la comunicación, la comprensión y el apoyo psicológico y emocional de la persona que sufre.

Durante la fase de ejecución, la comunicación entre el personal de enfermería y el paciente, verbal o no verbal, adquiere una importancia excepcional. Deben explicarse con detalle los cuidados requeridos y la forma de ejecución, las rutinas del centro, las exploraciones y los tratamientos a que debe someterse. En todo momento, debe intentarse una comunicación pedagógica, con intención de enseñanza, ya sea de cuidados generales (alimentación, higiene, prevención de enferme-

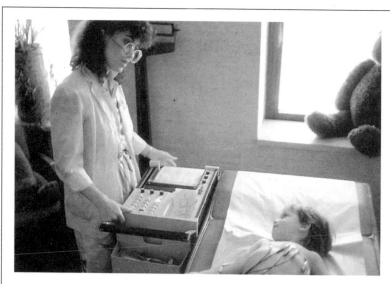

La fase de evaluación, que constituye la última etapa del proceso de enfermería, corresponde a una actividad constante y compleja de cuyo cumplimiento depende la oportuna reorientación del plan terapéutico, con la introducción de las modificaciones necesarias en función de los resultados obtenidos con las intervenciones y las reacciones del paciente a los cuidados recibidos.

dades y recursos para potenciar la salud) o bien de actuaciones específicas relacionadas con el padecimiento concreto del paciente y sus limitaciones.

Cabe destacar que, a lo largo de esta fase, el plan de actuaciones previo se utiliza sencillamente como guía, puesto que se continúan obteniendo informaciones sobre el estado del paciente y su respuesta a las atenciones y ello puede imponer una modificación o complementación de las estrategias. Para que así pueda suceder, resulta fundamental registrar correctamente todas las prácticas implantadas, los resultados obtenidos y las respuestas del paciente ante su aplicación, dado que sólo de esta forma podrá evaluarse de manera idónea la eficacia del plan.

FASE DE EVALUACIÓN

La última fase del proceso de enfermería, la de evaluación, corresponde a una actividad continua mediante la cual se determina hasta qué punto se han alcanzado los objetivos propuestos previamente y los resultados de la aplicación del plan de cuidados, a la par que se incorporan nuevos datos surgidos de la evolución del estado del paciente. Cabe destacar que las consecuencias de la instauración de intervenciones suelen ser positivas, pero también pueden resultar negativas o incluso inesperadas, y ello obliga a una evaluación constante que permita modificar oportunamente la planificación de cuidados en beneficio del enfermo.

Se trata de una etapa compleja, dado que deben juzgarse diversos elementos, y requiere una recopilación de nuevos datos, su análisis y una profunda reflexión, para poder determinar si se han logrado los objetivos propuestos o si han surgido nuevas necesidades. Para que tal labor sea eficaz, es preciso tener previstos y respetar ciertos plazos de evaluación, diversos según sean los objetivos (cada tantas horas, cada tantos días), dado que sólo así pueden determinarse las tendencias de la evolución del paciente y de los resultados de las actuaciones.

En conjunto, la fase de evaluación debe tomar en consideración los resultados obtenidos con las intervenciones y también las reacciones del paciente a los cuidados y su grado de satisfacción, así como el análisis crítico de todo el proceso desarrollado.

En el momento de la evaluación, puede comprobarse el logro de objetivos propuestos, pero a la par pueden detectarse nuevas necesidades, surgidas en el proceso, que requieran nuevos objetivos y ejecuciones o la modificación del plan preestablecido. Así, se completa un proceso cíclico y continuo, poniendo en marcha un mecanismo de retroalimentación que constituye un factor esencial de toda la actividad de enfermería.

Diagnóstico de enfermería

2

Definición

El diagnóstico de enfermería consiste en un juicio clínico sobre un individuo, una familia o una comunidad, basado en la recogida de datos realizada en la etapa de valoración y su posterior análisis, que permite al personal de enfermería establecer las actuaciones comprendidas dentro de su ámbito de responsabilidad. Como requisitos elementales, el diagnóstico de enfermería debe determinar, de forma concisa, el estado de salud del paciente, el problema que presenta o el que se aprecia como previsible, sobre la base de datos objetivos y subjetivos que puedan confirmarse, indicando el juicio que resulta de la identificación e interpretación crítica de un patrón o conjunto de síntomas y signos.

Formulación

Cada diagnóstico de enfermería consta de dos partes: en una se expresa el problema o la situación que se ha identificado, mientras que en la otra se intenta determinar su probable origen.

- Primera parte: comprende el enunciado del diagnóstico y se refiere a la alteración, dificultad o situación que determina el personal de enfermería en la fase de valoración. Usualmente, se trata de un problema de salud que se intentará prevenir o corregir mediante los pertinentes objetivos de la intervención terapéutica; cabe destacar, sin embargo, que existen excepciones, puesto que algunos diagnósticos contemplan situaciones o patrones de normalidad.

- Segunda parte: corresponde a los "factores relacionados", o sea, la etiología presumible. Se trata de los elementos internos o externos (fisiológicos, medioambientales, socioculturales, psicológicos o espirituales) que pueden provocar, contribuir o participar en la génesis de la situación determinada. Dado que generalmente el diagnóstico se refiere a un problema de salud, tales factores deben tomarse en consideración para poder prevenir, minimizar o aliviar dicha situación anómala, teniendo en cuenta que cabe la posibilidad de que se requieran actuaciones diferentes para tratar un mismo problema. En algunas ocasiones, en vez de factores relacionados se mencionan "factores de riesgo", cuando el diagnóstico hace referencia a la posibilidad de desarrollo de una determinada alteración.

Atendiendo a lo expuesto, la formulación del diagnóstico de enfermería consta de dos partes unidas por la expresión "relacionado con", indicando así el problema que presenta el paciente y los factores que contribuyen al mismo; cuando no pueda precisarse la existencia de factores relacionados, en la segunda parte de la formulación resulta útil emplear la frase "etiología desconocida".

Diagnósticos de enfermería aprobados por la NANDA

TAXONOMÍA I-REVISADA

Los diagnósticos de enfermería formulados, aprobados y revisados por la NANDA (*North American Nursing Diagnosis Association*; Asociación Norteamericana de Diagnósticos de Enfermería) se organizan en la clasificación conocida como Taxonomía I-revisada. Dicha clasificación, a diferencia de otras también en uso, no se basa en modelos de diagnóstico médicos o funcionales, sino que, desde un planteamiento más holístico, agrupa los diagnósticos en diferentes modelos o patrones de respuesta humana.

PATRONES DE RESPUESTA HUMANA

Para su clasificación, la NANDA considera nueve modelos de respuesta humana:
- Intercambio: patrón de respuesta humana que comprende dar y recibir recíprocamente.
- Comunicación: patrón de respuesta humana que comprende envío y recepción de mensajes.
- Relación: patrón de respuesta humana que comprende el establecimiento de vínculos interpersonales.
- Valoración: patrón de respuesta humana que abarca la asignación de valores.
- Elección: patrón de respuesta humana que comprende la selección de alternativas.
- Movimiento: patrón de respuesta humana que comprende las actividades.
- Percepción: patrón de respuesta humana que comprende la recepción de informaciones.
- Conocimiento: patrón de respuesta humana que comprende el significado asociado a la información.
- Sentimiento: patrón de respuesta humana que comprende la conciencia subjetiva de la información.

CLASIFICACIÓN Y DESARROLLO

A continuación se exponen los diagnósticos de enfermería de la Taxonomía I-revisada (1992) de la NANDA, bajo el encabezamiento de cada tipo de patrón de respuesta humana; no se incluyen aquellos diagnósticos propuestos en la XI Conferencia (1994) que se encuentran en proceso de desarrollo y revisión antes de su inclusión en la Taxonomía NANDA.

Cabe destacar que en esta obra se han asumido las definiciones, características definitorias y factores relacionados/de riesgo propuestos por la NANDA, con las debidas adaptaciones en beneficio de una mayor comprensión y utilidad.

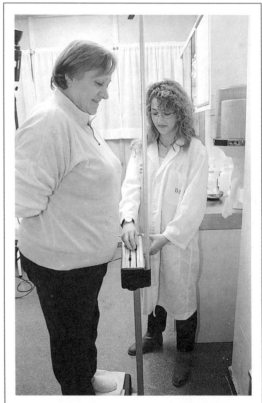

Nutrición alterada, superior a las necesidades corporales. Una característica definitoria de este diagnóstico de enfermería es la constatación de un peso superior en un 10 a un 20% al peso ideal según estatura, complexión física, sexo y edad, así como la observación de un patrón alimentario inadecuado.

Patrón de respuesta humana 1: intercambio

Diagnóstico NANDA 1.1.2.1
NUTRICIÓN ALTERADA, SUPERIOR A LAS NECESIDADES CORPORALES

Definición

Estado en que el individuo consume una cantidad de alimentos que excede sus demandas metabólicas.

Características definitorias

- Peso superior en un 10 al 20% al peso ideal según estatura y complexión física.
- Pliegue cutáneo a nivel del tríceps superior a 15 mm en los hombres o superior a los 25 mm en las mujeres.
- Actividad sedentaria.
- Referencia u observación de un patrón de alimentación inadecuado:
  — Ingesta de alimentos mientras se realizan otras actividades.
  — Concentración de la ingesta al final del día.
  — Alimentación en respuesta a factores externos, como la hora del día o la situación social.
  — Alimentación en respuesta a factores internos que no corresponden al apetito, como la ansiedad.

Factores relacionados

- Falta de ejercicio físico.
- Disminución de la actividad física.
- Desequilibrio entre actividad física e ingesta calórica.
- Ingesta en respuesta a estrés o conflictos emocionales.
- Patrón alimentario inadecuado.
- Disminución de las necesidades metabólicas.
- Falta de conocimientos sobre necesidades nutricionales.
- Tratamiento con medicamentos estimulantes del apetito.
- Imagen corporal negativa.
- Falta de apoyo para la pérdida de peso en el entorno social.

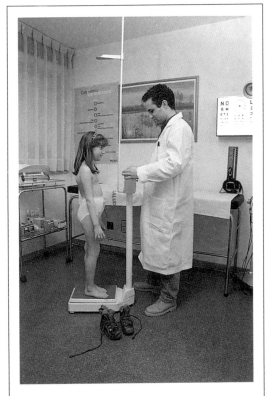

Nutrición alterada, con posibilidad de ingesta superior a las necesidades corporales. Este diagnóstico es frecuente en pacientes pediátricos con una ingesta calórica excesiva, reflejándose en una evolución rápida en los percentiles de crecimiento.

- Pérdida de autocontrol.
- Disminución de la autoestima.
- Sentimientos de ansiedad, culpa, aburrimiento, depresión, etcétera.

Diagnóstico NANDA 1.1.2.2
NUTRICIÓN ALTERADA, INFERIOR A LAS NECESIDADES CORPORALES

Definición

Estado en que el individuo consume una cantidad de alimentos insuficiente para cubrir sus demandas metabólicas.

Características definitorias

- Pérdida de peso con un aporte de alimentos adecuado.

13

- Peso inferior en un 20% al peso ideal según estatura y complexión física.
- Informe de ingesta alimentaria inferior al aporte diario recomendado.
- Referencia de alteración en el sentido del gusto.
- Falta de interés por la comida.
- Aversión hacia la comida.
- Observación de incapacidad para ingerir alimentos.
- Saciedad inmediata ante la ingesta de alimentos.
- Problemas en la masticación o en la deglución.
- Dolor abdominal, con existencia de condiciones patológicas o en ausencia de las mismas.
- Calambres abdominales.
- Diarrea y/o esteatorrea.
- Palidez.
- Debilidad y disminución del tono muscular.
- Disminución de la turgencia cutánea.
- Pérdida de cabello excesiva
- Anemia.
- Demandas metabólicas superiores a la ingesta.

Factores relacionados

- Incapacidad en la ingestión y digestión de alimentos o en la asimilación de nutrientes debido a factores biológicos, psicológicos o económicos, tales como:
  — Trastornos de la asimilación o malabsorción.
  — Alteración del sentido del gusto o del olfato.
  — Disfagia.
  — Disnea.
  — Estomatitis u otras afecciones bucales.
  — Náuseas y vómitos.
  — Dificultad o incapacidad para masticar.
  — Disminución del apetito.
  — Trastornos de la salivación.
  — Estados hiperanabólicos o catabólicos (cáncer, quemaduras, infecciones, etcétera).
  — Trastornos de la conciencia.
  — Carencia de conocimientos sobre requerimientos nutricionales, debido a falta de información, información incorrecta o conceptos alimentarios erróneos.

Diagnóstico NANDA 1.1.2.3
NUTRICIÓN ALTERADA, CON POSIBILIDAD DE INGESTA SUPERIOR A LAS NECESIDADES CORPORALES

Definición

Estado en que el individuo corre el riesgo de consumir una cantidad de alimentos superior a sus demandas metabólicas.

Características definitorias

Presencia de los siguientes factores de riesgo:
- Referencia u observación de obesidad en uno o ambos padres.
- Apreciación de un condicionamiento psicológico en relación con la comida, o la tendencia a la ingesta de alimentos como recompensa o consuelo.
- Referencia de uso de alimentos sólidos como principal fuente nutricional antes de los cinco meses de vida.
- Observación de una evolución rápida en los percentiles de crecimiento en lactantes y niños.
- Referencia u observación de un peso basal progresivamente más alto al inicio de cada embarazo.
- Referencia u observación de un patrón alimentario inadecuado:
  — Ingesta de alimentos mientras se realizan otras actividades.
  — Concentración de la ingesta al final del día.
  — Alimentación en respuesta a factores externos, como la hora del día o la situación social.
  — Alimentación en respuesta a factores internos que no corresponden al apetito, como la ansiedad.

Factores relacionados

- Predisposición hereditaria.
- Gestaciones frecuentes y poco distanciadas entre sí.
- Ingesta calórica excesiva en la última fase de la gestación.
- Ingesta calórica excesiva en la infancia o la pubertad.
- Edad avanzada.

- Estilo de vida sedentario.
- Aislamiento social.
- Modificación de las actividades habituales.
- Patrón alimentario inadecuado por influencia familiar o cultural.
- Ingesta como gratificación sustitutiva o en respuesta a factores emocionales (ansiedad, aburrimiento, depresión, etcétera).

Diagnóstico NANDA 1.2.1.1
ALTO RIESGO DE INFECCIONES

Definición

Estado en que el individuo presenta riesgo elevado de ser invadido por agentes infecciosos patógenos.

Factores de riesgo

- Defensas primarias inadecuadas:
  — Solución de continuidad cutánea.
  — Tejidos traumatizados.
  — Disminución de la acción ciliar.
  — Retención de líquidos corporales.
  — Modificación del pH de las secreciones.
  — Alteración del peristaltismo.
- Defensas secundarias inadecuadas:
  — Anemia (disminución de la hemoglobina).
  — Leucopenia.
  — Supresión de la respuesta inflamatoria.
  — Inmunosupresión.

- Inmunidad adquirida deficiente.
- Lesiones tisulares y mayor exposición ambiental.
- Enfermedades crónicas.
- Malnutrición.
- Traumatismos.
- Efecto de agentes farmacológicos.
- Procedimientos terapéuticos invasivos.
- Rotura de la membrana amniótica.
- Falta de conocimientos para evitar la exposición a agentes patógenos.

Diagnóstico NANDA 1.2.2.1
ALTO RIESGO DE ALTERACIÓN DE LA TEMPERATURA CORPORAL

Definición

Estado en que el individuo presenta riesgo elevado de no poder mantener la temperatura corporal dentro de los límites normales.

Factores de riesgo

- Edades extremas.
- Pesos extremos.
- Exposición a ambientes fríos o calurosos.
- Deshidratación.
- Inactividad o actividad vigorosa.
- Ropa inadecuada para la temperatura ambiental.
- Alteraciones metabólicas.

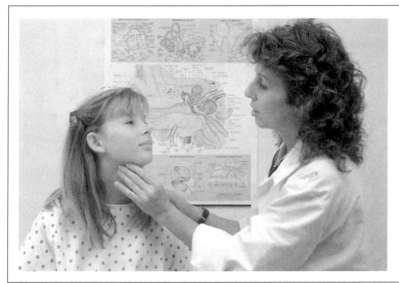

Alto riesgo de infecciones. *Los principales factores de riesgo para la invasión por agentes infecciosos patógenos corresponden a la existencia de defensas primarias o secundarias inadecuadas debido a múltiples motivos, enfermedades crónicas, traumatismos y lesiones tisulares expuestas, malnutrición y, en el medio hospitalario, la realización de procedimientos terapéuticos invasivos.*

- Medicamentos vasodilatadores o vasoconstrictores.
- Estado de sedación.
- Enfermedad o traumatismo que pueda afectar la termorregulación.

Diagnóstico NANDA 1.2.2.2
HIPOTERMIA

Definición

Estado en que la temperatura corporal desciende por debajo de los límites normales.

Características definitorias

- Reducción de la temperatura corporal por debajo de los límites normales.
- Escalofríos leves.
- Frialdad cutánea.
- Palidez moderada.
- Llenado capilar lento.
- Cianosis del lecho ungueal.
- Taquicardia.
- Hipertensión.
- Piloerección.

Factores relacionados

- Exposición a un ambiente frío.
- Enfermedades o traumatismos.
- Lesión que afecta la función del hipotálamo.
- Incapacidad o disminución de la capacidad de producción de escalofríos.
- Malnutrición.
- Ropa inadecuada a la temperatura ambiental.
- Consumo de alcohol.
- Medicamentos vasodilatadores.
- Pérdida de calor por evaporación cutánea debido a ambiente frío.
- Disminución del metabolismo.
- Inactividad.
- Edad avanzada.

Diagnóstico NANDA 1.2.2.3
HIPERTERMIA

Definición

Estado en que la temperatura corporal se eleva por encima de los límites normales.

Características definitorias

- Elevación de la temperatura corporal por encima de los límites normales.
- Piel enrojecida y caliente.
- Taquicardia.
- Incremento de la frecuencia respiratoria.
- Escalofríos.
- Sensación de debilidad.
- Desmayos.
- Sudoración.
- Comentarios verbales de sensación de calor.
- Accesos de convulsiones.

Factores relacionados

- Exposición a un ambiente caliente.
- Actividad física intensa.
- Efecto de medicamentos.
- Efecto de anestesia.
- Lesión o trastorno que afecta la función del hipotálamo.
- Obesidad.
- Edad avanzada.
- Ropa inadecuada.
- Incremento del metabolismo.
- Enfermedades.
- Traumatismos.
- Deshidratación.
- Incapacidad o disminución de la capacidad de sudoración.
- Incapacidad para regular la temperatura corporal (falta de aire acondicionado; utilización de incubadoras en lactantes).

Diagnóstico NANDA 1.2.2.4
TERMORREGULACIÓN INEFICAZ

Definición

Estado en que la temperatura corporal oscila entre la hipotermia y la hipertermia.

Características definitorias

- Fluctuaciones de la temperatura corporal por debajo y por encima de los límites normales.
- Características correspondientes a hipotermia e hipertermia.

Factores relacionados

- Enfermedades.
- Traumatismos.
- Inmadurez.
- Edad avanzada.
- Alteración de la conciencia.
- Sedación.
- Medicamentos vasoconstrictores o vasodilatadores.
- Fluctuaciones de la temperatura ambiental.
- Obesidad.
- Peso demasiado bajo.
- Ropa inadecuada para la temperatura ambiental.

Diagnóstico NANDA 1.2.3.1
DISREFLEXIA (TRASTORNO DE LA RESPUESTA REFLEJA AUTÓNOMA)

Definición

Estado en que un individuo con lesión medular a nivel de D7 o superior experimenta o presenta riesgos de sufrir una desinhibición peligrosa del sistema vegetativo autónomo (simpático) ante un estímulo nocivo.

Características definitorias

Individuo con lesión en la médula espinal a nivel de D7 o superior con:
- Hipertensión paroxística (elevaciones periódicas repentinas de la presión arterial, con ascensos de la presión sistólica por encima de 140 mm Hg e incrementos de la presión diastólica por encima de 90 mm Hg).
- Bradicardia (pulso inferior a 60/min) o taquicardia (pulso superior a 100/min).
- Diaforesis (por encima de la lesión).
- Manchas rojas en la piel (por encima de la lesión).
- Palidez (por debajo de la lesión).
- Dolor de cabeza difuso y no limitado a ninguna área de inervación concreta.
- Enfriamiento y escalofríos.
- Congestión conjuntival.
- Síndrome de Horner, por parálisis del simpático cervical (miosis, ptosis palpebral parcial, enoftalmía y posible pérdida de sudoración en el lado de la cara afectada).

- Parestesias (aumento de la sensibilidad, sensación de hormigueo, entumecimiento o picor).
- Piloerección.
- Visión borrosa.
- Dolor torácico.
- Sabor metálico en la boca.
- Congestión nasal.

Factores relacionados

- Distensión vesical.
- Distensión intestinal.
- Estímulos irritativos cutáneos.
- Falta de conocimientos del paciente y del cuidador.

Diagnóstico NANDA 1.3.1.1
ESTREÑIMIENTO

Definición

Estado en que el individuo presenta un cambio en sus hábitos de evacuación intestinal normales, con disminución de los movimientos intestinales en relación con el ritmo de eliminación habitual, eliminación de heces duras y secas o ausencia de evacuación.

Características definitorias

- Frecuencia de evacuaciones intestinales inferior a la habitual.
- Referencias de esfuerzos excesivos para defecar.
- Existencia de heces duras o fecalomas.
- Referencias de sensación de plenitud o presión abdominal o rectal.
- Masa palpable.
- Heces duras y palpables al efectuar un tacto rectal.
- Cantidad de heces inferior a lo normal.
- Disminución de los ruidos intestinales.
- Flatulencia y dolor producido por acumulación intestinal de gases.
- Alteración del apetito.
- Dolor abdominal.
- Dolor de espalda.
- Dolor de cabeza.
- Irritabilidad.

- Interferencia con las actividades cotidianas.
- Uso de laxantes.

Factores relacionados

- Ingesta de alimentos en cantidad inferior a la adecuada.
- Inmovilidad o actividad física inferior a la adecuada.
- Efecto secundario de medicamentos.
- Utilización prolongada o crónica de laxantes y enemas.
- Lesiones gastrointestinales.
- Lesiones neuromusculares.
- Lesiones musculoesqueléticas.
- Dolor o sensación de incomodidad en la defecación, o temor a molestias en la defecación.
- Efecto de procedimientos diagnósticos.
- Embarazo.
- Edad avanzada.
- Debilidad de la musculatura abdominal.
- Hábitos personales.
- Falta de intimidad.
- Represión del reflejo de evacuación intestinal.
- Estado emocional alterado.

Diagnóstico NANDA 1.3.1.1.1
PERCEPCIÓN DE ESTREÑIMIENTO

Definición

Estado en que el individuo se autodiagnostica estreñimiento y se asegura una eliminación intestinal diaria recurriendo al uso de laxantes, enemas y supositorios.

Características definitorias

- Referencias acerca de expectativas de tener una evacuación diaria empleando abusivamente laxantes, enemas o supositorios.
- Referencia del propósito y la esperanza de tener una evacuación intestinal cada día a la misma hora.

Factores relacionados

- Creencias familiares o culturales en el ámbito de la salud.
- Apreciación inadecuada del propio individuo.
- Alteración de los procesos del pensamiento.

Diagnóstico NANDA 1.3.1.1.2
ESTREÑIMIENTO CRÓNICO

Definición

Estado en que el patrón de evacuación intestinal se caracteriza por heces duras y secas, como resultado de un retraso en el tránsito intestinal de los residuos alimentarios.

Características definitorias

- Disminución de la frecuencia de evacuación intestinal.
- Heces duras y secas.

Estreñimiento crónico. Uno de los principales factores relacionados con este diagnóstico de enfermería es el consumo de alimentos ricos en fibra vegetal inferior a la cantidad adecuada para lograr un volumen de contenido intestinal eficaz para estimular las contracciones peristálticas.

- Referencias de esfuerzos excesivos para defecar.
- Defecación dolorosa.
- Distensión abdominal.
- Masa palpable.
- Sensación de presión rectal.
- Dolor de cabeza.
- Dolor abdominal.
- Alteración del apetito.

Factores relacionados

- Ingesta de alimentos y fibra en cantidad inferior a la adecuada.
- Ingesta de líquidos en cantidad inferior a la adecuada.
- Inmovilidad o actividad física inferior a la adecuada.
- Falta de intimidad.
- Estado emocional alterado.
- Estrés.
- Uso prolongado o crónico de laxantes o enemas.
- Modificaciones en la rutina diaria.
- Problemas metabólicos, como hipotiroidismo, hipertiroidismo, hipopotasemia, etcétera.

Diagnóstico NANDA 1.3.1.2
DIARREA

Definición

Estado en que el individuo presenta un cambio en sus hábitos de evacuación intestinal normales, con eliminación frecuente de heces blandas, sueltas o líquidas.

Características definitorias

- Incremento de la frecuencia de las evacuaciones.
- Evacuaciones fecales de poca consistencia o líquidas.
- Modificaciones en el color, aspecto y coloración de las heces.
- Presencia de moco en las heces.
- Dolor abdominal.
- Retortijones o cólicos intestinales.
- Incremento de la intensidad y frecuencia de los ruidos intestinales.
- Sensación de urgencia defecatoria (tenesmo) o referencia de deseo constante de evacuar.
- Sensación de fatiga y debilidad muscular.

La diarrea no siempre está causada per un proceso infeccioso. En ocasiones puede deberse a un patrón alimentario incorrecto o a una intolerancia alimentaria.

- Pérdida de apetito.
- Malestar general.
- Fiebre.
- Sed.
- Pérdida de peso.

Factores relacionados

- Efecto de medicamentos.
- Efectos de radiaciones.
- Intervención quirúrgica.
- Procesos infecciosos.
- Procesos inflamatorios.
- Síndrome de malabsorción.
- Alergia.
- Intolerancia alimentaria.
- Trastornos nutricionales.
- Estrés y ansiedad.
- Ingesta excesiva de alimentos con alto contenido en fibra.
- Uso excesivo de laxantes.
- Consumo de líquidos o alimentos contaminados.

Diagnóstico NANDA 1.3.1.3
INCONTINENCIA FECAL

Definición

Estado en que el individuo es incapaz de controlar las evacuaciones intestinales, caracterizado por defecación involuntaria.

Características definitorias

- Deposición involuntaria de heces.
- Fallo en la percepción de la necesidad de evacuar.
- Fallo en la percepción de la eliminación fecal.
- Referencia de deseo constante de evacuar.

Factores relacionados

- Diarrea.
- Impacción fecal.
- Trastornos neuromusculares.
- Trastornos musculoesqueléticos.
- Trastornos de la percepción.
- Trastornos de la conciencia.
- Depresión.
- Ansiedad grave.
- Imposibilidad física o psicológica para el acceso a los servicios.
- Heces de gran volumen.
- Efecto de medicamentos.
- Uso excesivo de laxantes.

Diagnóstico NANDA 1.3.2
ALTERACIÓN DE LA ELIMINACIÓN URINARIA

Definición

Estado en que se experimentan trastornos en la producción y emisión de orina.

Características definitorias

- Distensión vesical.
- Disuria.
- Micciones muy frecuentes.
- Polaquiuria.
- Nicturia.
- Retención urinaria.
- Incontinencia urinaria.

- Aumento o disminución del volumen total de orina en 24 horas en relación con la ingesta de líquidos.
- Urgencia miccional.

Factores relacionados

- Obstrucción urinaria.
- Deshidratación.
- Traumatismos.
- Dolor o espasmos a nivel de la vesícula o del abdomen.
- Infección urinaria.
- Cirugía.
- Cateterismo vesical.
- Trastornos sensomotores.
- Trastornos neuromusculares.
- Depresión.
- Sedación.
- Estrés, miedo o ansiedad.
- Efecto de medicamentos.
- Incapacidad para expresar necesidades.
- Estreñimiento o impacción fecal.
- Fatiga.
- Represión del reflejo miccional.
- Inmovilidad.
- Reposo prolongado en cama.
- Falta de intimidad.
- Modificaciones en el entorno ambiental.
- Obesidad.
- Embarazo.
- Edad avanzada.

Diagnóstico NANDA 1.3.2.1.1
INCONTINENCIA URINARIA POR TENSIÓN

Definición

Estado en que el individuo presenta emisión de orina involuntaria en cantidades inferiores a 50 ml, provocada por un incremento de la presión intraabdominal.

Características definitorias

- Escapes de orina en relación con incrementos de la presión intraabdominal o el ejercicio.
- Escapes de orina en bipedestación.
- Incremento en la frecuencia de las micciones (menos de dos horas).
- Sensación de urgencia miccional.

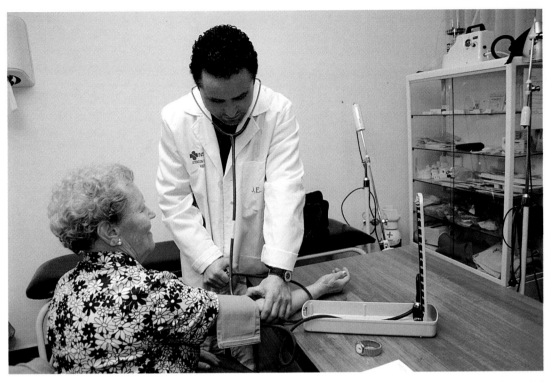

La fase de evaluación es un proceso dinámico que se basa en el control continuado de la evolución de la enfermedad y su respuesta al tratamiento.

La labor de enfermería no solamente comprende la atención del individuo enfermo sino que también se orienta, de manera prioritaria, hacia el control del individuo sano, en un esfuerzo por constatar que no existen amenazas para su salud. La proximidad y el contacto prolongado con los pacientes sitúan al personal de enfermería en un lugar privilegiado del sistema sanitario y ofrecen las mejores posibilidades para cumplir con tan importante función.

z

Diagnóstico de enfermería

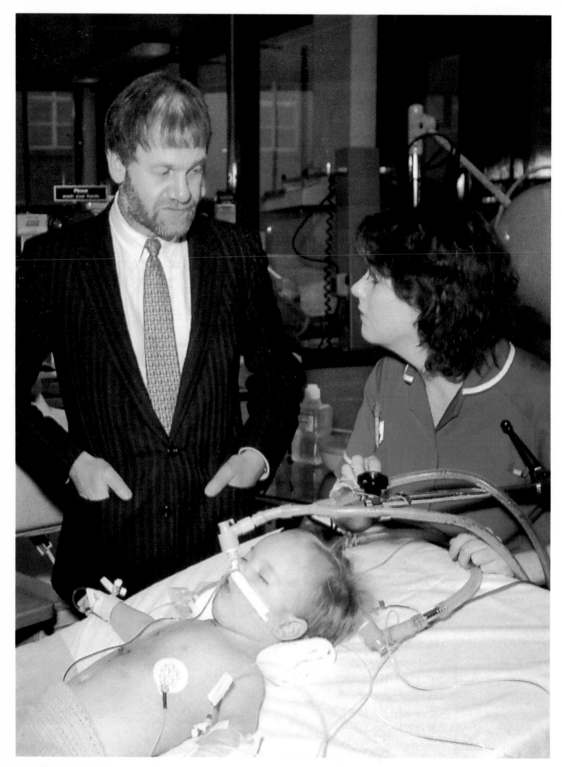

El apoyo emocional a los familiares, tan necesario durante la permanencia del paciente en el centro hospitalario, debe complementarse con una atenta vigilancia de las respuestas y actitudes que adoptan ante la situación crítica, a fin de evaluar su capacidad de colaboración.

Factores relacionados

- Cambios degenerativos en los músculos de la pelvis y las estructuras de sostén relacionados con el aumento de la edad.
- Factores que favorecen el incremento de la presión intraabdominal:
  — Obesidad.
  — Embarazo.
- Trastornos en el vaciamiento vesical.
- Distensión vesical excesiva entre una y otra micción.
- Debilidad de los músculos de la pelvis y las estructuras de sostén de cualquier origen.

Diagnóstico NANDA 1.3.2.1.2
INCONTINENCIA URINARIA REFLEJA

Definición

Estado en que el individuo presenta emisión de orina involuntaria, a intervalos hasta cierto punto predecibles, cuando se alcanza un determinado volumen de llenado vesical.

Características definitorias

- Falta de percepción o de conciencia de la incontinencia.

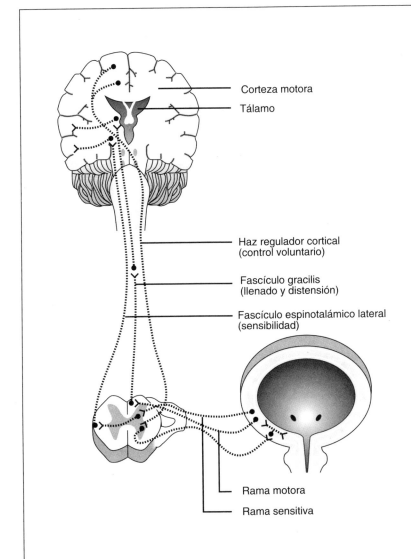

Corteza motora

Tálamo

Haz regulador cortical
(control voluntario)

Fascículo gracilis
(llenado y distensión)

Fascículo espinotalámico lateral
(sensibilidad)

Rama motora

Rama sensitiva

Alteración de la eliminación urinaria e incontinencia urinaria. El control de la micción depende de un reflejo automático y de la voluntad. Al alcanzarse un determinado nivel de acumulación de orina en la vejiga se desencadenan unos impulsos nerviosos que alcanzan la corteza cerebral y originan deseos de orinar. Si el acto no es inhibido voluntariamente mediante la contracción del esfínter vesical externo, se produce el reflejo de la micción regulado por un centro nervioso localizado en el asta anterior de la médula espinal sacra, comunicado con la vejiga mediante el nervio pélvico que inerva el músculo detrusor de la pared vesical y el esfínter interno de la vejiga. Toda patología de dichas estructuras puede originar un fallo de la micción y, consecuentemente, una alteración en la eliminación de orina e incontinencia urinaria.

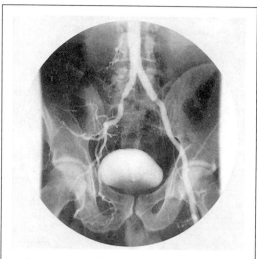

La incontinencia urinaria, o emisión involuntaria de orina, puede ser causada por trastornos de muy diversa índole, como alteraciones del vaciamiento vesical, lesiones neurológicas, debilidad de los músculos de la pelvis, inflamación vesical, etc.
En la fotografía, urografía endovenosa en la que puede observarse la vejiga urinaria completamente llena, situación que puede provocar una incontinencia por rebosamiento.

- Pérdida de percepción del llenado vesical.
- Pérdida de la sensación plenitud vesical o de urgencia miccional.
- Desinhibición de contracciones/espasmos vesicales a intervalos regulares.
- Micción de grandes cantidades de orina.

Factores relacionados

- Lesiones neurológicas diversas.
- Lesiones medulares que impliquen interrupción en la conducción de impulsos nerviosos por encima del nivel del arco reflejo miccional (S3).

Diagnóstico NANDA 1.3.2.1.3
INCONTINENCIA URINARIA POR URGENCIA

Definición

Estado en que el individuo presenta emisión de orina involuntaria inmediatamente después de percibir una sensación de urgencia miccional.

Características definitorias

- Sensación de urgencia urinaria.
- Contracciones o espasmos vesicales.
- Micciones frecuentes.
- Nicturia.
- Micción de cantidades excesivas de orina (superior a 550 ml).
- Micción de cantidades reducidas de orina (inferior a 100 ml).
- Imposibilidad de acceder a tiempo a los servicios.

Factores relacionados

- Infección o inflamación vesical.
- Reducción de la capacidad vesical por:
  — Cirugía.
  — Antecedentes de enfermedad imflamatoria pélvica.
  — Sondaje urinario.
- Distensión vesical excesiva.
- Cambios en la concentración de la orina.
- Tratamiento con diuréticos.
- Consumo de alcohol.
- Consumo de cafeína.
- Incremento de la ingestión de líquidos.

Diagnóstico NANDA 1.3.2.1.4
INCONTINENCIA URINARIA FUNCIONAL

Definición

Estado en que el individuo presenta una emisión de orina de carácter involuntario e impredecible.

Características definitorias

- Patrón de micciones impredecible.
- Fallo en la percepción de llenado vesical.
- Urgencia miccional o contracciones vesicales intensas que provocan escapes de orina antes de alcanzar un sitio adecuado para la micción.

Factores relacionados

- Alteraciones del medio ambiente.
- Trastornos neuromotores.
- Perturbaciones de la conciencia.
- Trastornos sensoriales.

Diagnóstico NANDA 1.3.2.1.5
INCONTINENCIA URINARIA TOTAL

Definición

Estado en que el individuo presenta emisión de orina continua e impredecible.

Características definitorias

- Emisión de orina constante, en cualquier momento, sin que exista distensión vesical ni se produzcan contracciones o espasmos vesicales.
- Incontinencia urinaria que no responde a los tratamientos.
- Nicturia.
- Fallo en la percepción de llenado vesical o presión perineal.
- Falta de apreciación de la incontinencia.

Factores relacionados

- Disfunción neurológica que comporta el desencadenamiento de la micción en momentos impredecibles.
- Trastorno neurológico que impide la percepción de llenado vesical.

- Lesiones neuromusculares relacionadas con prácticas quirúrgicas.
- Enfermedades o traumatismos de la médula espinal o raíces nerviosas.
- Fístulas.

Diagnóstico NANDA 1.3.2.2
RETENCIÓN URINARIA

Definición

Estado en que el individuo presenta vaciamiento incompleto de la vejiga urinaria.

Características definitorias

- Distensión vesical.
- Disminución de la fuerza del chorro de orina.
- Micciones escasas o frecuentes, o ausencia de micción.
- Pérdida de orina por goteo.
- Disuria.
- Nicturia.
- Sensación de plenitud vesical.
- Incontinencia por rebosamiento.
- Incremento de la cantidad de orina residual (más de 150 ml, o del 20% del volumen de orina emitida).

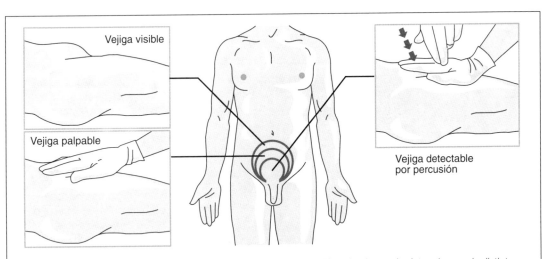

Retención urinaria. La distensión vesical característica de la retención urinaria puede determinarse de distintas formas en la exploración física según sea el grado de llenado vesical. Cuando la distensión es muy importante, y especialmente en los individuos delgados, puede llegar a detectarse en la inspección como un abultamiento en la región abdominal baja. En grados más moderados, la distensión puede percibirse mediante la percusión y la palpación del hipogastrio, maniobras con las que es posible delimitar la altura de la vejiga y la existencia de un globo vesical.

Factores relacionados

- Disminución o ausencia de impulsos miccionales sensoriales, motores o de ambos tipos.
- Tratamiento con medicamentos anestésicos, opiáceos o psicotrópicos.
- Obstrucción urinaria.
- Inhibición del arco reflejo.
- Presión uretral elevada, por detrusor débil.
- Estenosis uretral (hipertrofia de próstata, edema postparto, inflamación postquirúrgica, impacción fecal).
- Esfínter fuerte.
- Ansiedad.

Diagnóstico NANDA 1.4.1.1
ALTERACIÓN DE LA IRRIGACIÓN DE LOS TEJIDOS (ESPECIFICAR EL TIPO: PERIFÉRICA, RENAL, CEREBRAL, CARDIOPULMONAR, GASTROINTESTINAL)

Definición

Estado en que un individuo presenta una reducción del metabolismo celular debido a un déficit en el aporte sanguíneo.

Características definitorias

Alteración de la irrigación periférica:
- Alteraciones sensoriales, parestesias.
- Alteraciones motoras.
- Frialdad cutánea.
- Palidez cutánea.
- Eritema.
- Disminución de los pulsos arteriales, pulso filiforme.
- Edema.
- Dolor en las extremidades, claudicación.
- Inflamación.
- Uñas de crecimiento lento, gruesas y frágiles.
- Modificaciones en el crecimiento capilar.
- Modificaciones tróficas cutáneas.
- Ulceraciones y áreas con cicatrización deficiente.
- Gangrena.

Alteración de la irrigación renal:
- Disminución de la secreción de orina.
- Edemas.

Alteración en la irrigación cerebral:
- Alteración de los procesos del pensamiento.
- Trastornos de la conciencia, síncope.
- Inquietud, trastornos del comportamiento.
- Alteración de la visión, visión borrosa.
- Sintomatología neurológica.

Alteración de la irrigación cardiopulmonar:
- Dolor torácico.
- Aumento de la frecuencia cardiaca.
- Aumento de la frecuencia respiratoria.
- Disnea.

Alteración de la irrigación gastrointestinal:
- Alteraciones del ritmo de evacuación intestinal.

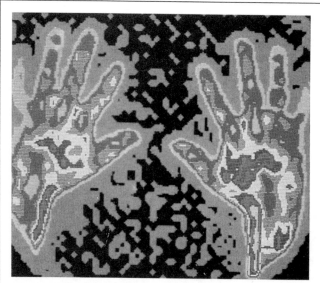

Alteración de la irrigación de los tejidos.
Un tipo de trastorno de de la irrigación periférica es el síndrome de Raynaud, caracterizado por una alteración de la regulación del flujo sanguíneo de los capilares de las extremidades superiores. El síndrome se manifiesta con una serie de signos característicos que se suceden en un orden secuencial: palidez, cianosis y enrojecimiento, causados, respectivamente, por el colapso del extremo arteriolar de los capilares, la posterior dilatación del extremo venoso de los mismos y, finalmente, la dilatación refleja del extremo arteriolar. El trastorno afecta generalmente a ambas manos, y suele desencadenarse por la exposición al frío. En la fotografía, imagen termográfica de las manos de una paciente con síndrome de Raynaud.

Exceso de volumen de líquidos corporales.
Los edemas (acumulación de líquidos en los tejidos)
se acompañan de un aumento del peso corporal y
resultan más evidentes en las extremidades
inferiores, especialmente en los tobillos, así como
en las zonas declive.

- Náuseas y vómitos.
- Dolor abdominal.

Factores relacionados

- Hipervolemia.
- Hipovolemia.
- Problemas de intercambio.
- Interrupción del flujo arterial.
- Interrupción del flujo venoso.

Diagnóstico NANDA 1.4.1.2.1
EXCESO DE VOLUMEN DE LÍQUIDOS CORPORALES

Definición

Estado en que se presenta una retención de líquidos corporales y edemas.

Características definitorias

- Edemas.
- Trasudación.
- Anasarca.

- Aumento del peso corporal.
- Ingesta de líquidos superior a la eliminación (balance hídrico positivo).
- Disnea, ortopnea.
- Cambios en el patrón respiratorio.
- Auscultación de ruidos respiratorios anormales (crepitantes y estertores).
- Auscultación del tercer ruido cardiaco.
- Congestión pulmonar (observable en la radiología de tórax).
- Disminución de la hemoglobina y del hematócrito.
- Cambios en la presión arterial.
- Cambios en la presión venosa central.
- Ingurgitación yugular.
- Reflejo hepatoyugular positivo.
- Oliguria.
- Alteraciones hidroelectrolíticas.
- Contracturas musculares.
- Debilidad.
- Náuseas y vómitos.
- Alteraciones de la conciencia, inquietud y ansiedad.

Factores relacionados

- Alteración de los mecanismos reguladores (producción de aldosterona, producción de hormona antidiurética, sistema renina-angiotensina).
- Ingesta de líquidos excesiva.
- Ingesta de sodio excesiva.
- Déficit de aporte proteico.
- Medicamentos.
- Edades extremas.
- Embarazo.

Diagnóstico NANDA 1.4.1.2.2.1 (I)
DÉFICIT DE VOLUMEN DE LÍQUIDOS CORPORALES (I)

Definición

Estado en que se presenta una alteración de los líquidos corporales con deshidratación debido a fallos en los mecanismos de regulación.

Características definitorias

- Orina diluida.
- Cambios en la diuresis, aumento o disminución.

- Cambios en la frecuencia y volumen de las micciones.
- Pérdida de peso súbita.
- Posible aumento de peso.
- Hipotensión arterial.
- Disminución del llenado venoso.
- Incremento de la frecuencia del pulso.
- Disminución del volumen y la presión del pulso.
- Disminución de la turgencia cutánea.
- Sequedad de piel y mucosas.
- Incremento de la temperatura corporal.
- Hemoconcentración.
- Debilidad.
- Edemas.
- Sed.

Factores relacionados

- Infecciones.
- Incremento del metabolismo.

- Paso de líquidos al espacio extravascular.
- Edades extremas.

Diagnóstico NANDA 1.4.1.2.2.1 (II)
DÉFICIT DE VOLUMEN DE LÍQUIDOS CORPORALES (II)

Definición

Estado en que se presenta una alteración de los líquidos corporales con deshidratación debido a una pérdida hídrica o electrolítica.

Características definitorias

- Disminución de la diuresis.
- Orina concentrada.
- Eliminación de líquidos superior a la ingesta.
- Pérdida de peso súbita.
- Reducción del llenado venoso.
- Hemoconcentración.

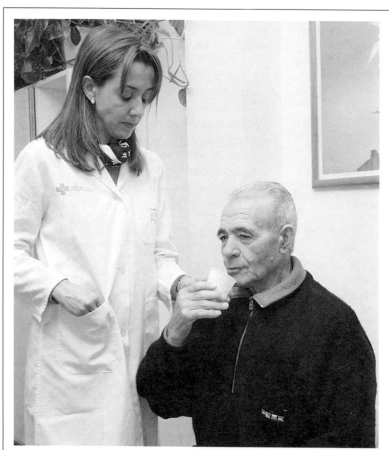

Déficit de volumen de líquidos corporales debido a fallos en los mecanismos de regulación. La disminución de líquidos corporales, con deshidratación, origina hemoconcentración y una alteración de la volemia que, entre otras características definitorias, da lugar a determinados hallazgos en la exploración del sistema cardiovascular: hipotensión arterial, disminución del llenado venoso, incremento de la frecuencia del pulso y disminución del volumen y la presión del pulso. Entre los factores relacionados con este diagnóstico destacan las edades extremas de la vida, que se acompañan de una mayor labilidad de los mecanismos de regulación de los líquidos corporales.

- Aumento del sodio sérico.
- Hipotensión arterial.
- Incremento de la frecuencia del pulso.
- Disminución del volumen y la presión del pulso.
- Sed.
- Ojos hundidos.
- Disminución de la turgencia cutánea.
- Sequedad de piel y mucosas.
- Incremento de la temperatura corporal.
- Debilidad.
- Trastornos de la conciencia.

Factores relacionados

- Alteraciones de la conciencia.
- Diaforesis.
- Exposición a calor extremo.
- Dificultades para la ingestión o la deglución.
- Diarreas.
- Vómitos.
- Uso excesivo de laxantes o enemas.
- Pérdida de líquidos por orificios artificiales, drenajes o sondas.
- Restricción hídrica.
- Transgresiones dietéticas.
- Terapia diurética.
- Ingestión de alcohol excesiva.

Diagnóstico NANDA 1.4.1.2.2.2
ALTO RIESGO DE DÉFICIT DE VOLUMEN DE LÍQUIDOS CORPORALES

Definición

Estado en que el individuo corre el riesgo de sufrir una deshidratación vascular, celular o intracelular.

Factores de riesgo

- Edades extremas.
- Pesos extremos.
- Pérdidas de líquidos a través de vías naturales (por ejemplo: diarrea, vómitos, aumento de la diuresis).
- Pérdidas de líquidos a través de vías artificiales (por ejemplo: drenajes).
- Trastornos que perturban la ingesta o la absorción de líquidos (por ejemplo: inmovilidad, trastornos de la conciencia).

- Factores que modifican las necesidades hídricas (por ejemplo: estados hipermetabólicos).
- Medicación diurética.
- Falta de conocimientos relacionados con el volumen de líquidos.

Diagnóstico NANDA 1.4.2.1
DISMINUCIÓN DEL GASTO CARDIACO

Definición

Estado en que el corazón bombea un volumen sanguíneo insuficiente para cubrir las demandas de los tejidos orgánicos (con riesgo de síntomas cardiovasculares, cerebrales o respiratorios).

Características definitorias

- Variaciones hemodinámicas.
- Taquicardia.
- Auscultación de ruidos cardiacos anormales.
- Arritmias, modificaciones electrocardiográficas.
- Ingurgitación yugular.
- Disminución de los pulsos periféricos.
- Cianosis o palidez en piel y mucosas.
- Piel fría, húmeda y pegajosa.
- Oliguria o anuria.
- Edemas.
- Aumento súbito de peso.
- Disnea, ortopnea.
- Auscultación de crepitantes y estertores.
- Esputos espumosos y rosados.
- Fatiga.
- Pérdida del apetito.
- Inquietud.
- Vértigo.
- Debilidad.
- Síncope.
- Trastornos de la conciencia.

Factores relacionados

- Disfunción cardiaca eléctrica por:
  —Alteración del ritmo.
  —Alteración de la frecuencia.
  —Alteración de la conducción.
- Disfunción cardiaca mecánica por:
  —Alteración en la precarga.
  —Alteración de los cambios inotrópicos del corazón.

27

—Alteración en la postcarga.
• Alteraciones orgánicas secundarias a malformaciones congénitas o traumatismos.

Diagnóstico NANDA 1.5.1.1
DETERIORO DEL INTERCAMBIO GASEOSO

Definición

Estado en que existe una alteración en el intercambio de O_2 y CO_2 entre la sangre y medio externo a nivel de la membrana alveolocapilar, con el consecuente déficit en la respiración de los tejidos orgánicos.

Características definitorias

• Cianosis.
• Hipercapnia.
• Hipoxia.
• Utilización de los músculos respiratorios accesorios.
• Incapacidad para movilizar las secreciones.
• Dedos hipocráticos (en palillo de tambor).
• Taquicardia.
• Fatiga.
• Irritabilidad.
• Inquietud.
• Somnolencia.

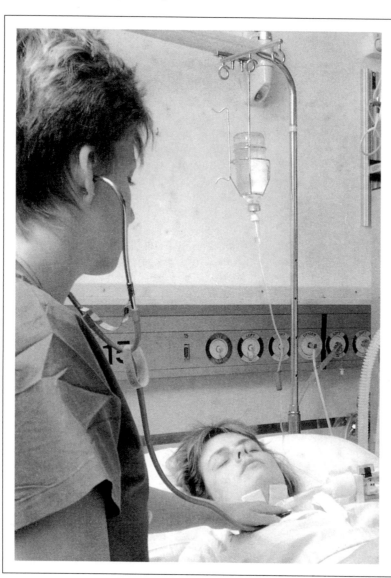

Deterioro del intercambio gaseoso. Este diagnóstico se define como el estado en que existe una alteración en el intercambio de oxígeno y dióxido de carbono entre el medio externo y la sangre, muchas veces relacionada con cambios a nivel de la membrana alveolocapilar, déficit en el aporte de oxígeno u obstrucciones en el árbol bronquial. Entre los objetivos del plan terapéutico destaca la conservación de un aporte de oxígeno adecuado, para lo cual puede ser preciso recurrir a la ventilación mecánica. En estos casos, el personal de enfermería se encargará de controlar los mandos del respirador para ajustarlo a las indicaciones prescritas y de los oportunos cuidados del tubo endotraqueal o la trasqueostomía, vigilando con regularidad el estado y la respuesta del paciente a la oxigenoterapia.

- Confusión.
- Letargo.

Factores relacionados

- Cambios en la membrana alveolocapilar.
- Alteración del riego sanguíneo.
- Alteración de la capacidad de la sangre para transportar oxígeno.
- Déficit en el aporte de oxígeno.
- Inhalación de sustancias tóxicas.
- Broncoaspiración.
- Fallo en la producción de factor surfactante.
- Hipoventilación.
- Hiperventilación.
- Anestesia.
- Medicamentos narcóticos, sedantes o tranquilizantes.

Diagnóstico NANDA 1.5.1.2
LIMPIEZA INEFICAZ DE LAS VÍAS AÉREAS

Definición

Estado en que el individuo es incapaz de eliminar las secreciones u obstrucción del tracto respiratorio para mantener permeables las vías aéreas.

Características definitorias

- Ausencia de ruidos respiratorios o ruidos respiratorios anómalos (crepitantes, estertores, roncus).
- Modificaciones en la frecuencia respiratoria y/o la profundidad de las respiraciones.
- Disnea.
- Taquipnea.
- Tos, productiva o no productiva.
- Utilización de músculos respiratorios accesorios:
  — Aleteo nasal.
  — Retracción intercostal y subesternal.
- Cianosis.
- Diaforesis.
- Hipertermia.
- Taquicardia.
- Ansiedad.
- Inquietud.

Factores relacionados

- Incapacidad para eliminar las secreciones o cuerpos extraños del aparato respiratorio.

- Incapacidad para toser de manera eficaz.
- Astenia, fatiga.
- Trastornos de percepción o cognitivos.
- Broncoaspiración.
- Anestesia.
- Infecciones.
- Medicamentos narcóticos, sedantes o tranquilizantes.
- Respiración asistida.
- Traumatismos.
- Inhalación de sustancias tóxicas.
- Contaminación ambiental.

Diagnóstico NANDA 1.5.1.3
PATRÓN RESPIRATORIO INEFICAZ

Definición

Estado en que una alteración del patrón de inspiración/espiración normal imposibilita una ventilación adecuada.

Características definitorias

- Disnea, falta de aire.
- Modificaciones en la frecuencia respiratoria y/o la profundidad de las respiraciones.
- Taquipnea.
- Prolongación de la fase espiratoria.
- Apneas prolongadas.
- Frémitos.
- Tos.
- Alteraciones en la gasometría.
- Cianosis.
- Aumento del diámetro torácico anteroposterior.
- Alteración de los movimientos torácicos, aleteo nasal.
- Utilización de músculos respiratorios accesorios.

Factores relacionados

- Trastornos de percepción o cognitivos.
- Trastornos neuromusculares.
- Trastornos musculoesqueléticos.
- Obstrucción traqueobronquial.
- Procesos inflamatorios.
- Disminución de la expansión pulmonar.
- Falta de energía, fatiga.
- Inmovilidad o inactividad.

- Dolor.
- Ansiedad.
- Anestesia.
- Medicamentos narcóticos, sedantes o tranquilizantes.
- Obesidad.

Diagnóstico NANDA 1.5.1.3.1
DIFICULTAD PARA MANTENER LA VENTILACIÓN ESPONTÁNEA

Definición

Estado en que el individuo presenta un patrón de respuesta energética disminuido y tiene dificultades para mantener una ventilación adecuada.

Características definitorias

- Disnea.
- Incremento del metabolismo.
- Inquietud.
- Utilización de musculatura respiratoria accesoria.
- Taquicardia.
- Disminución de la PO_2.
- Aumento de la PCO_2.
- Colaboración disminuida.

Factores relacionados

- Factores metabólicos.
- Fatiga de la musculatura respiratoria.

Diagnóstico NANDA 1.5.1.3.2
RESPUESTA DISFUNCIONAL AL DESTETE RESPIRATORIO

Definición

Estado en que el individuo no puede adaptarse a niveles inferiores de apoyo ventilatorio mecánico, con interrupción y prolongación del proceso de destete.

Características definitorias

En la respuesta disfuncional suave, el paciente responde a niveles inferiores de apoyo ventilatorio con:

- Inquietud.
- Incremento leve en el ritmo respiratorio basal.
- Sensación de aumento de la necesidad de oxígeno (incomodidad al respirar, fatiga, calor).
- Sospechas de mal funcionamiento del ventilador.
- Mayor concentración para respirar.

En la respuesta disfuncional moderada, el paciente responde a niveles inferiores de apoyo ventilatorio con:

- Ligero incremento de la presión arterial basal, inferior a 20 mm Hg.
- Ligero incremento del ritmo cardiaco basal, inferior a 20 latidos/min.
- Incremento del ritmo respiratorio basal, inferior a 5 respiraciones/min.
- Hipervigilancia.
- Respuesta deficitaria al entrenamiento.
- Dificultad para cooperar.
- Aprensión.
- Diaforesis.
- Facies con ojos desorbitados.
- Disminución de la entrada de aire en la auscultación.
- Cambios de la coloración cutánea: palidez, ligera cianosis.
- Ligera utilización de la musculatura respiratoria accesoria.

En la respuesta disfuncional moderada, el paciente responde a niveles inferiores de apoyo ventilatorio con:

- Agitación.
- Alteraciones gasométricas.
- Incremento de la presión arterial basal, superior a 20 mm Hg.
- Incremento del ritmo cardiaco basal, superior a 20 latidos/min.
- Incremento significativo del ritmo respiratorio basal, superior a 5 respiraciones/min.
- Diaforesis profusa.
- Cianosis.
- Plena utilización de la musculatura respiratoria accesoria.
- Respiración superficial.
- Respiración abdominal paradójica.
- Respiración descoordinada con el ventilador.
- Disminución del nivel de conciencia.
- Auscultación de ruidos respiratorios (secreciones en el tracto respiratorio).

Factores relacionados

Factores físicos:
- Limpieza ineficaz de las vías aéreas.
- Nutrición inadecuada.
- Dolor.
- Alteración del patrón de sueño.

Factores psicológicos:
- Falta de conocimientos sobre el proceso de destete.
- Percepción de dificultades en el proceso de destete.
- Falta de motivación adecuada.
- Disminución de la autoestima.
- Ansiedad.
- Temor.
- Desesperanza.
- Impotencia.
- Desconfianza en el personal sanitario.

Factores situacionales:
- Incremento episódico de las demandas de energía, sin control.
- Déficit episódico de energía, sin control.
- Disminución del ritmo de apoyo ventilatorio inadecuado.
- Factores medioambientales adversos (ruidos, actividad en el entorno, situaciones negativas en la habitación, relación enfermera/paciente inadecuada, ausencia de personal sanitario, presencia de personal sanitario inhabitual).
- Antecedentes de dependencia del ventilador superior a una semana.
- Antecedentes de fracasos en múltiples intentos de destete.
- Apoyo social inadecuado.

Diagnóstico NANDA 1.6.1
ALTO RIESGO DE LESIONES

Definición

Estado en que el individuo corre el peligro de sufrir lesiones debido a factores internos o externos.

Factores de riesgo

Factores de riesgo internos (individuales)
Bioquímicos:
- Disfunción de los mecanismos reguladores, por déficit sensorial, de integración o efector.

- Malnutrición.
- Hipoxia tisular.
- Trastornos de la inmunidad.
- Alteraciones sanguíneas (leucocitosis o leucopenia; trastornos de la coagulación; anemias).

Físicos:
- Solución de continuidad cutánea.
- Trastornos de la movilidad.

Edad de desarrollo:
- Fisiológicos.
- Psicosociales.

Psicológicos:
- Trastornos afectivos.

Trastornos de percepción y/o cognitivos
Factores de riesgo externos (ambientales)
Biológicos:
- Nivel sanitario y de inmunización de la comunidad.
- Exposición a microorganismos.

Químicos:
- Exposición a contaminantes ambientales.
- Exposición a tóxicos o venenos.
- Drogas.
- Agentes farmacológicos.
- Productos alimenticios.

Físicos:
- Estructura y disposición de la comunidad, barreras arquitectónicas y estilo de los edificios, materiales.
- Medios de transporte.

Diagnóstico NANDA 1.6.1.1
ALTO RIESGO DE ASFIXIA

Definición

Estado en que el individuo corre un riesgo elevado de asfixia accidental (disponibilidad insuficiente de aire para inhalar).

Factores de riesgo

Factores de riesgo internos (individuales)
- Enfermedades o lesiones.
- Falta de educación para la seguridad.
- Fallos en la adopción de precauciones y medidas de seguridad.
- Disminución de la capacidad motora.
- Trastornos sensoriales, disminución de capacidad olfatoria.

31

Alto riesgo de asfixia. Los niños están expuestos con frecuencia a múltiples factores ambientales que entrañan un elevado riesgo de asfixia accidental y que, cuando se tienen en cuenta, pueden ser prevenidos mediante medidas muy sencillas. En este sentido, es muy importante la labor pedagógica del personal de enfermería, que puede informar a los padres o cuidadores de lactantes y niños de corta edad sobre los principales factores de riesgo y las medidas más oportunas para su evitación, explicando que este tipo de accidente raramente es fruto de la fatalidad, sino que generalmente es consecuencia de fallos en la prevención.

- Trastornos emocionales.
- Trastornos de la conciencia.

Factores de riesgo externos (ambientales)

- Accesibilidad de los niños a bolsas de plástico y a objetos pequeños que puedan introducir en la nariz o la boca.
- Permanencia de niños junto a/en bañeras, estanques o piscinas sin vigilancia.
- Colocación de almohadas en la cuna de lactantes.
- Colocación de chupetes colgando del cuello de lactantes.
- Ropa de cama deshilachada.
- Escapes de gas en el hogar.
- Utilización de braseros sin ventilación adecuada.
- Puesta en marcha del motor del vehículo en el garage cerrado.
- Fumar en la cama.
- Refrigeradores o congeladores rotos o fuera de uso, a los que no se abrieron o quitaron las puertas.
- Patrón de alimentación inadecuado, con ingestión de bocados grandes.

- Colocación de almohada inadecuada bajo la cabeza de pacientes con dificultad respiratoria.
- Posición inadecuada de pacientes inmóviles.
- Control inadecuado de los aparatos de ventilación.

Diagnóstico NANDA 1.6.1.2
ALTO RIESGO DE INTOXICACIÓN

Definición

Estado en que se corre un riesgo elevado de exposición o ingestión accidental de medicamentos o productos peligrosos en dosis suficientes para causar una intoxicación.

Factores de riesgo

Factores de riesgo internos (individuales)

- Trastornos sensoriales, disminución de la visión.
- Trastornos emocionales.

- Trastornos de la conciencia.
- Falta de información adecuada sobre el uso de medicamentos.
- Combinación de medicamentos con alcohol.
- Consumo de medicamentos sin respetar la fecha de caducidad.
- Automedicación, uso de medicamentos prescritos para otras personas.
- Motivos económicos.
- Fallos en la adopción de precauciones y medidas de seguridad.

Factores de riesgo externos (ambientales)

- Presencia de gran cantidad de medicamentos en el hogar.
- Almacenamiento de fármacos en armarios sin cerrar con llave y al alcance de niños o personas confusas.

Alto riesgo de intoxicación. Una de las principales causas de intoxicación infantil es el consumo por parte del niño de medicamentos presentes en el hogar que no han sido debidamente guardados en un armario fuera de su alcance y, para mayor seguridad, bajo llave.

- Almacenamiento de productos tóxicos en envases para alimentos.
- Desprendimiento o descamación de pintura o enlucido de paredes en presencia de niños.
- Disponibilidad de drogas o productos farmacológicos obtenidos por medios ilegales, posiblemente contaminados por la adición de sustancias tóxicas.
- Contaminación de bebidas o alimentos.
- Fallos de seguridad en el medio laboral.
- Exposición a metales pesados y a productos químicos.
- Utilización de pinturas, lacas, etc., sin la debida protección o sin ventilación adecuada.
- Presencia de vegetación venenosa.
- Presencia de agentes contaminantes atmosféricos.

Diagnóstico NANDA 1.6.1.3
ALTO RIESGO DE TRAUMATISMO

Definición

Estado en que se corre un riesgo elevado de sufrir lesiones accidentales, como fracturas, heridas, quemaduras, etcétera.

Factores de riesgo

Factores de riesgo internos (individuales)

- Estado de confusión.
- Debilidad.
- Fatiga.
- Déficit de visión.
- Alteraciones visuales y auditivas.
- Trastornos del equilibrio.
- Disminución de la sensibilidad táctil y/o térmica.
- Alteración de la coordinación neuromuscular.
- Disminución de la coordinación mano-ojo.
- Fallos en la adopción de precauciones y medidas de seguridad.
- Falta de recursos económicos para la compra de material de seguridad o para efectuar composturas.
- Trastornos de la conciencia.
- Trastornos emocionales.
- Efectos secundarios de medicamentos.
- Antecedentes de traumatismos.

- Antecedentes de abuso de sustancias tóxicas.

Factores de riesgo externos (ambientales)

Fallos en la seguridad infantil:

- Niños que juegan con cerillas, mecheros, velas, etcétera.
- Niños que juegan con objetos cortantes o punzantes.
- Niños que juegan próximos a escaleras que no tienen la debida protección (puerta de seguridad) ni vigilancia.

Fallos de seguridad en el entorno:

- Suelo resbaladizo.
- Suciedad o líquidos derramados por el suelo o las escaleras.
- Malas condiciones de iluminación en habitaciones y pasillos.
- Presencia de obstáculos en los pasillos.
- Alfombrillas no sujetas o con una fijación inadecuada.
- Ausencia de protección en ventanas poco elevadas.
- Utilización de escaleras inestables.
- Utilización de asientos inadecuados o defectuosos.
- Ausencia de barandillas, o deficiencias en ellas.
- Nieve o hielo en aceras o escaleras.
- Utilizar bañeras desprovistas de agarraderas y dispositivos antideslizantes.

Fallos de seguridad en las instalaciones eléctricas:

- Cables eléctricos sin la debida fijación.
- Tomas eléctricas inadecuadas, cables deteriorados, aparatos eléctricos defectuosos.
- Sobrecarga de las salidas eléctricas, fallos en la caja de fusibles.

Riesgos de incendio y quemaduras:

- Escapes de gas.
- Fallos o retardo en el encendido de los quemadores de la cocina o del horno de gas.
- Experimentos con productos químicos o inflamables.
- Utilización de ropa de plástico cerca de las llamas.
- Utilización de ropa infantil o de juegos que pueden resultar inflamables.
- Almacenamiento inadecuado de productos corrosivos o combustibles.
- Jugar con material pirotécnico, pólvora.
- Fumar en la cama o en la proximidad de una fuente de oxígeno.

Alto riesgo de traumatismo. La permanencia de niños pequeños sin vigilancia en la cercanía de escaleras que no cuentan con las debidas protecciones (puerta de seguridad, barandillas ausentes o inestables) implica un elevado riesgo de lesiones accidentales.

- Bañarse con agua demasiado caliente (especialmente, fallos en el control de los baños infantiles).
- Falta de protección o protección inadecuada de chimeneas y calentadores.
- Utilización de cacerolas y pucheros con asas inadecuadas o desgastadas.
- Manejo de sustancias ácidas o alcalinas.

Fallos en la seguridad vial:

- Utilización de un vehículo inseguro.
- Conducir después de consumo de alcohol o drogas.
- Conducir a velocidad excesiva.
- Conducir sin la corrección visual adecuada.
- No utilización o mala utilización del cinturón de seguridad.

- Llevar niños sentados en la parte delantera del coche.
- No utilización de medios de sujeción para niños en el coche o utilización de elementos inadecuados para la edad y tamaño del niño.
- No utilización o mala utilización de casco cuando se viaja en vehículos de dos ruedas.
- Llevar niños en bicicletas de adultos.
- Malas condiciones de seguridad en carreteras o cruces.
- Jugar o trabajar cerca del paso de vehículos.

Peligros para el paciente encamado u hospitalizado:

- Utilización de camas altas.
- Utilización de ropa de cama inadecuada o mal fijada.
- Problemas con los medios de sujeción.
- Fallos en los mecanismos de llamada para pedir ayuda.

Otros factores de riesgo:

- Guardar armas de fuego o municiones sin las debidas medidas de seguridad.
- Guardar cuchillos sin protección.
- Contacto con maquinaria de movimiento veloz, cintas transportadoras o poleas industriales.
- Exposición a máquinas peligrosas.
- Exposición al frío intenso.
- Exposición excesiva o indebida al sol, lámparas UVA, radioterapia.
- Utilización de vajilla rota o defectuosa.

Diagnóstico NANDA 1.6.1.4
ALTO RIESGO DE BRONCOASPIRACIÓN

Definición

Estado en que el individuo corre riesgo de que penetren en el aparato traqueobronquial secreciones gastrointestinales, secreciones orofaríngeas, alimentos sólidos o líquidos, debido a disfunción o ausencia de los mecanismos de protección normales.

Factores de riesgo

- Disminución del nivel o trastornos de la conciencia.
- Trastornos de la deglución.

- Depresión del reflejo tusígeno.
- Depresión del reflejo nauseoso.
- Incompetencia del esfínter esofágico.
- Traqueostomía o intubación endotraqueal.
- Insuflación inadecuada del balón de seguridad de la cánula de traqueostomía o el tubo endotraqueal.
- Uso de sondas gastrointestinales.
- Alimentación o administración de medicamentos por sonda nasogástrica.
- Situaciones que afectan a la movilidad e impiden la incorporación de la parte superior del cuerpo.
- Incremento de la presión intragástrica.
- Incremento de residuos y secreciones gástricos.
- Disminución del peristaltismo gastrointestinal.
- Cirugía o traumatismos faciales, orales o del cuello.
- Trastornos de la deglución.
- Fijación mandibular.

Diagnóstico NANDA 1.6.1.5
ALTO RIESGO DE SÍNDROME POR FALTA DE USO

Definición

Estado en que existe riesgo de deterioro de los sistemas orgánicos como consecuencia de la inactividad o inmovilización física prescrita o inevitable.

Factores relacionados o de riesgo

- Parálisis.
- Inmovilización mecánica.
- Inmovilización prescrita.
- Dolores intensos que impiden o inhiben la movilización.
- Trastornos de la conciencia.

Diagnóstico NANDA 1.6.2
ALTERACIÓN DE LA PROTECCIÓN

Definición

Estado en que el individuo presenta una disminución de la capacidad para protegerse a sí mismo de amenazas internas y externas, como son enfermedades y lesiones.

Características definitorias

- Estado de inmunodeficiencia.
- Proceso de curación alterado.
- Alteraciones de la coagulación.
- Disminución de la respuesta al estrés.
- Alteraciones neurosensoriales.
- Escalofríos.
- Sudores.
- Disnea.
- Tos.
- Picores.
- Inquietud.
- Insomnio.
- Fatiga.
- Anorexia.
- Debilidad.
- Inmovilidad.
- Desorientación.
- Úlceras de decúbito.

Factores relacionados

- Edades extremas.
- Nutrición alterada.
- Abuso de alcohol.
- Trastornos hematológicos (anemia, leucopenia, trombocitopenia, coagulopatía).
- Efectos de medicamentos (antineoplásicos, corticosteroides, inmunodepresores, anticoagulantes, trombolíticos).
- Efectos de tratamientos (cirugía, radiación).
- Enfermedades (cáncer, trastornos inmunológicos).

Diagnóstico NANDA 1.6.2.1
DETERIORO DE LA INTEGRIDAD DE LOS TEJIDOS

Definición

Estado en que el individuo presenta lesiones en las membranas mucosas o tejidos corneal, tegumentario o subcutáneo.

Características definitorias

- Lesión o destrucción hística en membranas mucosas, córnea, tejido tegumentario o tejido subcutáneo.

Factores relacionados

- Alteraciones de la circulación sanguínea.
- Exceso o déficit de líquidos corporales.
- Exceso o déficit nutricional.
- Inmovilización o capacidad física limitada.
- Efectos secundarios de radioterapia.
- Exposición a irritantes químicos (incluyendo excreciones o secreciones corporales y medicamentos).
- Exposición a factores mecánicos (fricción, presión).
- Exposición a temperaturas extremas.
- Falta de conocimientos.

Diagnóstico NANDA 1.6.2.1.1
ALTERACIÓN DE LA MUCOSA ORAL

Definición

Estado en que el individuo presenta soluciones de continuidad o alteraciones de la integridad de la mucosa de la cavidad bucal.

Características definitorias

- Dolor en la cavidad bucal.
- Úlceras bucales.
- Vesículas.
- Leucoplasia.
- Placa oral.
- Edema.
- Hiperemia.
- Descamación.
- Estomatitis.
- Gingivitis.
- Xerostomía (sequedad de boca).
- Ausencia o disminución de la salivación.
- Lengua saburral.
- Caries dental.
- Halitosis.

Factores relacionados

- Deshidratación.
- Efecto secundario de medicamentos, quimioterapia o irradiación en cabeza y cuello.
- Inmunodepresión.
- Traumatismos mecánicos por:
  —Prótesis dental mal ajustada.
  —Ortodoncia.

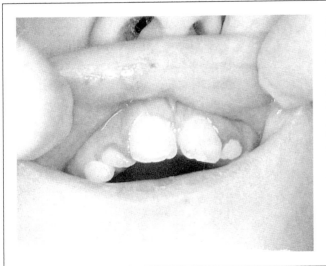

Alteración de la mucosa oral. La afectación de la integridad de las mucosas que tapizan la cavidad bucal puede tener diversas etiologías, entre las que destacan las agresiones mecánicas y químicas, las infecciones y diversos procedimientos terapéuticos, como intubaciones o sondajes y los efectos secundarios de la quimioterapia o la radioterapia. Dado su origen múltiple, la alteración puede requerir distintas medidas de tratamiento según sea su causa y características, pero siempre exige la instauración de un plan de cuidados que garantice una adecuada higiene bucal, la cual debe repetirse con regularidad, en especial antes y después de las comidas así como previamente al reposo nocturno.

— Intubación traqueal.
— Sondaje nasogástrico.
— Cirugía.
- Irritación química por:
  — Alimentos ácidos.
  — Medicamentos.
  — Agentes nocivos.
  — Alcohol.
- Vómitos.
- Malnutrición.
- Infecciones.
- Dieta absoluta durante más de 24 horas.
- Respiración por la boca.
- Higiene bucal insuficiente o inadecuada.

Diagnóstico NANDA 1.6.2.1.2.1
DETERIORO DE LA INTEGRIDAD CUTÁNEA

Definición

Estado en que el individuo presenta alteraciones en la piel.

Características definitorias

- Alteración o soluciones de continuidad en la superficie cutánea.
- Destrucción de las capas cutáneas.
- Invasión de estructuras orgánicas.
- Presencia de lesiones cutáneas:
  — Vesículas.
  — Ampollas o flictenas.
  — Excoriaciones.
  — Eritema.
  — Equimosis.
  — Tumores.
  — Puntos de necrosis.
- Sequedad cutánea.
- Descamación cutánea.
- Maceración cutánea.

Factores relacionados

- Alteración del estado nutricional (obesidad, emaciación).
- Alteraciones circulatorias.
- Alteraciones metabólicas.
- Alteraciones sensoriales.
- Hipertermia o hipotermia.
- Edema.
- Contacto con agentes irritantes, como productos químicos, excreciones o secreciones corporales.
- Humedad o contacto prolongado con líquidos.
- Infecciones, infestaciones.
- Inmovilidad o disminución de la actividad física.
- Medios de sujeción inadecuados.
- Traumatismos mecánicos (presión, fricción).
- Apoyo sobre prominencias óseas.
- Inmunodeficiencia.
- Alergia, trastornos autoinmunes.
- Exposición a radiaciones.
- Efectos secundarios de medicamentos.
- Cirugía.

- Modificaciones de la elasticidad cutánea.
- Edad avanzada.
- Factores psicógenos.

Diagnóstico NANDA 1.6.2.1.2.2
ALTO RIESGO DE DETERIORO DE LA INTEGRIDAD CUTÁNEA

Definición

Estado en que la piel del individuo corre un riesgo elevado de sufrir alteraciones.

Factores de riesgo

Factores de riesgo externos (ambientales)
- Sustancias químicas irritantes.
- Excreciones/secreciones corporales.
- Factores mecánicos (presión, fricción, sujeción).
- Radiaciones.
- Inmovilidad.
- Humedad.
- Frío/calor.

Factores de riesgo internos (individuales)
- Alteración del estado nutricional (obesidad, emaciación).
- Alteraciones circulatorias.
- Alteraciones metabólicas.
- Alteraciones sensoriales.
- Factores del desarrollo.
- Apoyo sobre prominencias óseas.

- Inmunodeficiencia.
- Factores inmunológicos.
- Medicamentos.
- Modificaciones de la elasticidad cutánea.
- Edad avanzada.
- Factores psicógenos.

Patrón de respuesta humana 2: comunicación

Diagnóstico NANDA 2.1.1.1
ALTERACIÓN DE LA COMUNICACIÓN VERBAL

Definición

Estado en que el individuo presenta trastornos en la capacidad para utilizar o comprender adecuadamente el lenguaje en las relaciones interpersonales.

Características definitorias

- Dificultades para hablar la lengua dominante.
- Incapacidad para hablar.
- Trastornos de la fonación.
- Trastornos de la articulación de palabras.
- Tartamudeo.
- Farfulleo.
- Disnea.

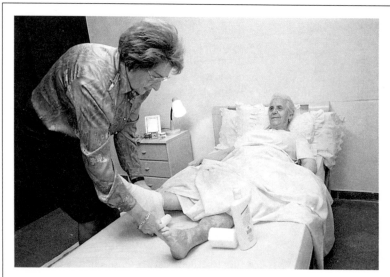

Deterioro de la integridad cutánea. *Entre los factores relacionados con alteraciones de la integridad de la piel hay que tener presentes los trastornos circulatorios así como los traumatismos mecánicos por presión o fricción. Dentro del correspondiente plan terapéutico, resulta fundamental proceder a los oportunos cuidados de las heridas y adoptar las medidas encaminadas a prevenir complicaciones infecciosas.*

Deterioro de la interacción social. Toda referencia u observación de una participación inadecuada en el comportamiento social exige una profundización en el estudio del problema, que en muchos casos tiene como base una dificultad en la comunicación o una perturbación del autoconcepto personal. El apoyo y la demostración de afecto y preocupación por parte del personal de enfermería, aun ante las posibles actitudes evasivas u hostiles del paciente, son las mejores estrategias para poder evaluar la situación y determinar las intervenciones más convenientes.

- Desorientación.
- Fuga de ideas.
- Incapacidad para encontrar palabras.
- Incapacidad para pronunciar palabras.
- Incapacidad para identificar objetos.
- Trastornos en la asociación de ideas.
- Verborrea.
- Incapacidad para formular oraciones completas.
- Falta de deseo de hablar.

Factores relacionados

- Disminución de la circulación cerebral.
- Problemas auditivos.
- Cirugía.
- Traumatismos.
- Defectos anatómicos de la boca, como paladar hendido.
- Barreras físicas para hablar:
  — Intubación traqueal.
  — Traqueostomía.
- Problemas respiratorios.
- Trastornos del lenguaje.
- Alteraciones de los procesos del pensamiento.
- Falta de estímulos.
- Problemas psicológicos.

- Ansiedad.
- Barreras de lenguaje.
- Diferencias culturales.

Patrón de respuesta humana 3: relación

Diagnóstico NANDA 3.1.1
DETERIORO DE LA INTERACCIÓN SOCIAL

Definición

Estado en que el individuo participa insuficientemente o de manera inadecuada, tanto cuantitativa como cualitativamente, en el intercambio social.

Características definitorias

- Referencias verbales u observación de una sensación de incomodidad en las situaciones sociales.
- Referencias verbales u observación de incapacidad para recibir o expresar de manera sa-

tisfactoria sentimientos de pertenencia, afecto o interés de convivencia.
- Observación de fracaso en el comportamiento social.
- Problemas de interacción con compañeros, familiares u otras personas.
- La familia informa un cambio en el estilo o patrón de interacción social.

Factores relacionados

- Falta de conocimientos o de estrategias para facilitar las relaciones sociales.
- Problemas de comunicación.
- Perturbación del autoconcepto personal.
- Falta de seres queridos; dificultad de acceso a familiares o seres queridos.
- Limitaciones físicas.
- Aislamiento terapéutico.
- Diferencias socioculturales.
- Barreras ambientales.
- Alteración de los procesos del pensamiento.

Diagnóstico NANDA 3.1.2
AISLAMIENTO SOCIAL

Definición

Estado en que el individuo experimenta una sensación de soledad y la percibe como un estado negativo o amenazador impuesto por los demás.

Características definitorias

- Ausencia de seres queridos o de apoyo (familiares, amigos y grupo de pertenencia).
- Incomunicación, ensimismamiento, falta de contacto visual.
- Sentimientos de tristeza y aburrimiento.
- Sentimientos de culpa.
- Sentimientos de rechazo.
- Sentimiento de soledad impuesta por otras personas.
- Sentimientos de inutilidad.
- Sentimientos de indiferencia por los demás.
- Sentimientos de sentirse diferente de los demás.
- Deseo de soledad.
- Hostilidad, irritabilidad.
- Comportamientos no aceptados por la cultura dominante.

- Preocupación por los pensamientos propios.
- Repetición de acciones carentes de significado.
- Ausencia de objetivos en la vida.
- Sentimiento de incapacidad para cumplir las expectativas de otras personas.
- Crisis familiares.
- Crisis personales.
- Incapacidad para tomar decisiones.
- Intereses o actividades inadecuados o inmaturos para la edad o fase de desarrollo.
- Inseguridad en público.
- Incapacidad para aceptar los valores de cultura dominantes.

Factores relacionados

- Alteraciones del estado mental.
- Alteraciones en el aspecto físico.
- No aceptación de comportamientos o valores sociales.
- Retraso en la realización de tareas propias de la fase de desarrollo.
- Intereses inmaturos.
- Dificultad para establecer relaciones personales satisfactorias.
- Alteración del estado de bienestar.
- Pérdida de algún ser querido.
- Recursos personales inadecuados.
- Vivir sin compañía.
- Cambios de residencia frecuentes o recientes.
- Tensión.

Diagnóstico NANDA 3.2.1
ALTERACIÓN EN EL DESEMPEÑO DEL ROL

Definición

Estado en el que el individuo experimenta una perturbación en la percepción de la realización de su propio papel.

Características definitorias

- Cambios en la percepción que el individuo tiene de su rol.
- Conflicto de roles.
- Negación del rol.
- Cambios en la percepción que otras personas tienen del rol del individuo.
- Cambios en la capacidad física para desempeñar los roles habituales.

- Falta de conocimientos del rol.
- Cambios en los modelos habituales de rol.
- Cambios en las responsabilidades.
- Dificultades o incapacidad para ejecutar los propios roles.

Factores relacionados

- Cambio de trabajo.
- Modificaciones en la estructura familiar.
- Cambio del entorno cultural.
- Pérdida de funciones.
- Adquisición de nuevas funciones.
- Crisis de desarrollo.
- Pérdida de grupo de apoyo.
- Fallos en los mecanismos de adaptación.
- Problemas económicos.
- Problemas de salud.

Diagnóstico NANDA 3.2.1.1.1
ALTERACIÓN DE LA FUNCIÓN PARENTAL

Definición

Estado en que la/s persona/s encargada/s de los cuidados de un niño presenta/n una alteración de su capacidad para cumplir el papel de educador/es y crear un ambiente que favorezca el óptimo crecimiento y desarrollo de otro ser humano.

Características definitorias

- Abandono.
- Fugas.
- Referencias verbales de incapacidad para controlar al niño.
- Signos de maltrato infantil físico o psicológico.
- Referencias verbales constantes de decepción en lo que respecta al sexo o características físicas del niño.
- Referencias verbales de resentimiento hacia el niño.
- Referencias verbales de sentirse inadecuado para la función de paternidad/maternidad o de estar frustrado en la realización de tal función.
- Identificación negativa con las características del niño.
- Referencias verbales de disgusto ante las funciones corporales del niño.

- Conductas inadecuadas para proporcionar al niño los cuidados necesarios en el aprendizaje del control de esfínteres, alimentación, sueño y reposo.
- Falta de atención a las necesidades del niño.
- Evitación de contactos con el niño.
- Estimulación táctil, auditiva o visual inapropiada.
- Falta de respuesta o no reconocimiento de las demandas del niño.
- Prácticas disciplinarias inapropiadas o inconsistentes (sobreprotección, excesiva permisividad).
- Búsqueda compulsiva de aprobación de la función de paternidad/maternidad por parte de los demás.
- Observación de que el niño recibe cuidados de diversas personas sin que se tengan en cuenta sus necesidades.
- Observación de que el niño emplea insistentemente fórmulas para llamar la atención.
- Falta de relación de los padres.
- Deseo de que el niño llame a su padre/madre por el nombre de pila, en contra de las tendencias culturales tradicionales (papá/mamá).
- Incumplimiento de las citas médicas para el niño.
- Interés escaso o nulo por informarse acerca del estado del niño y de los cuidados que requiere.
- Retraso del crecimiento y desarrollo del niño.
- Antecedentes de accidentes o enfermedades frecuentes del niño.
- Antecedentes de maltrato infantil o abandono.

Factores relacionados

- Ausencia de un modelo disponible de rol paterno/materno adecuado.
- Modelo de rol paterno/materno inadecuado.
- Inmadurez emocional o social de las personas encargadas de los cuidados del niño.
- Falta de conocimientos de las personas encargadas del niño.
- Percepción de una amenaza física o emocional a la propia supervivencia.
- Impedimentos físicos o mentales.
- Enfermedades físicas o mentales, agudas o crónicas.
- Estrés por motivos económicos, legales, culturales o de crisis personal.

- Interrupción del proceso de vinculación materno, paterno o de otro tipo.
- Falta de relación entre las personas allegadas, falta de apoyo.
- Falta de identificación con el papel de educador que se debe representar.
- Falta de realismo de las expectativas del individuo sobre sí mismo, sobre el hijo o sobre la pareja.
- Múltiples embarazos.
- Respuesta inadecuada del niño a la relación.
- Requerimiento de cuidados intensivos o atenciones especiales por parte del niño.
- Antecedentes de relaciones inadecuadas con los propios padres del educador.
- Antecedentes de abusos o maltratos de la persona encargada de los cuidados del niño.

Diagnóstico NANDA 3.2.1.1.2
ALTO RIESGO DE ALTERACIÓN DE LA FUNCIÓN PARENTAL

Definición

Estado en que la/s persona/s encargada/s de los cuidados de un niño presenta/n riesgo de presentar una alteración de su capacidad para cumplir el papel de educador/es y crear un ambiente que favorezca el óptimo crecimiento y desarrollo de otro ser humano.

Características definitorias

- Referencias verbales constantes de decepción en lo que respecta al sexo o características físicas del niño.
- Referencias verbales de resentimiento hacia el niño.
- Referencias verbales de sentirse inadecuado para la función de paternidad/maternidad o de estar frustrado en la realización de tal función.
- Identificación negativa con las características del niño.
- Referencias verbales de disgusto ante las funciones corporales del niño.
- Conductas inadecuadas para proporcionar al niño los cuidados necesarios en el aprendizaje del control de esfínteres, alimentación, sueño y reposo.
- Falta de atención a las necesidades del niño.
- Evitación de contactos con el niño.

- Estimulación táctil, auditiva o visual inapropiadas.
- Falta de respuesta o no reconocimiento de las demandas del niño.
- Prácticas disciplinarias inapropiadas o inconsistentes (sobreprotección, excesiva permisividad).
- Búsqueda compulsiva de aprobación de la función de paternidad/maternidad por parte de los demás.
- Observación de que el niño recibe cuidados de diversas personas sin que se tengan en cuenta sus necesidades.
- Observación de que el niño emplea insistentemente fórmulas para llamar la atención.
- Falta de relación de los padres.
- Deseo de que el niño llame a su padre/madre por el nombre de pila, en contra de las tendencias culturales tradicionales (papá/mamá).
- Incumplimiento de las citas médicas para el niño.
- Interés escaso o nulo por informarse acerca del estado del niño y de los cuidados que requiere.
- Retraso del crecimiento y desarrollo del niño.
- Antecedentes de accidentes o enfermedades frecuentes del niño.

Factores relacionados

- Ausencia de un modelo disponible de rol paterno/materno adecuado.
- Modelo de rol paterno/materno inadecuado.
- Inmadurez emocional o social de las personas encargadas de los cuidados del niño.
- Falta de conocimientos de las personas encargadas del niño.
- Percepción de una amenaza física o emocional a la propia supervivencia.
- Impedimentos físicos o mentales.
- Enfermedades físicas o mentales, agudas o crónicas.
- Estrés por motivos económicos, legales, culturales o de crisis personal.
- Interrupción del proceso de vinculación materno, paterno o de otro tipo.
- Falta de relación entre las personas allegadas, falta de apoyo.
- Falta de identificación con el papel de educador que se debe representar.

- Falta de realismo de las expectativas del individuo sobre sí mismo, sobre el hijo o sobre la pareja.
- Múltiples embarazos.

Diagnóstico NANDA 3.2.1.2.1
ALTERACIÓN DE LA FUNCIÓN SEXUAL

Definición

Estado en que el individuo presenta un cambio en su función sexual y la considera insatisfactoria, inadecuada o poco gratificante.

Características definitorias

- Referencias verbales del problema.
- Percepción de alteración en el desempeño de la función sexual.
- Disminución o ausencia de deseo sexual.
- Dificultad en el logro de satisfacción sexual.
- Sentimientos de culpa acerca de la propia sexualidad.
- Conflictos de valores.
- Cambio de interés por uno mismo y por los demás.
- Búsqueda de confirmación de atractivo sexual.
- Limitaciones sexuales impuestas por enfermedades o tratamientos.

Factores relacionados

- Ausencia de modelo de función sexual adecuado o existencia de modelo inadecuado.
- Falta de información o de conocimientos adecuados, o existencia de información inadecuada.
- Aceptación de normas culturales sobre las funciones masculinas o femeninas.
- Depresión.
- Abuso de alcohol o drogas.
- Alteración de la autoestima.
- Perturbación de la imagen corporal.
- Conflicto de valores.
- Falta de intimidad.
- Ausencia del ser querido.
- Trastornos en las relaciones interpersonales.
- Limitaciones reales o percibidas como tales impuestas por razones biológicas, enfermedades o tratamientos:
  — Embarazo.

— Parto reciente.
— Efecto de medicamentos.
— Cirugía.
— Defectos físicos.
— Procesos patológicos.
— Traumatismos.
— Radiaciones.
- Antecedentes de abuso físico.
- Antecedentes de abuso psicosocial (por ejemplo, relaciones interpersonales inadecuadas).

Diagnóstico NANDA 3.2.2
ALTERACIÓN DE LOS PROCESOS FAMILIARES

Definición

Estado en que, por algún factor precipitante, se presenta una alteración en el funcionamiento de una familia que normalmente funciona de manera efectiva.

Características definitorias

- El sistema familiar no es capaz de cubrir las necesidades físicas, espirituales, emocionales o de seguridad de alguno/s de sus miembros.
- Los miembros de la familia no son capaces de comunicarse abiertamente y de manera eficaz.
- La familia es incapaz de expresar o aceptar una amplia gama de sentimientos.
- Los miembros de la familia no son capaces de expresar o de aceptar sentimientos de otros miembros.
- Los miembros de la familia no son capaces de relacionarse entre sí satisfactoriamente para facilitar el crecimiento y maduración de los otros.
- Los miembros de la familia no son capaces de demostrar flexibilidad en lo que respeta a las conductas de los otros.
- El sistema familiar no es capaz de respetar la individualidad y autonomía de todos sus miembros.
- Los padres no respetan el punto de vista de todos los miembros de la familia sobre las normas de educación de los niños.
- La familia no logra llevar a cabo las tareas de desarrollo, actuales o pasadas.
- Los responsables de la familia no son capaces de tomar decisiones eficaces.

43

- La familia no participa en actividades de la comunidad.
- El sistema familiar no es capaz de adaptarse a los cambios o de afrontar de manera constructiva las experiencias traumáticas.
- El sistema familiar se rige por normas, costumbres o actos simbólicos pobres o inadecuados, o bien por mitos sobre este tema.
- La familia no busca ni acepta ayuda de manera adecuada.

Factores relacionados

- Ausencia de modelos familiares eficaces, o existencia de modelos inadecuados.
- Cambios o crisis situacionales o de desarrollo.
- Problemas económicos.
- Paro, problemas laborales, cambio de trabajo.
- Familia monoparental.
- Familia numerosa.
- Convivencia de varias generaciones en la familia.
- Pérdida de algún ser querido.
- Cambios en la función familiar.
- Conflictos en la función familiar.
- Enfermedades incapacitantes o crónicas.

Diagnóstico NANDA 3.2.2.1
SOBREESFUERZO EN LA FUNCIÓN DE CUIDADOR

Definición

Estado en que el individuo encargado de los cuidados de un familiar experimenta dificultades para llevar a término su función.

Características definitorias

El cuidador hace referencia a los siguientes puntos:
- Falta de recursos para desempeñar los cuidados necesarios.
- Dificultades para realizar actividades de cuidado específicas.
- Preocupación por el estado emocional y de salud de la persona cuidada, de la posible necesidad de su ingreso en una institución.
- Preocupación por no saber quién se encargaría de la persona cuidada si algo le ocurriera al cuidador.

- Percepción de interferencias de la función de cuidador con otros aspectos importantes de la vida.
- Sentimientos de pérdida por percibir que la persona cuidada no es como antes de que comenzaran los cuidados; en el caso de un niño, de que no es como el cuidador esperaba.
- Percepción de conflictos familiares por temas relacionados con los cuidados.
- Estrés y nerviosismo.
- Depresión.

Factores relacionados

Factores fisiopatológicos/fisiológicos
- Gravedad de la enfermedad de quien recibe los cuidados.
- Adicción, codependencia.
- Prematuridad, malformaciones congénitas.
- Alta médica de un miembro de la familia con necesidades de cuidados en el hogar significativas.
- Enfermedad del cuidador.
- Curso de enfermedad impredecible o inestabilidad en la salud de quien recibe los cuidados.
- La persona encargada de los cuidados es una mujer.

Factores del desarrollo
- El cuidador no está preparado para tal función (por ejemplo, una persona joven encargada de los cuidados de los padres).
- Retardo en el desarrollo del cuidador o de la persona cuidada.

Factores psicosociales
- Alteraciones psicológicas o cognitivas de la persona cuidada.
- Disfunción familiar.
- Relación previa pobre entre el cuidador y la persona cuidada.
- Conductas extrañas de la persona que recibe los cuidados.
- La persona encargada de los cuidados es el cónyuge de la persona cuidada.

Factores situacionales
- Situaciones de abuso o violencia.
- Situaciones de estrés que en condiciones normales afectan a la función familiar: pérdida de seres queridos, crisis, falta de recursos económicos, nacimientos, hospitalización de algún miembro familiar, independencia del ho-

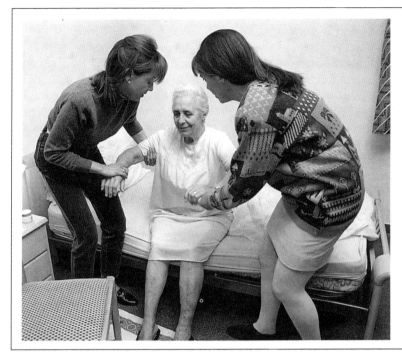

Sobreesfuerzo en la función de cuidador.
Siempre debe valorarse el estado emocional y los conocimientos de los familiares que asumen los cuidados de un enfermo, dado que hay múltiples y diversos factores que pueden dificultar su función o exceder sus posibilidades, lo cual redunda en perjuicios para el propio paciente y para todo el entorno familiar. El personal de enfermería ocupa un lugar privilegiado para detectar estos problemas y buscar las estrategias más oportunas para su posible solución.

gar, matrimonio, divorcio, cuestiones laborales, jubilación.
- Prolongación de los cuidados.
- Ambiente o equipamiento inadecuado para los cuidados (vivienda, transporte).
- Aislamiento familiar o del cuidador.
- Falta de tiempo para actividades de ocio del cuidador.
- Inexperiencia del cuidador.
- Complejidad de los cuidados requeridos.

Diagnóstico NANDA 3.2.2.2
ALTO RIESGO DE SOBREESFUERZO EN LA FUNCIÓN DE CUIDADOR

Definición

Estado en que el individuo encargado de los cuidados de un familiar probablemente experimente dificultades para actuar en tal función.

Factores de riesgo

Factores fisiopatológicos
- Gravedad de la enfermedad de quien recibe los cuidados.
- Adicción, codependencia.

- Prematuridad, malformaciones congénitas.
- Alta médica de un miembro de la familia con necesidades de cuidados en el hogar significativas.
- Enfermedad del cuidador.
- Curso de enfermedad impredecible o inestabilidad en la salud de quien recibe los cuidados.
- Alteraciones psicológicas o cognitivas de la persona cuidada.
- La persona encargada de los cuidados es una mujer.

Factores del desarrollo
- El cuidador no está preparado para tal función (por ejemplo, una persona joven encargada de los cuidados de los padres).
- Retardo en el desarrollo del cuidador o de la persona cuidada.

Factores psicosociales
- Disfunción familiar.
- Relación previa pobre entre el cuidador y la persona cuidada.
- Conductas extrañas de la persona que recibe los cuidados.
- La persona encargada de los cuidados es el cónyuge de la persona cuidada.

Factores situacionales
- Situaciones de abuso o violencia.

- Situaciones de estrés que en condiciones normales afectan a la función familiar: pérdida de seres queridos, crisis, falta de recursos económicos, nacimientos, hospitalización de algún miembro familiar, independencia del hogar, matrimonio, divorcio, cuestiones laborales, jubilación.
- Prolongación de los cuidados.
- Ambiente o equipamiento inadecuado para los cuidados (vivienda, transporte).
- Aislamiento familiar o del cuidador.
- Falta de tiempo para actividades de ocio del cuidador.
- Inexperiencia del cuidador.
- Complejidad de los cuidados requeridos.

Diagnóstico NANDA 3.2.3.1
CONFLICTO CON LA FUNCIÓN PARENTAL

Definición

Estado en que el padre, o la madre, experimenta un conflicto o confusión con respecto a sus funciones en respuesta a una crisis.

Características definitorias

- El padre, la madre, o ambos, expresan preocupación o sentimientos de incapacidad en lo que se refiere a cubrir las necesidades físicas y emocionales del niño durante la hospitalización o en el hogar.
- El padre, la madre, o ambos, refieren preocupación en relación con los cambios en su papel de padre o madre, o bien en la dinámica, la comunicación y la salud de la familia.
- El padre, la madre, o ambos, refieren preocupación acerca de la pérdida de control en decisiones relativas al niño.
- Se observa una interrupción o perturbación evidente de los cuidados del niño.
- El padre, la madre, o ambos, se niegan o tienen reticencias a participar en los cuidados usuales del niño, incluso aunque se les brinde apoyo y estímulo.
- El padre, la madre, o ambos, refieren o demuestran sentimientos de culpa, ira, temor, ansiedad o frustración con respecto a los efectos que la enfermedad de su hijo puede acarrear sobre la vida familiar.

Factores relacionados

- Separación del niño debido a una enfermedad crónica.
- Intimidación de los padres ante la práctica de técnicas terapéuticas restrictivas o invasivas en el niño (aislamiento, intubación, sondajes, etc.), o ante su ingreso en centros de atención especializados y sus normas.
- Atención en el hogar de un niño que necesita cuidados especiales, como monitorización de la apnea, drenajes posturales, hiperalimentación, etcétera.
- Cambios en la situación de la pareja.
- Modificaciones en la vida familiar impuestas por una asistencia domiciliaria especializada (tratamientos, personal asistencial, cansancio).

Diagnóstico NANDA 3.3
ALTERACIÓN DEL PATRÓN SEXUAL

Definición

Estado en que el individuo expresa una preocupación en relación con su sexualidad o percibe que se modifica su salud sexual.

Características definitorias

- Informe de dificultades, limitaciones o cambios en las conductas y actividades sexuales.

Factores relacionados

- Ausencia de modelo de patrones sexuales adecuados o existencia de modelo inadecuado.
- Enfermedades y anomalías.
- Tratamientos médicos, farmacológicos y de radioterapia.
- Falta de conocimientos teóricos o de técnicas sobre respuestas sexuales alternativas en:
  — Embarazo.
  — Parto reciente.
  — Menopausia.
  — Cirugía.
  — Enfermedades.
  — Traumatismos.
- Separación o pérdida de un ser querido.
- Deterioro de las relaciones con alguna persona significativa.

- Temor al embarazo.
- Temor al contagio de alguna enfermedad de transmisión sexual.
- Conflictos con la orientación sexual o la variación de preferencia sexual.
- Problemas laborales.
- Falta de intimidad.

Patrón de respuesta humana 4: valoración

Diagnóstico NANDA 4.1.1
SUFRIMIENTO ESPIRITUAL

Definición

Estado en el que el individuo experimenta una perturbación en el principio vital que impregna al ser humano y que integra y trasciende su propia naturaleza biológica y psicosocial.

Características definitorias

- Preocupación manifiesta del individuo por el significado de la vida/muerte que contempla su sistema de creencias.
- Dudas acerca de la misericordia de Dios (o como defina a su divinidad la persona) o expresión de cólera hacia Dios.
- Referencia u observación de comportamientos autodestructivos, reales o potenciales.
- Alteraciones del comportamiento o del humor que se hacen evidentes por llanto, cólera, preocupación, ensimismamiento, ansiedad u hostilidad.
- Cuestionamientos acerca del significado del sufrimiento.
- Cuestionamientos acerca de la propia existencia.
- Depresión.
- Sentimientos de impotencia o desesperanza.
- Verbalización de los conflictos internos relacionados con las creencias.
- Expresión de dudas sobre las implicaciones morales y éticas del régimen terapéutico.
- Negación o incapacidad para participar en las prácticas religiosas habituales.
- Consideración de la enfermedad como castigo.

- Búsqueda de ayuda espiritual debido a una perturbación en su sistema de creencias.
- Desplazamiento de la hostilidad hacia los representantes religiosos.
- Negación de la responsabilidad personal en los problemas.
- Incapacidad para aceptarse a sí mismo.
- Autoinculpación.
- Perturbaciones del sueño.

Factores relacionados

- Pérdida de seres queridos.
- Sentimiento de amenaza al sistema de creencias y valores de la persona debido a las implicaciones morales y éticas asociadas a la enfermedad o las prácticas terapéuticas.
- Cuestionamiento del sistema de creencias y valores debido a un sufrimiento intenso.
- Separación o interrupción de las prácticas religiosas habituales.
- Problemas personales o familiares graves.
- Cambios significativos en la vida.

Patrón de respuesta humana 5: elección

Diagnóstico NANDA 5.1.1.1
AFRONTAMIENTO INDIVIDUAL INEFICAZ

Definición

Estado en que el individuo presenta un deterioro de sus conductas adaptativas e incapacidad para afrontar las exigencias y problemas que se presentan en su vida.

Características definitorias

- Referencias verbales acerca de las dificultades para hacer frente a la situación o para pedir ayuda.
- Incapacidad para cubrir la satisfacción de las necesidades básicas.
- Incapacidad para resolver problemas.
- Indecisión.
- Sensación de incapacidad para llevar a cabo lo que se espera de la persona.

- Incomunicación o disminución en la participación social.
- Cambios en la comunicación y relaciones interpersonales.
- Ensimismamiento.
- Pérdida de la autoestima.
- Insomnio.
- Inactividad física.
- Fatiga crónica.
- Trastornos relacionados con el estrés.
- Propensión al consumo de alcohol o drogas; abuso de alcohol o drogas.
- Depresión.
- Alteraciones del patrón de alimentación (sobrealimentación, pérdida de apetito).
- Tendencia a culpar a otras personas.
- Conducta manipuladora.
- Sentimientos de autocompasión.
- Ansiedad crónica.
- Temor exagerado al dolor.
- Temor exagerado a la muerte.
- Irritabilidad general.
- Elevada frecuencia de enfermedades.
- Elevada frecuencia de accidentes.
- Dolores de cabeza frecuentes.
- Dolores de cuello frecuentes.
- Uso de pensamiento mágico.
- Violencia expresada hacia otras personas.
- Comportamientos autodestructivos.
- Carencia de ambiente familiar y de grupo social.

Factores relacionados

- Modelos de conducta de afrontamiento individual inadecuados.
- Crisis situacionales.
- Crisis de maduración.
- Pérdida de algún ser querido.
- Situación de vulnerabilidad personal.
- Autoestima baja.
- Cambios de vida importantes.
- Sobrecarga de trabajo (descanso inadecuado, necesidad de vacaciones).
- Actividades recreativas insuficientes.
- Carencia de sistemas de apoyo.
- Escasa actividad física.
- Mala alimentación.
- Expectativas no alcanzadas.
- Percepciones no realistas.
- Enfermedades agudas o crónicas.

- Pérdida de control de alguna parte del cuerpo o alguna función corporal.
- Falta de información sobre el proceso de enfermedad que se padece, su tratamiento y pronóstico.

Diagnóstico NANDA 5.1.1.1.1
TRASTORNO DE LA ADAPTACIÓN

Definición

Estado en que el individuo es incapaz de modificar su estilo de vida o conducta, de manera coherente, en relación con un cambio en su estado de salud.

Características definitorias

- Referencias verbales a la no aceptación del cambio del estado de salud.
- Prolongado período de conmoción, incredulidad o ira en relación con el cambio del estado de salud.
- Incapacidad o fracaso para resolver los problemas o para plantearse metas.
- Falta de pensamientos orientados hacia el futuro.
- Ausencia de intentos de independencia.

Factores relacionados

- Incapacidad que impone modificaciones en el estilo de vida.
- Sobrecarga sensorial.
- Alteración cognitiva.
- Período de aflicción incompleto.
- Autoestima amenazada.
- Descontrol.
- Sistemas de apoyo inadecuados.

Diagnóstico NANDA 5.1.1.1.2
AFRONTAMIENTO DEFENSIVO

Definición

Estado en que el individuo experimenta una falsa autovaloración positiva basada en un mecanismo de autoprotección que le permite afrontar las amenazas que percibe contra su imagen personal positiva.

Características definitorias

- Negación de problemas o enfermedades evidentes.
- Proyección de la culpa y las responsabilidades.
- Racionalización de los fracasos.
- Hipersensibilidad al desdén y las críticas, incluso mínimas.
- Grandiosidad.
- Actitud de superioridad ante los demás.
- Dificultad para entablar o mantener relaciones personales.
- Ridiculización de otras personas.
- Dificultad para contrastar las percepciones de la realidad.
- Falta de participación en el tratamiento o de seguimiento de la terapia o medicación.

Diagnóstico NANDA 5.1.1.1.3
NEGACIÓN INEFICAZ

Definición

Estado en que el individuo, de manera consciente o inconsciente, intenta negar el conocimiento o el significado de un acontecimiento, a fin de reducir su temor o ansiedad, con resultados negativos para su salud.

Características definitorias

- Retraso en la solicitud de ayuda profesional o rechazo de la atención médica en perjuicio de la salud.
- No percepción de la importancia personal de los síntomas o las situaciones de peligro.
- Utilización de remedios caseros (automedicación) para aliviar los síntomas.
- No admisión de tener temor a la muerte o a la incapacidad.
- Minimización de los síntomas.
- Desplazamiento de la fuente de la sintomatología hacia otros órganos.
- Incapacidad para admitir el impacto de la enfermedad sobre el estilo de vida.
- Indiferencia o concesión de escasa importancia a los acontecimientos penosos cuando se habla de ello.
- Desplazamiento del temor a las consecuencias de la enfermedad.
- Muestras de afecto inapropiadas.

Diagnóstico NANDA 5.1.2.1.1
AFRONTAMIENTO FAMILIAR INCAPACITANTE

Definición

Estado en que los familiares u otras personas significativas para el individuo responden con conductas que inhabilitan sus propias capacidades para afrontar eficazmente las actividades necesarias para la adaptación a los cambios de salud.

Características definitorias

Por parte de la familia:
- Desatención del miembro de la familia enfermo con respecto a sus necesidades básicas y el tratamiento de su afección.
- Distorsión de la realidad con respecto al problema de salud del miembro de la familia enfermo, llegando a la negación absoluta de la gravedad o existencia de su afección.
- Realización de las actividades familiares habituales con indiferencia hacia las necesidades del miembro enfermo.
- Rechazo.
- Abandono.
- Intolerancia.
- Adopción de decisiones y acciones familiares en detrimento del bienestar económico y social del conjunto o del miembro enfermo.
- Vigilancia excesiva de algún miembro de la familia.
- Abuso de los hijos, del cónyuge o de las personas mayores.
Por parte del miembro enfermo de la familia:
- Agitación.
- Depresión.
- Agresión.
- Hostilidad.
- Indecisión.
- Desesperanza.
- Mala relación con el resto de familiares.
- Tendencia al abuso de sustancias nocivas.
- Desarrollo de una actitud de dependencia inactiva o dependencia desvalida.

Factores relacionados

- Muerte reciente o inminente de algún miembro de la familia.

49

- Acontecimiento de hechos significativos en la vida.
- Cambios importantes en el medio social o cultural.
- Problemas en la relación de pareja o familiar.
- Miembro de la familia con sentimientos crónicos de culpa, ansiedad, desesperanza u hostilidad.
- Actitud defensiva de la familia ante el problema de algún miembro e incapacidad de tratar adecuadamente la ansiedad subyacente.
- Relaciones familiares ambivalentes.
- Discrepancias significativas con respecto a la forma de afrontar los problemas.
- Falta de satisfacción de las necesidades psicosociales de hijos o padres.
- Carencia de recursos económicos y sistemas de apoyo.

Diagnóstico NANDA 5.1.2.1.2
AFRONTAMIENTO FAMILIAR COMPROMETIDO

Definición

Estado en que los familiares u otras personas significativas que habitualmente dan apoyo al individuo responden temporalmente ante un cambio de salud con ayudas insuficientes o conductas inadecuadas para las necesidades de adaptación de la situación.

Características definitorias

Por parte de familiares o allegados:
- Preocupación por las reacciones personales (temor, aflicción anticipatoria, culpabilidad, ansiedad) en relación con la afección o incapacidad del enfermo, crisis situacionales o de desarrollo.
- Conocimiento insuficiente o comprensión equivocada del problema, que interfiere en la efectividad de las conductas de apoyo o ayuda.
- Intentos de conductas de ayuda con resultados poco satisfactorios.
- Alejamiento o comunicación limitada y temporal con el enfermo cuando éste lo necesita.
- Conducta protectora desproporcionada (excesiva o insuficiente) en relación con las habilidades o necesidades de autonomía del enfermo.

Por parte del enfermo:
- Referencias de preocupación o incluso quejas en relación con la respuesta de las personas allegadas ante su problema de salud.
- Ensimismamiento.
- Conducta manipuladora.

Factores relacionados

- Enfermedades agudas o crónicas de algún miembro de la familia.
- Enfermedad prolongada o incapacidad progresiva que agota la capacidad de proporcionar apoyo al familiar enfermo.
- Conocimientos insuficientes, información incorrecta o comprensión inadecuada sobre la enfermedad del miembro de la familia afectado.
- Preocupación temporal de los seres queridos que causa incapacidad para percibir o actuar de modo efectivo ante necesidades de la salud del familiar enfermo.
- Aislamiento entre los diversos componentes de la familia.
- Falta de respuesta del enfermo para los miembros de la familia que lo ayudan.
- Desorganización familiar temporal y cambios de roles.
- Valores, creencias u objetivos diferentes o incompatibles de los distintos miembros de la familia.
- Expectativas irreales.

Diagnóstico NANDA 5.1.2.2
POSIBLE DESARROLLO DEL AFRONTAMIENTO FAMILIAR

Definición

Estado en que los miembros de la familia denotan una mayor eficacia en la adaptación necesaria para afrontar un cambio de salud de algún miembro, evidenciando disponibilidad y deseos de un mayor desarrollo en su participación.

Características definitorias

- Algún miembro de la familia intenta describir la forma en que la crisis ha repercutido en sus valores personales, prioridades, objetivos y relaciones.

- Algún miembro de la familia adopta un estilo de vida que enriquece y promociona la salud, dando soporte y favoreciendo los procesos de maduración; atiende y negocia los métodos de tratamiento y, por lo general, elige experiencias que propician el bienestar.
- Referencias de algún miembro del grupo familiar que denotan interés por entrar en contacto con otras personas que hayan pasado por situaciones similares o con un grupo de apoyo.

Factores relacionados

- Necesidad de actividades encaminadas a permitir que afloren objetivos de realización personal.

Diagnóstico NANDA 5.2.1
MANEJO INEFICAZ DEL RÉGIMEN TERAPÉUTICO (INDIVIDUAL)

Definición

Estado en que se adopta un modelo de regulación e integración en un programa terapéutico para la enfermedad o sus secuelas que no resulta satisfactorio para la consecución de los objetivos de salud específicos.

Características definitorias

- Elección de actividades ineficaces para conseguir los objetivos de un tratamiento.
- Referencias verbales acerca de intenciones de manejar el tratamiento de la enfermedad y prevención de secuelas.
- Referencias verbales acerca de dificultades con la regulación o integración de uno o más regímenes prescritos para el tratamiento de la enfermedad o la prevención de complicaciones.
- Referencias verbales que evidencian la no incorporación de los regímenes de tratamiento en la vida cotidiana.
- Referencias verbales que evidencian la falta de actuación en la reducción de los factores de riesgo de progresión de la enfermedad y secuelas.
- Empeoramiento (esperado o inesperado) de las manifestaciones de la enfermedad.

Factores relacionados

- Complejidad del sistema de cuidados de la salud.
- Complejidad de régimen terapéutico.
- Conflictos en la toma de decisiones.
- Demandas excesivas sobre una persona o familia.
- Conflictos familiares.
- Modelos familiares de cuidados de la salud.
- Falta de conocimientos.
- Desconfianza del régimen de tratamiento prescrito.
- Desconfianza del personal encargado de los cuidados.
- Gravedad percibida.
- Susceptibilidad percibida.
- Beneficios percibidos.
- Impotencia.
- Dificultades económicas.
- Falta de sistemas de apoyo adecuados.

Diagnóstico NANDA 5.2.1.1
INCUMPLIMIENTO DEL TRATAMIENTO (ESPECIFICAR)

Definición

Estado en que el individuo, con conocimiento de causa, decide no seguir las indicaciones terapéuticas.

Características definitorias

- Comprobación de la falta de seguimiento terapéutico mediante la observación directa o por referencias verbales del paciente o sus allegados.
- Constancia a partir de pruebas objetivas (mediciones, datos clínicos, detección de marcadores).
- Evidencia de desarrollo de complicaciones.
- Evidencia de exacerbación de los síntomas.
- Falta de progreso terapéutico.
- Falta de resolución de los problemas de salud.
- Observación de incumplimiento de las pautas de tratamiento.
- Incumplimiento de las citas.
- Falta de solicitud de la asistencia necesaria cuando el estado de salud lo requiere.

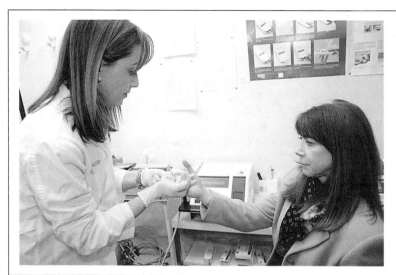

Incumplimiento del tratamiento. Ante la constatación de una falta de progreso terapéutico, la sospecha de un fallo en el seguimiento de las pautas de tratamiento indicadas, a partir de referencias verbales del paciente o de sus allegados o bien ante los resultados de pruebas objetivas, exige una profundización en las indagaciones a fin de confirmar el diagnóstico.

Factores relacionados

- Sistema de valores del paciente.
- Conceptos personales sobre la salud.
- Influencias culturales.
- Relación entre el paciente y el personal sanitario.
- Efectos secundarios de medicamentos.
- Procedimientos terapéuticos complejos.
- Observación de un incremento de los síntomas a pesar de respetar las pautas terapéuticas prescritas.
- Experiencias terapéuticas previas desalentadoras.
- Enfermedad concurrente de otro miembro de la familia.
- Depresión.
- Negación.
- Alteración de la capacidad para realizar tareas.
- Escasez de recursos económicos para afrontar tratamientos y transporte a centros sanitarios.
- Carencia de sistemas de apoyo.

Diagnóstico NANDA 5.3.1.1
CONFLICTO EN LA TOMA DE DECISIONES (ESPECIFICAR)

Definición

Estado de incertidumbre sobre la elección de una alternativa entre diversas acciones cuando tal elección implica riesgo, pérdida o desafío de los valores vitales de la persona. (Se debe especificar el área de conflicto: relacionado con la salud, familia, economía, etcétera.)

Características definitorias

- Referencias verbales de la incertidumbre acerca de la elección y del sentimiento de estrés que ocasiona.
- Referencias verbales de sentir temor a sufrir consecuencias no deseadas al adoptar la decisión y elegir entre las diversas alternativas.
- Vacilación entre las distintas opciones.
- Retraso en la toma de decisión.
- Ensimismamiento.
- Signos de tensión nerviosa: taquicardia, hipertonía muscular, inquietud, etcétera.
- Cuestionamiento de los valores y creencias personales mientras se intenta tomar la decisión.

Factores relacionados

- Valores o creencias personales poco claros.
- Percepción de amenaza contra el sistema de valores.
- Falta de experiencia en la toma de decisiones.
- Interferencia en la toma de decisiones.
- Falta de información significativa.
- Fuentes de información inadecuadas, múltiples o divergentes.
- Carencia de un sistema de apoyo eficaz.

La función de cuidador es una tarea laboriosa y en ocasiones muy difícil que los familiares del enfermo, implicados emocionalmente de una manera especial, no siempre están en condiciones de desarrollar con eficacia o, lo que es aún tanto o más preocupante, de asumir. El sobreesfuerzo en la función de cuidador, a veces difícil de diagnosticar, adquiere una importancia máxima al tener en cuenta que no sólo resulta perjudicial para las personas encargadas de proporcionar las atenciones al paciente sino también, a pesar de sus esfuerzos y de manera significativa, para el propio enfermo.

El trastorno de la adaptación es un diagnóstico de enfermería correspondiente al estado en que el individuo es incapaz de modificar su estilo de vida o conductas, de manera coherente, en relación con un determinado cambio en su estado de salud. Entre sus características definitorias destacan las referencias verbales a la no aceptación del cambio experimentado o de sensación de incapacidad para resolver los problemas planteados por la nueva situación. Se trata de un diagnóstico digno de tenerse presente, ya que son muchas y variadas las intervenciones que pueden llevarse a cabo para incidir positivamente en el problema.

V

La lactancia materna eficaz se caracteriza por la satisfacción de madre e hijo en el proceso de amamantamiento.

El trastorno de la movilidad física puede acarrear una incapacidad o limitación para desplazarse voluntariamente.

Diagnóstico NANDA 5.4
Conducta dirigida a la promoción de la salud (especificar)

Definición

Estado en que un individuo que goza de una salud estable busca activamente la manera de modificar sus hábitos personales o su entorno con el fin de conseguir un mejor u óptimo estado de salud. (Se considera que existe un estado de salud estable cuando se adoptan con éxito las medidas de prevención contra enfermedades propias de la edad, el paciente informa disfrutar de una salud buena o excelente, y los signos y síntomas de enfermedad, si existen, se encuentran controlados.)

Características definitorias

- Referencias verbales u observación de deseo por lograr un estado de bienestar más elevado.
- Demostración u observación de falta de conocimientos sobre los comportamientos destinados a la promoción de la salud.
- Referencias verbales de preocupación acerca de las influencias negativas que las condiciones ambientales actuales pueden tener sobre el estado de salud.
- Referencias verbales u observación de deseo por lograr un mayor control sobre las prácticas para el cuidado de la salud.
- Referencias verbales u observación de poca familiarización con los recursos para favorecer el bienestar con que cuenta la comunidad.

Patrón de respuesta humana 6: movimiento

Diagnóstico NANDA 6.1.1.1
Trastorno de la movilidad física

Definición

Estado en que existe una limitación de la capacidad para la movilidad física independiente.

Características definitorias

- Negación o desgana para efectuar movimientos.
- Existencia de restricciones para el movimiento impuestas (incluyendo tratamientos mecánicos o médicos).
- Limitación del margen de movimientos.
- Disminución de la fuerza, control y/o masa muscular.
- Incapacidad para moverse voluntariamente en el entorno, incluyendo la movilidad en la cama, el traslado y la deambulación.
- Trastornos de la coordinación.

Factores relacionados

- Intolerancia a la actividad, temor al movimiento.
- Disminución de la fuerza y la resistencia.
- Dolor, malestar.
- Trastornos neuromusculares.
- Trastornos musculoesqueléticos.
- Traumatismos.
- Cirugía.
- Depresión.
- Ansiedad grave.
- Efectos secundarios de medicamentos.
- Obesidad.
- Barreras arquitectónicas.
- Carencia de dispositivos de ayuda adecuados.

Diagnóstico NANDA 6.1.1.1.1
Alto riesgo de disfunción neurovascular periférica

Definición

Estado en que el individuo corre el peligro de presentar un trastorno en la circulación, sensibilidad o movilidad de una extremidad.

Factores relacionados o de riesgo

- Fracturas.
- Compresión mecánica (torniquete, escayola, vendaje).
- Cirugía ortopédica.
- Traumatismos, heridas.

- Inmovilización.
- Quemaduras.
- Obstrucción vascular.

Diagnóstico NANDA 6.1.1.2
INTOLERANCIA A LA ACTIVIDAD

Definición

Estado en que el individuo carece de la energía física o psíquica suficientes para desarrollar o acabar las actividades cotidianas que requiere o desea.

Características definitorias

- Referencias verbales de sentir fatiga o debilidad.
- Alteración de la capacidad para cambiar de posición, ponerse de pie o deambular sin apoyo.
- Anomalías en la frecuencia cardiaca, la tensión arterial y la frecuencia respiratoria ante la actividad.
- Cambios electrocardiográficos que demuestran arritmias o isquemia.
- Malestar o disnea al efectuar esfuerzos.
- Necesidad de períodos de reposo frecuentes.
- Mareos durante la actividad.
- Preocupación e inquietud ante la necesidad de actividad.
- Confusión.

Factores relacionados

- Reposo en cama.
- Inmovilidad.
- Debilidad generalizada.
- Falta de motivación.
- Depresión.
- Estilo de vida sedentario.
- Descondicionamiento
- Alteraciones del sueño.
- Desequilibrio entre las demandas y el aporte de oxígeno.
- Desequilibrios hidroelectrolíticos.
- Hipovolemia.
- Malnutrición.
- Efectos secundarios de medicamentos.
- Edad.

Diagnóstico NANDA 6.1.1.2.1
FATIGA

Definición

Estado en que el individuo experimenta una sensación abrumadora y sostenida de agotamiento y disminución de la capacidad para desarrollar trabajo físico o intelectual.

Características definitorias

- Referencias verbales continuadas de falta de energía.
- Dificultad o incapacidad para desarrollar las actividades habituales.
- Percepción de necesitar una energía adicional para poder desarrollar las actividades habituales.
- Incremento de las molestias físicas.
- Cambios emocionales.
- Irritabilidad.
- Falta de concentración.
- Disminución del rendimiento.
- Apatía y letargo.
- Desinterés por el entorno, introspección.
- Disminución de la libido.
- Propensión a los accidentes.

Factores relacionados

- Incremento de las necesidades energéticas para desarrollar las actividades habituales.
- Disminución de la producción de energía metabólica.
- Demandas psicológicas o emocionales abrumadoras.
- Demandas sociales o de rol excesivas.
- Estados que producen malestar.
- Alteraciones bioquímicas orgánicas, consecuentes a la administración de medicamentos, retirada de fármacos, quimioterapia, etcétera.

Diagnóstico NANDA 6.1.1.3
ALTO RIESGO DE INTOLERANCIA A LA ACTIVIDAD

Definición

Estado en que el individuo corre el peligro de carecer de energía física o psíquica suficiente para desarrollar o acabar las actividades cotidianas que requiere o desea.

Factores relacionados o de riesgo

- Antecedentes de intolerancia a la actividad previa.
- Problemas circulatorios y/o respiratorios.
- Mala forma física.
- Inexperiencia de la actividad.

Diagnóstico NANDA 6.2.1
ALTERACIÓN DEL PATRÓN DE SUEÑO

Definición

Estado en que el individuo presenta una desorganización de las horas de sueño que origina malestar o interfiere en el estilo de vida deseado.

Características definitorias

- Referencias verbales de dificultad para conciliar el sueño.
- Despertarse antes o después de lo deseado.
- Interrupciones del sueño.
- Referencias verbales de sensación de no haber descansado bien o no haber descansado lo suficiente.

- Sensación de cansancio al despertar.
- Dolor de cabeza.
- Cambios en el comportamiento y el estado de humor.
- Irritabilidad.
- Inquietud.
- Desorientación.
- Letargo.
- Apatía.
- Dificultad de concentración.
- Dificultades del habla (pronunciación deficiente, utilización de palabras incorrectas).
- Ojeras u ojos enrojecidos.
- Bostezos frecuentes.

Factores relacionados

- Alteraciones sensoriales de origen interno o externo.
- Enfermedades.
- Dolor.
- Inactividad.
- Problemas de evacuación intestinal o urinaria.
- Sobrecarga emocional.
- Perturbación en el estilo de vida habitual.
- Estrés.
- Temor o ansiedad.
- Depresión.
- Pesadillas.
- Ambiente poco familiar.

Alteración del patrón de sueño. Las dificultades para mantener un período de sueño suficiente y sin interrupciones que asegure un descanso adecuado pueden comportar cambios de comportamiento o de humor, irritabilidad, apatía, inquietud, problemas de concentración, desorientación y otras manifestaciones que deben ser correctamente evaluadas para establecer el diagnóstico y buscar la solución más oportuna.

55

- Perturbaciones en el ritmo circadiano (horarios de trabajo variables).
- Efectos de embarazo.
- Efectos de medicamentos.

Diagnóstico NANDA 6.3.1.1
DÉFICIT DE LA ACTIVIDAD RECREATIVA

Definición

Estado en que el individuo presenta una reducción en los estímulos, el interés o el compromiso para participar en actividades de ocio o recreativas.

Características definitorias

- Signos de aburrimiento, bostezos.
- Manifestaciones verbales de sensación de aburrimiento.
- Manifestaciones verbales de desear que hubiera algo que hacer, que leer, etcétera.
- Períodos de sueño repetidos durante el día.
- Inquietud.
- Depresión.
- Alteraciones de la alimentación (pérdida de apetito o aumento de peso).
- Imposibilidad de realizar las aficiones habituales debido a limitaciones físicas o por estar en el medio hospitalario.

Factores relacionados

- Enfermedades crónicas.
- Hospitalización prolongada.
- Tratamientos prolongados y frecuentes.
- Confinamiento por reposo en cama.
- Aislamiento social.
- Falta de actividad recreativa en el entorno.
- Falta de deseos de emprender nuevas actividades.
- Desinterés.
- Preocupaciones laborales o económicas.

Diagnóstico NANDA 6.4.1.1
DIFICULTAD PARA EL MANTENIMIENTO DEL HOGAR

Definición

Estado en que existen dificultades para mantener de manera independiente un entorno inmediato seguro y que favorezca el desarrollo (personal y/o de otras personas).

Características definitorias

Objetivas
- Entorno doméstico desordenado.
- Malos olores.
- Acumulación de polvo, suciedad, residuos alimenticios, ropa sucia o desperdicios higiénicos.
- Temperatura de la casa inadecuada.
- Carencia de ropa personal y ropa de cama limpia.
- Carencia de utensilios de cocina limpios.
- Presencia de bichos o roedores.
- Signos de agobio y preocupación en los familiares.
- Alteraciones higiénicas, infestaciones o infecciones repetidas.

Subjetivas
- Referencias del paciente o de la familia que expresan las dificultades para mantener el hogar en condiciones confortables.
- Solicitud de ayuda del paciente o de la familia para el mantenimiento del hogar.
- Referencias acerca de deudas pendientes o escasez económica.

Factores relacionados

- Enfermedades, trastornos debilitantes o lesiones incapacitantes de un miembro de la familia.
- Trastornos cognitivos o emocionales.
- Planificación inadecuada de las actividades familiares.
- Falta de conocimientos.
- Falta de motivación.
- Desconocimiento de los recursos de la comunidad.
- Sistemas de apoyo inadecuados.
- Carencia de recursos económicos.
- Abuso de sustancias tóxicas.

Diagnóstico NANDA 6.4.2
ALTERACIÓN EN EL MANTENIMIENTO DE LA SALUD

Definición

Estado en que el individuo presenta una incapacidad para mantener y controlar los comportamientos necesarios para promover o conservar la salud, o para solicitar ayuda con tal finalidad.

Características definitorias

- Referencia de interés por mejorar los comportamientos destinados a conservar o promocionar la salud.
- Demostración de falta de conocimientos de las prácticas sanitarias básicas.
- Demostración de carencia de conductas de adaptación a los cambios del medio interno o externo.
- Incapacidad de adaptación del estilo de vida a las consecuencias de enfermedades agudas o crónicas.
- Referencia u observación de incapacidad para tomar la responsabilidad de afrontar las prácticas sanitarias básicas.
- Incumplimiento de las pautas de prevención y promoción de salud (chequeos, inmunización).
- Antecedentes de falta de conductas tendentes a mantener o mejorar la salud.
- Referencias u observación de falta de recursos económicos o material adecuado.
- Referencias u observación de alteración de los sistemas de apoyo.

Factores relacionados

- Falta de conocimientos.
- Problemas de aprendizaje.
- Objetivos de desarrollo no alcanzados.

- Problemas significativos de comunicación (verbal, escrita, gestual).
- Trastornos de la percepción o cognitivos.
- Abuso de sustancias tóxicas.
- Aflicción disfuncional.
- Adaptación individual o familiar ineficaces.
- Sufrimiento espiritual incapacitante.
- Temor a lo desconocido.
- Deterioro del sistema de creencias y valores.
- Falta de motivación.
- Falta de recursos económicos y materiales.
- Falta de sistemas de apoyo adecuados.

Diagnóstico NANDA 6.5.1
DÉFICIT EN LOS CUIDADOS PERSONALES DE ALIMENTACIÓN

Definición

Estado en que el individuo no es capaz de alimentarse por sí mismo de manera independiente y eficaz.

Características definitorias

- Incapacidad para cortar los alimentos.
- Incapacidad para llevar la comida desde el plato hasta la boca.
- Observación de que el alimento se cae ante los intentos por alimentarse correctamente.
- Observación de que el alimento no ha sido tocado.
- Pérdida de apetito.

Déficit en los cuidados personales de alimentación. Las personas de edad avanzada suelen tener dificultades para garantizar su alimentación de manera independiente y eficaz. Es muy importante establecer este diagnóstico, dado que muchos ancianos no refieren problemas en este sentido ni solicitan ayuda a pesar de los efectos negativos que tal situación comporta a su salud.

Factores relacionados

- Pérdida de miembros.
- Traumatismos incapacitantes.
- Enfermedad crónica o debilitante.
- Cirugía.
- Utilización de aparatos externos o aplicación de técnicas terapéuticas que impiden la movilidad (venoclisis, sistemas de sujeción, férulas, yeso, tracción, entablillado).
- Efectos secundarios de medicamentos.
- Trastornos de percepción o cognitivos.
- Estado de confusión.
- Alteración neuromuscular (falta de coordinación neuromuscular, debilidad muscular, contracturas, rigidez).
- Fatiga.
- Dolor.
- Inmovilidad.
- Estados psicóticos.
- Depresión.
- Falta de motivación.
- Ansiedad severa.
- Aflicción.
- Comportamiento de dependencia.
- Edad avanzada.

Diagnóstico NANDA 6.5.1.1
ALTERACIÓN DE LA DEGLUCIÓN

Definición

Estado en que el individuo tiene dificultades o es incapaz de hacer pasar voluntariamente líquidos y/o sólidos de la boca al estómago.

Características definitorias

- Evidencias de dificultades de deglución:
  — Estasis de comida en la cavidad bucal.
  — Regurgitación de líquidos o sólidos por la boca o la nariz.
  — Atragantamiento y tos.
- Signos aspiración bronquial.
- Pérdida de peso.
- Deshidratación.

Factores relacionados

- Trastornos de la conciencia.
- Alteraciones neuromusculares:

  — Debilidad o pérdida de motilidad de los músculos masticatorios.
  — Fallo del reflejo nauseoso.
  — Fallo de la percepción.
  — Parálisis facial.
- Obstrucciones mecánicas:
  — Edema.
  — Cánula de traqueotomía.
  — Tumor.
- Fatiga.
- Dolor o inflamación en la zona bucofaríngea.

Diagnóstico NANDA 6.5.1.2
LACTANCIA MATERNA INEFICAZ

Definición

Estado en que la madre o el lactante presentan insatisfacción o dificultades en el proceso de lactancia materna.

Características definitorias

- Proceso de lactancia materna insatisfactorio para la madre y/o el lactante.
- Aporte de leche inadecuado, real o percibido como tal.
- Incapacidad del lactante para aferrarse al pecho materno adecuadamente.
- Falta de signos de liberación de oxitocina.
- Signos visibles de ingesta inadecuada del lactante.
- Interrupciones durante la mamada; succión del pecho discontinua.
- Vaciado insuficiente de cada pecho por mamada.
- Persistencia de dolor en los pezones después de la primera semana de dar el pecho.
- Reticencia materna de poner a mamar al lactante el tiempo necesario.
- El lactante evidencia signos de nerviosismo y llanto en la hora siguiente a la tetada y no responde a otras medidas de consuelo.
- El lactante no quiere cogerse al pecho, no conserva el pezón en la boca, llora y se arquea.

Factores relacionados

- Prematuridad.
- Anomalías del lactante.
- El lactante tiene un reflejo de succión deficiente.

- Anomalías del pecho materno.
- Cirugía previa de la mama.
- El lactante recibe alimentación suplementaria con biberón.
- Falta de apoyo del padre o la familia.
- Falta de conocimientos.
- Interrupción del proceso de lactancia.
- Ansiedad o ambivalencia materna.
- Antecedentes de lactancia materna ineficaz.

Diagnóstico NANDA 6.5.1.2.1
LACTANCIA MATERNA INTERRUMPIDA

Definición

Ruptura de la continuidad del proceso de lactancia materna debido a la existencia de dificultades o que no resulte aconsejable poner el lactante al pecho para alimentarse.

Características definitorias

- El lactante no recibe nutrición del pecho en alguna o en todas las mamadas.
- Deseos de la madre de proseguir con la lactancia o de poder proporcionar la leche para las necesidades nutritivas del lactante.
- Separación de la madre y el lactante.
- Falta de conocimientos en relación con la extracción y mantenimiento de la producción de leche que permita reanudar la lactancia materna.

Factores relacionados

- Enfermedad de la madre.
- Enfermedad del lactante.
- Prematuridad.
- Dificultades para la lactancia consecuentes a las actividades laborales de la madre.
- Contraindicaciones para la lactancia.
- Necesidad repentina de proceder al destete.

Diagnóstico NANDA 6.5.1.3
LACTANCIA MATERNA EFICAZ

Definición

Estado en que la madre-hijo/familia demuestran una adecuada eficiencia y satisfacción en el proceso de lactancia materna.

Características definitorias

- La madre es capaz de situar correctamente el lactante para la mamada.
- El lactante queda satisfecho después de las mamadas.
- El mecanismo de succión y deglución del lactante es sostenido y regular.
- Los percentiles de peso del lactante son adecuados a su edad.
- La comunicación entre madre e hijo es efectiva (respuestas del lactante, interpretación y respuestas de la madre).
- Existen signos y/o síntomas de liberación de oxitocina.
- Los patrones de eliminación del lactante son adecuados para su edad.
- El niño presenta signos que evidencian su disposición a ser tomado en brazos.
- Referencias verbales de la madre sobre su satisfacción con el proceso de lactancia.

Factores relacionados

- Conocimiento adecuado de las normas básicas de lactancia materna.
- Normalidad en la anatomía y la función del pecho materno.
- Normalidad en la anatomía bucal del lactante.
- Edad gestacional superior a 34 semanas.
- Confianza materna.
- Sistemas de apoyo adecuados.

Diagnóstico NANDA 6.5.1.4
PATRÓN DE ALIMENTACIÓN INFANTIL INEFICAZ

Definición

Estado en que un niño evidencia dificultades para succionar o coordinar el reflejo succión/deglución.

Características definitorias

- Dificultad para iniciar o mantener una succión efectiva.
- Dificultad para coordinar succión/deglución y respiración.

Factores relacionados

- Prematuridad.
- Retraso o trastorno neurológico.
- Hipersensibilidad oral.
- Anormalidades anatómicas.

Diagnóstico NANDA 6.5.2
DÉFICIT EN LOS CUIDADOS PERSONALES DE BAÑO/HIGIENE

Definición

Estado en que el individuo presenta incapacidad para realizar o completar por sí mismo las actividades de bañarse/higienizarse.

Características definitorias

- Dificultad o incapacidad para lavarse el cuerpo o partes del cuerpo.
- Dificultad o incapacidad para obtener una fuente de agua o de llegar hasta la misma.
- Dificultad o incapacidad para regular la temperatura o el flujo del agua.
- Solicitud de ayuda para bañarse.
- Observación de suciedad corporal, mal olor corporal.

Factores relacionados

- Intolerancia a la actividad.
- Disminución de la fuerza y resistencia.
- Traumatismos incapacitantes.
- Enfermedad crónica o debilitante.
- Cirugía.
- Utilización de aparatos externos o aplicación de técnicas terapéuticas que impiden la movilidad (venoclisis, sistemas de sujeción, férulas, yeso, tracción, entablillado).
- Efectos secundarios de medicamentos.
- Trastornos de percepción o cognitivos (problemas visuales; estado de confusión).
- Falta de coordinación neuromuscular.
- Contracturas.
- Anquilosis.
- Fatiga.
- Dolor, malestar.
- Inmovilidad.
- Depresión.
- Ansiedad severa.

- Aflicción.
- Falta de motivación.
- Conducta de dependencia.
- Edad avanzada.

Diagnóstico NANDA 6.5.3
DÉFICIT EN LOS CUIDADOS PERSONALES DE VESTIDO/ACICALADO

Definición

Estado en que el individuo presenta incapacidad para realizar o completar por sí mismo las actividades de vestirse/acicalarse.

Características definitorias

- Dificultad o incapacidad para ponerse o quitarse las prendas de vestir de manera independiente.
- Dificultad o incapacidad para obtener o reponer la ropa.
- Dificultad o incapacidad para abrocharse las prendas de vestir.
- Dificultad o incapacidad para mantener un aspecto satisfactorio.
- Observación de desaliño en el aspecto y el vestir:
  —Falta de afeitado.
  —Cabello sin peinar.
  —Uñas largas y descuidadas.
  —Zapatos con los cordones sueltos.
  —Ropa desabrochada.

Factores relacionados

- Intolerancia a la actividad.
- Disminución de la fuerza y resistencia.
- Traumatismos incapacitantes.
- Enfermedad crónica o debilitante.
- Cirugía.
- Utilización de aparatos externos o aplicación de técnicas terapéuticas que impiden la movilidad (venoclisis, sistemas de sujeción, férulas, yeso, tracción, entablillado).
- Efectos secundarios de medicamentos.
- Trastornos de percepción o cognitivos.
- Falta de coordinación neuromuscular.
- Debilidad muscular.
- Contracturas.
- Anquilosis.

- Fatiga.
- Dolor, malestar.
- Inmovilidad.
- Depresión.
- Ansiedad severa.
- Falta de motivación.
- Aflicción.
- Conducta de dependencia.
- Edad avanzada.

Diagnóstico NANDA 6.5.4
DÉFICIT EN LOS CUIDADOS PERSONALES DE USO DEL ORINAL/RETRETE

Definición

Estado en que el individuo presenta incapacidad para realizar o completar por sí mismo las actividades de uso del orinal/retrete.

Características definitorias

- Incapacidad para trasladarse hasta el servicio.
- Incapacidad para sentarse o levantarse del retrete.
- Incapacidad para usar el orinal.
- Incapacidad para manipular la ropa a la hora de usar el retrete.
- Incapacidad para tirar de la cisterna o vaciar el orinal.
- Incapacidad para llevar a cabo el aseo adecuado después del uso del retrete.

Factores relacionados

- Alteración de la movilidad y capacidad para trasladarse.
- Intolerancia a la actividad.
- Falta de fuerzas y resistencia.
- Traumatismos incapacitantes.
- Enfermedad crónica o debilitante.
- Cirugía.
- Utilización de aparatos externos o aplicación de técnicas terapéuticas que impiden la movilidad (venoclisis, sistemas de sujeción, férulas, yeso, tracción, entablillado).
- Efectos secundarios de medicamentos.
- Trastornos de percepción o cognitivos.
- Falta de coordinación neuromuscular.
- Debilidad muscular.
- Contracturas.

- Anquilosis.
- Fatiga.
- Dolor, malestar.
- Inmovilidad.
- Depresión.
- Ansiedad severa.
- Falta de motivación.
- Aflicción.
- Conducta de dependencia.
- Edad avanzada.

Diagnóstico NANDA 6.6
ALTERACIÓN DEL CRECIMIENTO Y DESARROLLO

Definición

Estado en que el individuo presenta desviaciones de sus pautas de conducta en relación a las de su grupo de edad.

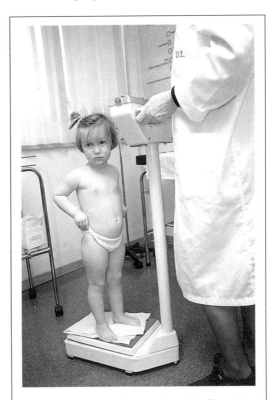

Alteración del crecimiento y desarrollo. El control del peso y la altura del niño a intervalos regulares proporciona unos parámetros fundamentales para detectar posibles desviaciones de la normalidad en relación con el grupo de edad correspondiente.

Características definitorias

- Alteración del crecimiento físico.
- Retraso o dificultad para realizar habilidades (motoras, sociales, de expresión) típicas de su grupo de edad.
- Incapacidad para realizar actividades de cuidado personal o de autocontrol propias de la edad.
- Disminución de las respuestas.
- Poca expresividad afectiva.
- Indiferencia.
- Desinterés.
- Ansiedad.
- Sentimientos de soledad o rechazo.

Factores relacionados

- Efectos de incapacidad física.
- Deficiencias ambientales y de estimulación.
- Separación de los seres queridos.
- Cuidados inadecuados: indiferencia, respuestas inapropiadas, múltiples cuidadores.
- Dependencia prescrita.

Diagnóstico NANDA 6.7
SÍNDROME DE ESTRÉS POR TRASLADO

Definición

Estado en que el individuo experimenta cierto trastorno fisiológico o psicosocial a consecuencia de su traslado a un entorno diferente.

Características definitorias

- Cambios en el entorno o la situación.
- Referencias verbales en las que se informa que no se desea el cambio.
- Referencias verbales que expresan preocupación con respecto al traslado.
- Comparación desfavorable del personal anterior/posterior.
- Ansiedad.
- Aprensión, recelo.
- Aumento de la confusión (en personas mayores).
- Depresión.
- Sensación de soledad.
- Trastornos del patrón de sueño.

- Cambios en los patrones de alimentación, modificación del peso corporal.
- Dependencia.
- Trastornos gastrointestinales.
- Aumento de la verbalización de necesidades.
- Inseguridad.
- Falta de confianza en los demás.
- Inquietud.
- Tristeza.
- Estado de alerta.
- Aislamiento.

Factores relacionados

- Pérdidas pasadas, recientes y concurrentes.
- Pérdidas relacionadas con la decisión del traslado.
- Sentimiento de impotencia.
- Cambios del entorno, moderados o importantes.
- Antecedentes de traslados previos.
- Alteración del estado de salud psicosocial.
- Disminución del estado de salud física.

Patrón de respuesta humana 7: percepción

Diagnóstico NANDA 7.1.1
TRASTORNO DE LA IMAGEN CORPORAL

Definición

Estado en que el individuo experimenta una alteración en la percepción de su propia imagen corporal, una percepción negativa o distorsionada de su propio cuerpo.

Características definitorias

Es suficiente con constatar alguna de las dos siguientes características para justificar el diagnóstico:
- Referencia verbal a cambios reales o aparentes de la estructura o función corporal.
- Referencia no verbal a cambios reales o aparentes de la estructura o función corporal.
  Las siguientes manifestaciones clínicas pueden utilizarse para validar la presencia de los puntos anteriores:

- Referencias de sentimientos negativos con respecto al propio cuerpo.
- Referencias de sentimientos de impotencia o ineficacia.
- Referencias a los cambios impuestos por el problema en el estilo de vida.
- Temor al rechazo o reacción negativa de otras personas.
- Conceder demasiada atención a la apariencia o funcionamiento anterior.
- Despersonalización de la parte del cuerpo afectada o de su pérdida, utilizando pronombres impersonales.
- Personalización de la parte del cuerpo que se halla afectada o de su pérdida, utilizando un nombre.
- No mirar la parte del cuerpo que falta o no funciona.
- No tocar la parte del cuerpo que falta o no funciona.
- Cambios en la capacidad para valorar la relación espacial entre el cuerpo y el medio.
- Angustia ante el cambio o la pérdida.
- Ocultar o mostrar de manera excesiva la parte del cuerpo afectada, intencionada o no intencionadamente.
- Prolongación de los límites corporales para incorporar los objetos del medio.
- Cambios en la participación social.
- Enfatización de las fuerzas restantes, exaltación de logros.
- Negación a aceptar la pérdida o el cambio.

Factores relacionados

- Pérdida de una o varias partes del cuerpo.
- Pérdida de alguna función corporal.
- Trastornos de la percepción o cognitivos.
- Factores psicosociales.
- Factores culturales o espirituales.

Grupos de riesgo

- Pérdida de partes del cuerpo.
- Lesión o mutilación física.
- Dependencia de una máquina.
- Importancia de la parte del cuerpo perdida o afectada en relación con la edad, sexo, estadio del desarrollo o las necesidades básicas.
- Embarazo.

Diagnóstico NANDA 7.1.2
Trastorno de la autoestima

Definición

Estado en que el individuo tiene sentimientos negativos con respecto a la valoración de sí mismo o de sus capacidades, expresados de manera directa o indirecta.

Características definitorias

- Referencias verbales negativas sobre sí mismo.
- Expresión de vergüenza o culpa.
- Sensación de incapacidad para afrontar o controlar los sentimientos/acontecimientos.
- Racionalización excesiva o rechazo de los aspectos personales positivos y exageración de los negativos.
- Indecisión para intentar cosas/situaciones nuevas.
- Negación de problemas evidentes para los demás.
- Proyección de la culpa o las responsabilidades de los problemas.
- Racionalización de los errores personales.
- Hipersensibilidad ante las críticas o el desdén.
- Grandiosidad.

Diagnóstico NANDA 7.1.2.1
Déficit de autoestima crónico

Definición

Estado en que el individuo experimenta, de manera prolongada, una autovaloración y sentimientos negativos con respecto a sí mismo y sus propias capacidades.

Características definitorias

- Referencias verbales negativas sobre sí mismo.
- Expresión de vergüenza o culpa.
- Sensación de incapacidad para afrontar o controlar los sentimientos/acontecimientos.
- Racionalización excesiva o rechazo de los aspectos personales positivos y exageración de los negativos.
- Indecisión para intentar cosas/situaciones nuevas.
- Frecuentes fracasos en el trabajo o en otros acontecimientos de la vida.

- Conformismo.
- Dependencia de las opiniones de los demás.
- Falta de contacto visual.
- Falta de firmeza en el comportamiento, pasividad.
- Indecisión.
- Búsqueda exagerada de seguridad.

Diagnóstico NANDA 7.1.2.2
DÉFICIT DE AUTOESTIMA SITUACIONAL

Definición

Estado en que un individuo con una autovaloración positiva previa experimenta una autovaloración y sentimientos negativos con respecto a sí mismo como resultado de una pérdida o un cambio.

Características definitorias

- Desarrollo de episodios de autovaloración negativa en respuesta a acontecimientos vitales en un individuo que previamente tenía una valoración positiva de sí mismo.
- Referencias verbales de sentimientos negativos acerca de sí mismo (indefensión, inutilidad).
- Expresiones negativas sobre sí mismo.
- Expresión de vergüenza o culpa.
- Sensación de incapacidad para afrontar o controlar los sentimientos/acontecimientos.
- Dificultad para tomar decisiones.

Diagnóstico NANDA 7.1.3
TRASTORNO DE LA IDENTIDAD PERSONAL

Definición

Estado en que el individuo presenta incapacidad para distinguir entre sí mismo y lo que no es.

Diagnóstico NANDA 7.2
**ALTERACIONES SENSOPERCEPTIVAS
(ESPECIFICAR: VISUAL, AUDITIVA, TÁCTIL, CINESTÉSICA, OLFATORIA, GUSTATIVA)**

Definición

Estado en que el individuo presenta un cambio en la cantidad o patrón de la recepción de estímulos sensoriales, acompañado de una modificación de la respuesta a dichos estímulos.

Características definitorias

- Referencia o medición de una modificación en la agudeza sensorial.
- Desorientación temporal, espacial y con respecto a otras personas.
- Alteración de la capacidad de abstracción.
- Alteración de la capacidad de conceptualización.
- Cambio en las habilidades para resolver problemas.
- Cambios en los patrones de conducta.
- Ansiedad.
- Apatía.
- Agitación.
- Irritabilidad.
- Cambios en la respuesta habitual a los estímulos.
- Indicación de alteraciones de la imagen corporal.
- Alteración de los patrones de comunicación.
- Quejas de fatiga.
- Alucinaciones.
- Falta de concentración.
- Temor.
- Depresión.
- Cambios de humor repentinos.
- Ira.
- Respuestas emocionales exageradas.
- Desorden en la sucesión de los pensamientos.
- Pensamientos extraños.
- Distorsiones visuales o auditivas.
- Incoordinación motora.
- Alteraciones posturales.
- Cambios en la tensión muscular.
- Respuestas inadecuadas.

Factores relacionados

- Alteraciones en la recepción, transmisión y/o integración sensorial.
- Alteración de los estímulos ambientales (excesivos o insuficientes).
- Alteración de los órganos sensoriales.
- Enfermedad neurológica, traumatismos o deficiencias.
- Incapacidad para comunicarse, comprender, hablar o contestar.

- Restricción ambiental por motivos terapéuticos:
  — Aislamiento.
  — Ingreso en UVI.
  — Reposo en cama.
  — Tracción.
  — Incubadora.
- Restricción ambiental por motivos sociales:
  — Ingreso en una institución.
  — Confinamiento en el hogar.
  — Edad avanzada.
  — Enfermedad crónica.
  — Pérdida de ser querido, duelo.
  — Secuelas de enfermedad.
  — Enfermedad mental.
  — Minusvalía mental.

- Privación de sueño.
- Dolor.
- Estrés psicológico.
- Alteraciones químicas:
  — Endógenas (desequilibrio hidroelectrolítico, hipoxia, etcétera).
  — Exógenas (estimulantes o depresores del sistema nervioso central, medicamentos que alteran el funcionamiento mental, etcétera).

ALTERACIÓN DE LA PERCEPCIÓN VISUAL

Características definitorias

- Resultados anormales en la exploración visual.

Alteración de la percepción auditiva. Ante la sospecha de problemas de audición en un paciente se impone la oportuna evaluación diagnóstica, para lo cual resulta de la máxima utilidad recurrir a una audiometría, estudio que permite determinar de forma precisa la capacidad auditiva, tanto cuantitativa como cualitativamente. La prueba se lleva a cabo en una cámara insonorizada, en cuyo interior el paciente recibe estímulos sonoros de diferente frecuencia e intensidad a través de unos auriculares que permiten el estudio de la capacidad auditiva de cada oído por separado. Según sea la respuesta del paciente ante los sonidos de diferente intensidad, se elabora una gráfica (audiograma) que refleja la capacidad auditiva del sujeto explorado, poniendo de manifiesto el grado y tipo de pérdida de audición.

- Acercarse demasiado o alejarse exageradamente de los objetos para poder verlos.
- No advertir y golpearse con los objetos del entorno.
- Visión borrosa.
- Manchas visuales.
- Visión doble.
- Lagrimeo.
- Inflamación conjuntival.
- Déficit de parpadeo.
- Alteración del reflejo corneal.
- Guiños.
- Dolor de cabeza.

Factores relacionados

- Dificultad en la adaptación de las lentes correctoras.
- Deficiencias en el uso de lentes de contacto.
- Estimulación visual persistente.
- Falta de empleo de dispositivos de protección visual.
- Limitación en los movimientos de cabeza y cuello.
- Problemas neurológicos.
- Edad avanzada.

ALTERACIÓN DE LA PERCEPCIÓN AUDITIVA

Características definitorias

- Resultados anormales en la exploración auditiva.
- Alteración en los reflejos auditivos.
- Falta de respuesta a los estímulos verbales o auditivos.
- Acúfenos.
- Alucinaciones auditivas.
- Malformaciones de las orejas.
- Falta de atención.
- Ensimismamiento.
- Retraso en el habla.

Factores relacionados

- Exceso de cerumen.
- Cuerpos extraños en el conducto auditivo externo.
- Exposición continua a ruido intenso.
- Aislamiento social.
- Estrés.

- Falta de empleo de dispositivos protectores de los oídos.
- Efecto secundario de determinados medicamentos (antibióticos).
- Trastornos neurológicos.
- Trastornos mentales.
- Edad avanzada.

ALTERACIÓN DE LA PERCEPCIÓN TÁCTIL

Características definitorias

- Parestesias.
- Hiperestesia.
- Anestesia.

Factores relacionados

- Trastornos circulatorios.
- Trastornos neurológicos.
- Inflamación.
- Efecto de anestésicos.
- Quemaduras.
- Dolor.
- Déficit nutricional.
- Estimulación táctil persistente.
- Edad avanzada.

ALTERACIÓN DE LA PERCEPCIÓN CINESTÉSICA

Características definitorias

- Tropiezos y caídas.
- Vértigo.
- Mareo por movimiento (cinetosis).
- Trastornos en la coordinación motora.
- Alteraciones posturales.
- Incapacidad para ponerse de pie o sentarse.

Factores relacionados

- Inflamación del oído interno.
- Trastornos neurológicos.
- Efecto secundario de medicamentos (tranquilizantes, sedantes, antihistamínicos, relajantes musculares).
- Privación de sueño.

ALTERACIÓN DE LA PERCEPCIÓN OLFATORIA

Características definitorias

- Disminución de la percepción olfatoria.
- Disminución del apetito.

Factores relacionados

- Inflamación de la mucosa nasal.
- Cuerpos extraños en la nariz.
- Trastornos neurológicos.
- Edad avanzada.

ALTERACIÓN DE LA PERCEPCIÓN GUSTATIVA

Características definitorias

- Disminución de la capacidad gustativa (menor sensibilidad a los sabores).
- Disminución del apetito.
- Utilización de condimentos en cantidad exagerada.

Factores relacionados

- Lesiones en la lengua.
- Trastornos neurológicos.
- Inflamación de la mucosa oral.
- Efecto secundario de medicamentos.
- Edad avanzada.

Diagnóstico NANDA 7.2.1.1
OMISIÓN UNILATERAL

Definición

Estado en que el individuo no percibe o tiene conciencia de un lado del cuerpo y no le presta atención.

Características definitorias

- Falta de atención continuada a los estímulos en el lado afectado.
- Falta de contacto visual con el lado afectado.
- Falta de autocuidados del lado afectado.
- Desatención a la postura o a las medidas de precaución con respecto al lado afectado.
- Deja la comida en la parte del plato del lado afectado.

Factores relacionados

- Enfermedad neurológica o traumatismo neurológico.
- Efectos de alteración de las capacidades perceptivas (por ejemplo, hemianopsia).
- Ceguera unilateral.

Diagnóstico NANDA 7.3.1
DESESPERANZA

Definición

Estado subjetivo en que el individuo percibe una limitación o no ve alternativas o posibles elecciones personales y se siente incapaz de movilizar energías en su propio beneficio.

Características definitorias

- Falta de iniciativa, pasividad.
- Disminución de la comunicación verbal.
- Expresiones verbales que denotan abatimiento ("no puedo", suspiros).
- Bajo estado de ánimo.
- Disminución de la manifestación de emociones.
- Disminución de respuesta a los estímulos.
- Falta de respuesta cuando se le habla:
  —Se vuelve hacia el lado contrario de la persona que le habla.
  —Cierra los ojos.
  —Se encoge de hombros como respuesta.
- Disminución del apetito.
- Disminución o aumento del sueño.
- Falta de participación en los cuidados personales; aceptación pasiva de los cuidados.

Factores relacionados

- Dolor crónico.
- Deterioro del estado físico.
- Aflicción.
- Depresión.
- Restricción de actividades prolongada.
- Aislamiento social.
- Pérdida de creencias en valores trascendentales/Dios.

• Estrés de larga duración.
• Abandono.
• Pérdida de un ser querido.

Diagnóstico NANDA 7.3.2
IMPOTENCIA

Definición

Estado en que el individuo percibe que sus acciones no afectarán de manera significativa los resultados de determinado acontecimiento o que no tiene ningún control sobre alguna situación actual o inmediata.

Características definitorias

• Referencias verbales de carecer de todo control o influencia sobre la situación o los resultados de las acciones.
• Referencias verbales de carecer de control sobre los cuidados personales.
• Referencias verbales que cuestionan la propia valía o la conducta personal; devaluación de los sentimientos u opiniones personales.
• Depresión por el deterioro físico que se produce a pesar del seguimiento del tratamiento.
• Referencias verbales de descontento y frustración por la incapacidad para realizar las tareas o actividades previas.
• Apatía.
• Ansiedad.
• Sensación de resentimiento.
• Ensimismamiento.
• Ira.
• Irritabilidad.
• Comportamientos violentos.
• Sensación de culpa.
• Conducta de evitación de conflictos.
• Falta de participación en los cuidados personales.
• Falta de participación en la toma de decisiones cuando existen alternativas.
• Desinterés por controlar el progreso.
• Desinterés por buscar información relacionada con los cuidados.
• Desinterés por defender el modo como practica sus cuidados cuando se le cuestiona.
• Reticencias a expresar los sentimientos verdaderos; distanciamiento de las personas que lo atienden.

• Dependencia excesiva de otras personas.
• Pasividad.

Factores relacionados

• Inmovilidad.
• Dificultad para llevar a cabo los cuidados personales.
• Régimen relacionado con la enfermedad.
• Estilo de vida desamparado.
• Aislamiento social.
• Disminución de la autoestima.
• Factores culturales.
• Barreras de comunicación.
• Pérdida de independencia económica.
• Relaciones interpersonales.

Patrón de respuesta humana 8: conocimiento

Diagnóstico NANDA 8.1.1
FALTA (DÉFICIT) DE CONOCIMIENTOS (ESPECIFICAR)

Definición

Estado en que el individuo o la familia carece de los conocimientos o la información específica necesaria para el mantenimiento o la recuperación de la salud.

Características definitorias

• Referencias verbales acerca de la falta de conocimientos.
• Referencias que expresan una percepción poco exacta del problema de salud.
• Referencias que informan sobre ideas erróneas relacionadas con la salud.
• Uso inadecuado del vocabulario relacionado con la salud.
• Incapacidad para explicar el tratamiento que se sigue o describir el estado de salud personal.
• Solicitud de información frecuente.
• Seguimiento inadecuado de las instrucciones:
  —Realización inadecuada de las pruebas.
  —Administración inadecuada de medicamentos.

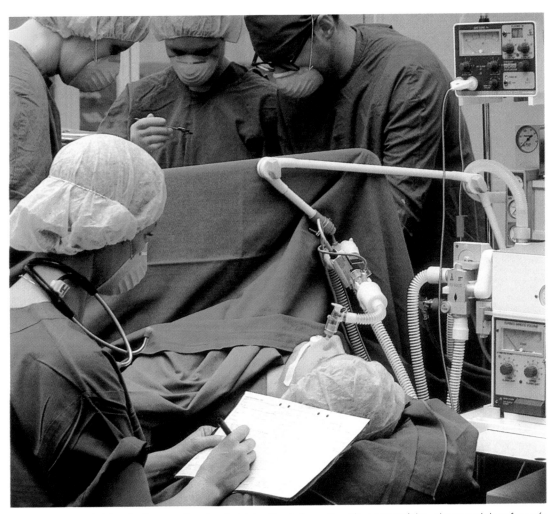

Anestesia general. Además de proceder a la administración de la medicación preanestésica, el personal de enfermería puede colaborar con el anestesista en la vigilancia y registro de las incidencias relacionadas con el procedimiento durante el transcurso de la intervención.

Sondaje digestivo. Para controlar la situación de la sonda, puede comprobarse la ausencia de ruidos respiratorios aproximando el oído al extremo del tubo: a la izquierda, el tubo está colocado correctamente y no se oyen ruidos respiratorios; a la derecha, el tubo está insertado en posición incorrecta y se perciben ruidos respiratorios.

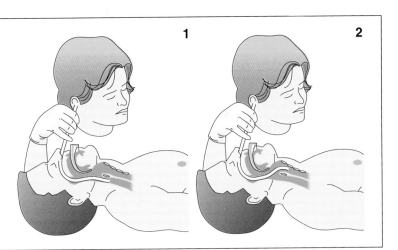

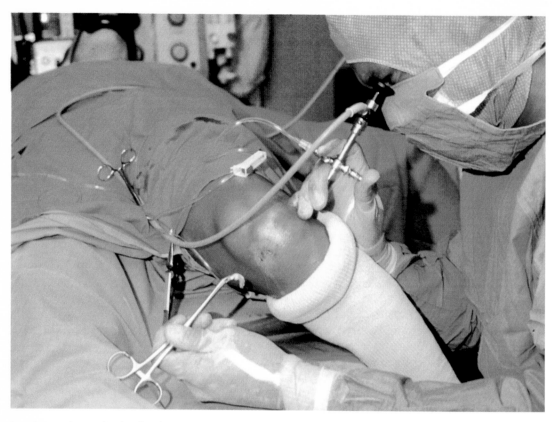

La artroscopia permite visualizar las estructuras internas de la articulación e incluso efectuar intervenciones quirúrgicas intraarticulares.

Las constantes vitales son unos parámetros básicos para determinar el estado fisiológico del paciente y poder controlar la evolución del trastorno que padece, sobre todo mediante una medición continua (monitorización). En la fotografía, unidad de cuidados intensivos donde se practica un registro continuo de las principales constantes vitales, especialmente de la frecuencia cardiaca, cuyo monitor está situado en una posición preferente para poder facilitar el seguimiento.

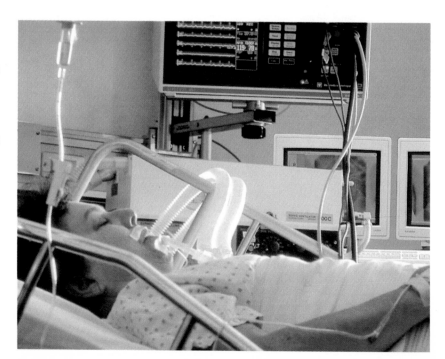

—Incumplimiento de las pautas terapéuticas.
- Conductas inapropiadas o exageradas (histérica, hostil, apática, agitada, depresiva).

Factores relacionados

- Falta de una exposición adecuada.
- Falta de advertencias.
- Mala interpretación de la información.
- Limitación cognitiva.
- Falta de interés por aprender.
- Falta de familiaridad con los recursos informativos.
- Deficiencias sensoriales.
- Barreras de comunicación.
- Negación.
- Abuso de sustancias tóxicas.
- Comportamientos autodestructivos.
- Edad avanzada.
- Petición de no ser informado.

Diagnóstico NANDA 8.3
ALTERACIÓN DE LOS PROCESOS DEL PENSAMIENTO

Definición

Estado en que el individuo presenta una perturbación en los procesos mentales y actividades del pensamiento (percepción, orientación, memoria, razonamiento, juicio).

Características definitorias

- Interpretación inexacta del entorno.
- Desorientación témporo-espacial o con respecto a personas, circunstancias o acontecimientos.
- Incapacidad para percibir o repetir los mensajes con claridad.
- Disminución de respuesta ante solicitudes simples.
- Distractibilidad.
- Deterioro de la capacidad para controlar las ideas.
- Egocentrismo.
- Incapacidad para tomar decisiones, resolver problemas, seguir razonamientos, hacer abstracciones, conceptualizaciones o cálculos.
- Déficit o problemas de memoria.
- Disonancia cognitiva.

- Agitación.
- Depresión.
- Alteración del patrón de sueño.
- Conductas sociales inadecuadas.
- Pensamientos que no se basan en la realidad:
  —Ideas imaginarias.
  —Ideas de confabulación.
  —Ideas preconcebidas.
- Ilusiones.
- Alucinaciones.
- Obsesiones.
- Hiper o hipovigilancia.
- Alteraciones del lenguaje, habla sin sentido.

Factores relacionados

- Trastornos o limitación de la capacidad de atención.
- Conflictos psicológicos.
- Deterioro del juicio.
- Pérdida de memoria.
- Traumas emocionales.
- Privación de sueño.
- Depresión.
- Estrés.
- Ansiedad.
- Sobrecarga o privación sensorial.
- Temor a lo desconocido.
- Exposición a un ambiente poco conocido.
- Pérdida de un entorno conocido.
- Pérdida de objetos familiares.
- Pérdida de un ser querido.
- Efecto secundario de medicamentos sedantes, narcóticos o anestésicos.
- Aislamiento social.
- Edad avanzada.

Patrón de respuesta humana 9: sentimiento

Diagnóstico NANDA 9.1.1
DOLOR

Definición

Estado en que el individuo experimenta y manifiesta un malestar severo o una sensación desagradable que causa sufrimiento.

Dolor. El padecimiento de dolor puede comportar reacciones muy diversas: mientras que en algunos individuos genera un estado de ansiedad y profunda inquietud, en otros, por el contrario, da lugar a un cuadro de depresión e inmovilidad, con tendencia al retraimiento y aislamiento social. En la práctica sanitaria es fundamental tener presente esta variedad de respuestas ante un estímulo doloroso semejante, asumiendo que el sufrimiento puede expresarse de múltiples formas y que resulta poco menos que imposible evaluarlo de manera objetiva, por lo que el tratamiento debe orientarse a mitigar las molestias tomando como parámetro las referencias subjetivas del propio paciente.

Características definitorias

- Expresión verbal de dolor.
- Facies y gestos de dolor (aspecto abatido, ojos sin brillo, muecas de dolor).
- Respuesta positiva a la palpación.
- Conducta de protección:
  — Tocarse el área dolorida.
  — Cambios en la postura o la marcha.
  — Cambios de tono muscular, hasta rigidez.
- Conducta de distracción (gemidos, llanto, paseos, buscar a otras personas, realización de actividades).
- Respuesta vegetativa autónoma al dolor (cambios en la presión arterial y la frecuencia del pulso, incremento o disminución del ritmo respiratorio, diaforesis, dilatación pupilar).
- Ansiedad.
- Inquietud.
- Depresión.
- Retraimiento.
- Aislamiento social.
- Inmovilidad.
- Fatiga.
- Alteración de los procesos del pensamiento.
- Alteración de la percepción del paso del tiempo.
- Sentimientos de culpa.
- Desesperanza.
- Impotencia.

Factores relacionados

- Enfermedades o traumatismos.
- Cirugía.
- Procedimientos terapéuticos o técnicas diagnósticas.
- Procesos infecciosos.
- Procesos obstructivos.
- Inflamación.
- Espasmos musculares.
- Inmovilización.
- Puntos de presión.
- Factores psicológicos.

Diagnóstico NANDA 9.1.1.1
DOLOR CRÓNICO

Definición

Estado en que el individuo padece dolor durante un período superior a seis meses.

Características definitorias

- Referencia verbal u observación de dolor experimentado durante más de seis meses.
- Facies de dolor.
- Movimientos de protección, muy cuidadosos.
- Depresión.
- Insomnio o cambios en el patrón de sueño.
- Cambios de la personalidad.
- Irritabilidad.
- Anorexia.
- Pérdida de peso.
- Temor a nuevas lesiones.
- Alteración en la capacidad para continuar con las actividades previas.
- Aislamiento social.

Factores relacionados

- Enfermedades crónicas o terminales.
- Incapacidad física crónica.
- Incapacidad psicosocial crónica.

Diagnóstico NANDA 9.2.1.1
AFLICCIÓN DISFUNCIONAL

Definición

Estado en que el individuo presenta una respuesta de aflicción exagerada ante la pérdida, real o posible, de alguna persona, relación, posesión o capacidad orgánica.

Características definitorias

- Referencia verbal al dolor por la pérdida.
- Negación de la pérdida.
- Sentimientos de culpa.
- Dificultad para referirse a la pérdida.
- Idealización del objeto perdido.
- Recuerdo de experiencias pasadas.
- Ira.
- Tristeza, pena.

- Llanto.
- Temor al futuro.
- Inexpresividad emocional.
- Cambios en los hábitos alimentarios, pérdida de peso.
- Alteración del ritmo de sueño.
- Alteración de la libido.
- Alteración del nivel de actividad.
- Descuido en la apariencia personal.
- Interferencia en el funcionamiento vital.
- Regresión en el desarrollo.
- Alteración en la concentración o en la ejecución de actividades.
- Aislamiento social.
- Pensamientos suicidas.

Factores relacionados

- Pérdida de alguna función o parte del cuerpo.
- Enfermedad crónica.
- Ausencia de aflicción anticipatoria.
- Pérdida de un ser querido.
- Pérdida de la salud.
- Pérdida del nivel social o de alguna posesión apreciada.
- Falta de resolución de una respuesta de aflicción previa.
- Sentimientos ambivalentes hacia la pérdida.
- Cambios en el estilo de vida.

Diagnóstico NANDA 9.2.1.2
AFLICCIÓN ANTICIPATORIA

Definición

Estado en que el individuo presenta una respuesta de aflicción ante la pérdida, real o posible, de alguna persona, relación, posesión o capacidad orgánica, antes de que se produzca.

Características definitorias

- Referencias de aflicción ante la posible pérdida.
- Preocupación por la posible pérdida.
- Negación de la posible pérdida.
- Sensación de culpa.
- Ira.
- Tristeza, pena.
- Cambios en los hábitos alimentarios.
- Alteración del sueño.

- Alteración del nivel de actividad.
- Alteración de la libido.
- Alteración en la comunicación.

Factores relacionados

- Percepción de la posible pérdida de la salud o alguna capacidad orgánica.
- Percepción de la posible pérdida de algún ser querido.
- Percepción de la posible pérdida del nivel social o de alguna posesión apreciada.

Diagnósico NANDA 9.2.2
ALTO RIESGO DE VIOLENCIA DIRIGIDA CONTRA SÍ MISMO O CONTRA OTRAS PERSONAS

Definición

Estado en que el individuo presenta conductas físicas que evidencian una predisposición a efectuar actos violentos o destructivos contra sí mismo o contra otras personas.

Alto riesgo de violencia dirigida hacia sí mismo o hacia otras personas. Toda referencia de intento de autolesión o de planes de agresión a otras personas debe ser debidamente tomada en consideración, poniendo el hecho en conocimiento de quien corresponda.

Características definitorias

- Referencias de intento o deseo de hacerse daño a sí mismo o de agredir a otras personas.
- Referencias verbales hostiles y/o amenazadoras.
- Sentimiento de ira.
- Actos hostiles y agresivos.
- Objetivos de destrucción de personas u objetos del entorno.
- Conductas autodestructivas, actos de agresión suicida.
- Agresiones.
- Incremento de la actividad motora, excitación, irritabilidad, agitación.
- Referencias verbales de actividades agresivas cometidas en el pasado.
- Lenguaje corporal que expresa agresividad:
  —Puños apretados.
  —Expresión facial tensa.
  —Postura rígida y movimientos que expresan intenso esfuerzo por controlarse a sí mismo.
- Conductas provocadoras (argumentativa, insatisfecha, reactiva, excesiva.
- Posesión de armas u objetos que pueden utilizarse para cometer agresiones.
- Depresión.
- Incremento del nivel de ansiedad.
- Temor de sí mismo o de otros.
- Repetición de quejas y demandas.
- Sospechas, ideación paranoide, ilusiones, alucinaciones, delirios.

Factores relacionados o de riesgo

- Paranoia.
- Estado de pánico.
- Reacción de ira.
- Excitación maníaca.
- Enajenación mental.
- Síndrome de disfunción cerebral orgánica.
- Abuso de sustancias tóxicas.
- Supresión de consumo de sustancias tóxicas.
- Reacción tóxica a los medicamentos.
- Percepción de alguna amenaza a la autoestima.
- Respuesta ante algún acontecimiento catastrófico.
- Pérdida real o posible de algún ser querido.

- Cambios en el estado de la salud física o mental.
- Maltrato físico, abuso sexual o psicológico (mujeres, niños o ancianos que han sido maltratados).
- Crisis de desarrollo.
- Cambios significativos en el estilo de vida.
- Personalidad impulsiva e inmadura.
- Personalidad antisocial.
- Soledad.
- Aislamiento social.
- Antecedentes de comportamientos suicidas.
- Problemas de comunicación.
- Falta de sistemas de apoyo.

Diagnóstico NANDA 9.2.2.1
ALTO RIESGO DE AUTOMUTILACIÓN

Definición

Estado en que el individuo corre el peligro de provocarse daños físicos a sí mismo, sin intentar matarse, como mecanismo para aliviar la tensión.

Factores relacionados o de riesgo

- Trastorno de personalidad límite.
- Estado psicótico.
- Niños que sufren maltrato o con alteraciones emocionales.
- Retraso mental, autismo.
- Antecedentes de autolesiones.
- Antecedentes de abuso físico, sexual o emocional.
- Sentimientos de depresión, rechazo, odio hacia sí mismo, culpabilidad, despersonalización.
- Trastornos emocionales.
- Alucinaciones en las que se perciban órdenes de automutilación.
- Carencia afectiva.
- Familia disfuncional.

Diagnóstico NANDA 9.2.3
RESPUESTA POSTRAUMÁTICA

Definición

Estado en que el individuo experimenta una respuesta dolorosa prolongada a un acontecimiento traumático abrumador.

Características definitorias

- El individuo revive el acontecimiento traumático a través de:
  - Sueños o pesadillas repetitivas.
  - Recuerdo de escenas.
  - Pensamientos obsesivos.
  - Referencias verbales repetidas del acontecimiento traumático.
  - Referencias de sentimientos de culpa por haber sobrevivido o sobre el comportamiento necesario para lograr la supervivencia.
- Trastorno psíquico o emocional manifestado por:
  - Interpretación errónea de la realidad.
  - Confusión.
  - Disociación o amnesia.
  - Vaguedad en el recuerdo del acontecimiento traumático.
  - Limitaciones afectivas.
- Alteraciones en el estilo de vida:
  - Abuso de sustancias tóxicas.
  - Intentos de suicidio u otras conductas para llamar la atención.
  - Dificultad en las relaciones interpersonales.
  - Desarrollo de fobias en relación con el hecho traumático.
  - Mal control de los impulsos; irritabilidad y explosividad.

Factores relacionados

- Catástrofes.
- Guerras.
- Epidemias.
- Violación.
- Ataques.
- Torturas.
- Accidentes.

Diagnóstico NANDA 9.2.3.1
SÍNDROME TRAUMÁTICO POR VIOLACIÓN

Definición

Síndrome traumático que aparece tras una violación o un intento de violación. Incluye una fase aguda, en la que acontece una desorganización del estilo de vida, y una fase a largo plazo, en la que se reorganiza el estilo de vida.

Además del trauma por violación, que se trata a continuación, el síndrome incluye dos subcomponentes que se detallan posteriormente: la reacción compuesta y la reacción silenciosa.

Características definitorias

Fase aguda
- Sentimientos de ira.
- Shock emocional.
- Turbación.
- Llanto.
- Control excesivo.
- Pánico.
- Negación.
- Sentimientos de culpa.
- Vergüenza.
- Humillación.
- Temor a estar sin compañía.
- Temor a la violencia física y a la muerte.
- Deseos de venganza.
- Cambios en el comportamiento sexual.
- Desconfianza con respecto al sexo opuesto
- Síntomas físicos múltiples (tensión muscular, irritabilidad gastrointestinal, malestar genitourinario).
- Trastornos del patrón de sueño.

Fase a largo plazo
- Evocación mental de la violación.
- Ambivalencia sobre la propia sexualidad.
- Búsqueda de apoyo en la familia o la sociedad.
- Cambios en el estilo de vida (cambios de residencia habitual, afrontar pesadillas y fobias repetitivas).
- Depresión.
- Ansiedad.
- Pérdida de autoconfianza.

Factores relacionados

- Temor a represalias.
- Temor al embarazo.
- Preocupación por posibles problemas de salud (contagio de enfermedades de transmisión sexual, SIDA).
- Culpabilidad del cónyuge o la familia.
- Sistemas de apoyo inadecuados.

Diagnóstico NANDA 9.2.3.1.1
SÍNDROME TRAUMÁTICO POR VIOLACIÓN: REACCIÓN COMPUESTA

Definición

Subcomponente del síndrome traumático por violación en que se presenta una reactivación de los síntomas de enfermedad o situación previa al ataque.

Características definitorias

Todas las enumeradas en el diagnóstico "síndrome traumático por violación".
- Síntomas de reactivación de enfermedades físicas o psiquiátricas previas.
- Consumo de drogas o alcohol.

Factores relacionados

- Abuso de sustancias tóxicas.
- Antecedentes de enfermedad psiquiátrica o enfermedad psiquiátrica actual.
- Antecedentes de enfermedad física o enfermedad física actual.

Diagnóstico NANDA 9.2.3.1.2
SÍNDROME TRAUMÁTICO POR VIOLACIÓN: REACCIÓN SILENCIOSA

Definición

Subcomponente del síndrome traumático por violación en que la persona afectada es incapaz de hacer referencias sobre el ataque.

Características definitorias

- Negación a narrar la violación.
- Desencadenamiento súbito de reacciones fóbicas.
- Cambios bruscos en las relaciones con el sexo opuesto.
- Cambios acentuados en el comportamiento sexual.
- Intensificación de las pesadillas.
- Intensificación de la ansiedad durante las entrevistas (por ejemplo, bloqueo de las asociaciones, largos períodos de silencio, leve tartamudeo, incomodidad física).

Factores relacionados

- Temor a represalias.
- Acentuada sensación de vergüenza.
- Negación.
- Falta de apoyo.

Diagnóstico NANDA 9.3.1
ANSIEDAD

Definición

Estado en que el individuo experimenta una sensación vaga de inquietud cuyo origen suele ser inespecífico o desconocido por el sujeto.

Características definitorias

- Referencias verbales de preocupación con respecto a cambios en los acontecimientos de la vida.
- Tensión.
- Angustia.
- Aprensión.
- Nerviosismo.
- Inseguridad.
- Sentimientos de temor.
- Inestabilidad emocional.
- Recelos.
- Sentimiento de impotencia, de inadecuación.
- Preocupación por cuestiones inespecíficas.
- Excesiva preocupación por sí mismo.
- Retraimiento.
- Falta de conciencia del entorno.
- Sensación de remordimiento.
- Confusión.
- Incertidumbre.
- Irritabilidad.
- Incapacidad para concentrarse.
- Náuseas.
- Dolor de cabeza.
- Signos de estimulación del sistema autónomo simpático:
  —Incremento de la presión sanguínea.
  —Aumento de la frecuencia respiratoria.
  —Aumento de la frecuencia cardiaca.
  —Dilatación pupilar.
  —Vasoconstricción cutánea, palidez.
  —Sudoración.

- Inquietud.
- Agitación.
- Llanto.
- Movimientos extraños (arrastrar los pies, movimientos de manos o brazos).
- Temblores, temblor de manos.
- Mirada inexpresiva, mirada recelosa.
- Falta de contacto visual.
- Voz temblorosa.
- Dificultades para expresarse.
- Cambios en el apetito.
- Cambios en el patrón de sueño, insomnio.
- Incremento de la frecuencia urinaria.

Factores relacionados

- Temor a la muerte, sensación de peligro de muerte.
- Cambios o sensación de peligro del estado de salud.
- Cambios o sensación de peligro de la situación socioeconómica.
- Cambios o sensación de peligro de las relaciones personales.
- Cambios o sensación de peligro del desempeño de rol.
- Cambios o sensación de amenaza del entorno personal.
- Cambios o sensación de amenaza de los sistemas de apoyo.
- Cambios o sensación de amenaza del autoconcepto.
- Pérdida de seres queridos.
- Pérdida de posesiones.
- Crisis situacional o de maduración.
- Conflicto inconsciente acerca de los valores esenciales y los objetivos en la vida.
- Sentimientos de fracaso.
- Transmisión/contagio interpersonal.
- Necesidades insatisfechas.

Diagnóstico NANDA 9.3.2
TEMOR

Definición

Estado en que el individuo experimenta una sensación de miedo o terror en relación con una fuente identificable que se percibe como peligrosa.

Características definitorias

- Capacidad para identificar el objeto del miedo.
- Aumento del estado de alerta.
- Aumento de la tensión.
- Sensación de aprensión.
- Falta de seguridad en sí mismo.
- Sentimientos de pérdida de control.
- Nerviosismo, sensación de sobresalto.
- Inquietud.
- Terror.
- Pánico.
- Concentración en la fuente de peligro.
- Ojos muy abiertos.
- Accesos de llanto.
- Voz temblorosa.
- Comportamiento agresivo.
- Comportamiento de huida.
- Signos de estimulación del sistema autónomo simpático:
  — Incremento de la presión sanguínea.
  — Aumento de la frecuencia respiratoria.
  — Aumento de la frecuencia cardiaca.
  — Dilatación pupilar.
  — Vasoconstricción cutánea, palidez.
  — Sudoración.
- Incremento de la frecuencia urinaria.
- Insomnio.

Factores relacionados

- Peligro de muerte real o imaginaria.
- Dolor.
- Alteraciones sensoriales (privación o sobrecarga).
- Pérdida de alguna parte del cuerpo o de alguna función corporal.
- Enfermedad incapacitante crónica.
- Anticipación de acontecimientos potencialmente amenazantes de la autoestima.
- Sentimiento de fracaso.
- Fobias.
- Respuesta condicionada.
- Pérdida de un ser querido.
- Barreras de comunicación.
- Separación del sistema de apoyo en una situación potencialmente peligrosa (hospitalización, tratamientos).
- Falta de conocimientos o de familiaridad con el entorno.

Técnicas de diagnóstico y tratamiento (TE)

Anestesia

Descripción

La anestesia es una técnica destinada a la supresión de la sensibilidad mediante la administración de productos que suprimen temporalmente la actividad nerviosa en una región del cuerpo (*anestesia local* o *regional*) o que sumen al paciente en un estado de inconsciencia (*anestesia general*). Pueden emplearse muy diversos productos anestésicos y por distintas vías, según sea el tipo de anestesia pretendida, así como fármacos tranquilizantes y vagolíticos (preanestesia) y relajantes musculares (anestesia general). Excepto en determinadas circunstancias (utilización de anestésicos tópicos y situaciones de urgencia), la administración de anestésicos suele considerarse fuera de las atribuciones del personal de enfermería, aunque su colaboración es fundamental tanto en el período preoperatorio como en el acto quirúrgico y el postoperatorio.

ANESTESIA LOCAL Y REGIONAL

Descripción

Las aplicaciones de la anestesia local y regional son variadas, puesto que se recurre a este tipo de anestesia para la práctica de intervenciones terapéuticas o diagnósticas sencillas (sutura de heridas, biopsias, drenajes, etcétera), así como también en operaciones complejas cuando se pretende evitar los efectos adversos de la anestesia general o si existen contraindicaciones para tal procedimiento. Si es conveniente, con anestesia local o regional pueden efectuarse intervenciones en zonas amplias (miembros, cavidad abdominal o torácica, región genital, etcétera) y durante períodos relativamente prolongados.

Técnica

Para lograr la supresión local o regional de la sensibilidad puede recurrirse a diferentes técnicas que provoquen bloqueo de la conducción nerviosa:

- Administración tópica de productos anestésicos (líquidos, pomadas, polvos) sobre piel o mucosas (conjuntival, nasal, uretral, etc.); la aplicación puede efectuarse en forma de instilación, fricción o aerosol.
- Administración parenteral de anestésicos (intradérmica, subcutánea, intramuscular) a mayor o menor profundidad mediante inyección y en diversas localizaciones, para obtener una anestesia más o menos extensa por bloqueo de nervios menores, nervios mayores o plexos nerviosos.
- Anestesia regional extradural (peridural o epidural) mediante inyección de anestésicos

en el espacio epidural. Se utiliza en cirugía abdominal y urológica, así como en obstetricia.

- Anestesia regional intradural o raquídea, mediante la inyección de anestésicos en el espacio subaracnoideo, directamente al líquido cefalorraquídeo. Se utiliza en cirugía de la parte inferior del abdomen y de las piernas.

Consideraciones de enfermería

- Antes de la administración de anestesia local debe interrogarse al paciente sobre posibles antecedentes alérgicos.
- Se consideran contraindicaciones de la anestesia local la alergia a los productos anestésicos, así como la existencia de lesiones hepáticas si se pretende emplear anestésicos que se metabolizan en el hígado.
- Dispónganse todos los elementos que puedan requerirse para solucionar reacciones adversas o complicaciones.
- Infórmese al paciente sobre los procedimientos que se vayan realizando a lo largo de toda la intervención y solicítese que indique cualquier molestia que perciba, para poder

tranquilizarlo cuando se trate de un efecto secundario normal o para solventar el problema cuando sea posible.

- Siempre respetando la posición más adecuada para la intervención, colóquese al paciente de tal modo que se encuentre lo más cómodo posible.
- Cúbrase adecuadamente al paciente dentro de lo posible, tanto para mantenerlo abrigado como para respetar su pudor.
- Contrólese de manera continuada el estado general y las constantes vitales, vigilando la aparición de reacciones adversas a la anestesia (reflejos vasovagales, hipersensibilidad al fármaco).

ANESTESIA GENERAL

Descripción

La anestesia general, obtenida mediante la administración de diferentes fármacos por vía intravenosa y/o inhalatoria, pretende una supresión temporal de la sensibilidad (analgesia) acompañada de abolición reversible de la conciencia (hipnosis o sueño anestésico) y

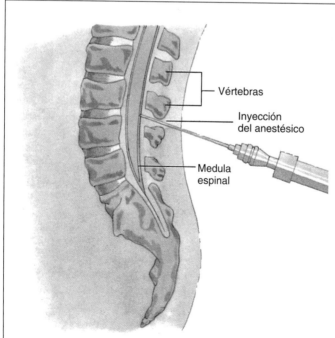

Vértebras

Inyección del anestésico

Medula espinal

La anestesia regional permite suprimir la sensibilidad de una zona mediante la administración de agentes anestésicos alrededor de los nervios que la inervan, a fin de bloquear la conducción nerviosa de la región sin afectación de la conciencia. La inyección de anestésicos en el espacio epidural (anestesia extradural) se emplea en cirugía abdominal, urológica y obstétrica, mientras que su administración en el espacio subaracnoideo (anestesia intradural) se utiliza en cirugía abdominal baja y en intervenciones de las extremidades inferiores. En ambos casos, el procedimiento se lleva a cabo mediante una punción lumbar, introduciendo una aguja entre dos vértebras de la parte inferior de la columna vertebral para administrar el agente anestésico en la zona que rodea la medula espinal y las raíces nerviosas que inervan la región donde se practicará la intervención.

la relajación neuromuscular necesaria para facilitar la actividad quirúrgica y permitir la ventilación mecánica artificial.

Las indicaciones son:

- Intervenciones quirúrgicas complejas, de larga duración o de zonas extensas.
- Cirugía con diagnóstico indeterminado.
- Politraumatismos.
- Cirugía de pacientes con determinados trastornos neurológicos o psiquiátricos.
- Cirugía infantil, en niños de hasta 5 años en todo tipo de intervenciones y en niños mayores de 5 años cuando se prefiera y no existan contraindicaciones.

Medicación preanestésica

Previamente a la práctica de la anestesia general se administran diversos fármacos (tranquilizantes, analgésicos y vagolíticos) para obtener los siguientes efectos:

- Sedación.
- Cierto grado de analgesia.
- Inhibición de algunos reflejos indeseables durante la anestesia (náusea, tos, deglución).
- Reducción de efectos secundarios de los anestésicos generales.
- Protección neurovegetativa y reducción del consumo energético.

Inducción y mantenimiento

La inducción anestésica se efectúa con fármacos que proporcionan un efecto instantáneo y logran una adecuada profundidad anestésica, administrados por vía endovenosa o por vía inhalatoria. También se administran relajantes musculares con efecto curarizante, de acción más o menos corta o prolongada según sea la duración de la intervención. A continuación se efectúa una intubación traqueal y se procede a la ventilación artificial manual o mediante aparatos de ventilación mecánica. El método de mantenimiento de la anestesia depende de las características de cada intervención y el estado general del paciente. Por lo común se lleva a cabo mediante la administración inhalatoria de un anestésico mezclado con el oxígeno, en combinación con un analgésico potente.

Recuperación

Para terminar con la anestesia, se suspende la administración de productos anestésicos y se administran los fármacos oportunos para neutralizar los relajantes musculares, factor necesario para la recuperación de la respiración espontánea. Al finalizar la acción de los anestésicos, el paciente recupera de modo progresivo la conciencia y requiere los cuidados correspondientes al postoperatorio inmediato (véase EMQ: Aproximación general, postoperatorio).

Consideraciones de enfermería

- Procédase a las técnicas previas a la intervención destinadas a prevenir posibles complicaciones del acto anestésico, como aspiración de vómitos, shock o contaminación del campo quirúrgico por relajación de esfínteres.
- Manténgase al paciente en ayunas según indicaciones, por lo común desde 12 a 18 horas antes de la intervención.
- Practíquese un sondaje nasogástrico cuando esté indicado, en especial para un vaciado de estómago en operaciones de urgencia.
- Adminístrense enemas según especificaciones.
- Practíquese un sondaje vesical siempre que se prevea una posible retención urinaria.
- Llévese un escrupuloso control de la hidratación y aplíquense las técnicas de infusión endovenosa adecuadas.
- Adminístrese la medicación preanestésica en las dosis y horario indicados, comunicando al anestesista o cirujano si surge algún inconveniente para que determine las pautas de actuación más oportunas. De lo contrario, es posible que no se puedan evaluar con exactitud los efectos iniciales de la anestesia.
- Contrólese al paciente durante todo el período preanestésico, vigilando la aparición de reacciones adversas a la medicación.
- Obténgase una vía EV con aguja de gran calibre, en prevención de una eventual transfusión sanguínea.
- Contrólense las constantes vitales antes del acto quirúrgico y durante toda la intervención, vigilando la monitorización electrocardiográfica, respiratoria, gasométrica, PVC, etcétera.

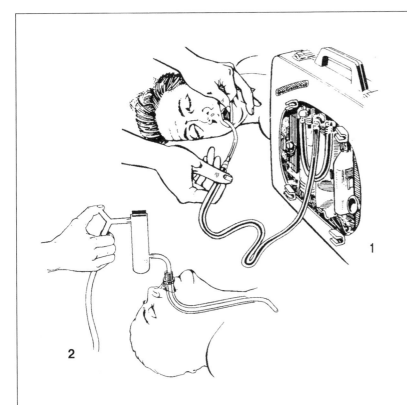

- Colabórese con el anestesista en la intubación endotraqueal, control de la ventilación artificial, administración de oxígeno y de fármacos, etcétera.
- Prepárense previamente todos los elementos necesarios para el tratamiento de eventuales complicaciones (reanimación cardiopulmonar).

Artroscopia

Descripción

La artroscopia es una técnica diagnóstica que permite visualizar directamente las estructuras internas de una articulación mediante un endoscopio especial (*artroscopio*). También se emplea para efectuar intervenciones quirúrgicas intraarticulares, como biopsias, extirpación de meniscos o cuerpos extraños, etc. Se utiliza sobre todo en la rodilla y el hombro, aunque puede aplicarse en otras articulaciones.

Técnica

- El procedimiento se efectúa en quirófano, bajo rigurosas condiciones de asepsia y con anestesia local, epidural o general según la articulación, a fin de conseguir su completa relajación.
- El artroscopio se introduce a través de una pequeña incisión en la piel de la zona, y para proceder a la observación de las estructuras intraarticulares se conecta al tubo un sistema de irrigación con suero fisiológico y otro de drenaje, manteniendo así un circuito permanente de aspiración.
- Si se trata de una intervención quirúrgica, se introduce el instrumental a través del tubo del artroscopio o bien por otra incisión cercana a la primera.

Consideraciones de enfermería

- Tranquilícese al paciente, explicándole los pasos de la exploración o tratamiento y su finalidad.
- Procédase a rasurar y aseptizar la zona previamente a la técnica.
- Manténgase al paciente en ayunas hasta la realización de la prueba, según indicaciones.
- Durante el curso de la prueba deben controlarse y registrarse los signos vitales, el nivel de conciencia y la función neurovascular distal a la zona.
- Colóquese la extremidad en posición antiedema, con la articulación en extensión.
- Practíquese un vendaje compresivo o inmovilizador, según la técnica practicada y las indicaciones médicas.
- Manténgase al paciente en reposo absoluto durante el tiempo prescrito.
- Si es preciso, instrúyase al paciente sobre el uso de muletas y las medidas oportunas para la recuperación funcional de la articulación.

Aspiración oro-naso-faringo-traqueal

Descripción

La aspiración de la tráquea a través de la orofaringe o la nasofaringe se utiliza para mantener despejadas las vías aéreas. La sonda de aspiración se introduce por la boca o la nariz, o bien a través de una vía artificial (traqueostomía).

Consideraciones de enfermería

- Se puede valorar la necesidad de aspiración observando las características de la respiración y la tos del paciente, o bien mediante la auscultación del tórax.
- Para una mejor valoración de la situación respiratoria, es aconsejable consultar la gasometría arterial (véase TE: Gasometría arterial).
- Antes y después de la aspiración deben valorarse los ruidos respiratorios y las constantes vitales.
- Si el paciente se halla consciente, debe explicársele el procedimiento que se va a efectuar antes de iniciar la práctica.
- Aspírese sólo cuando sea necesario, y no de forma rutinaria. Existe un elevado riesgo de

La aspiración de secreciones no debe llevarse a cabo como si se tratara de una maniobra preventiva rutinaria, sino cuando la exploración o los síntomas del enfermo lo aconsejen. En la ilustración 1 se usa un aspirador faríngeo rígido unido a un mecanismo de aspiración mecánico portátil. La ilustración 2 muestra la utilización de un catéter blando de punta curva conectado con un dispositivo manual.

1

2

traumatismos a causa de la aspiración frecuente. Así mismo, la hipoxemia que produce la técnica y la estimulación del nervio vago pueden provocar arritmias cardiacas. Debe disponerse siempre de una fuente de oxígeno a mano.

- En el ambiente hospitalario, la aspiración debe realizarse siempre mediante técnica estéril. Deben llevarse siempre dos guantes cuando se aspire, aunque sólo la mano dominante necesite permanecer estéril; el guante de la otra mano es simplemente para protección de la enfermera.
- Durante el proceso, debe aclararse la sonda con suero fisiológico. Después de terminar la aspiración, deséchese la sonda y el resto de suero fisiológico. Si la boca y la nariz necesitan aspiración, utilícese una sonda distinta de la empleada para la aspiración de la tráquea.
- El aspirador debe mantener una presión negativa de 80 a 120 mm Hg cuando se cierre la boquilla de aspiración.
- *Nunca* debe aspirarse (hay que taponar el orificio de aspiración) mientras se inserta la sonda. La aspiración no debe superar los 8-10 segundos, y debe realizarse mientras se retira la sonda, a la vez que se imprime un ligero movimiento de rotación. Hay que tener en cuenta que después de tan sólo 5 segundos de aspiración se produce una importante caída de la oxigenación.
- Entre una y otra inserción de la sonda, déjese que el paciente realice 4 o 5 respiraciones o adminístrense 4 o 5 compresiones de ambú. Según sea la conducta del paciente, el ambú puede ser conectado a la fuente de oxígeno. La oxigenación y la hiperinsuflación de los pulmones evita la aparición de atelectasias e hipoxia, debiéndose realizar tanto antes como después de haber aspirado.
- Debe registrarse el color, el olor, la cantidad y la consistencia de las secreciones, así como la frecuencia de la aspiración, y también las constantes vitales. Es importante comunicar al médico cualquier cambio que aparezca en las secreciones, así como si se produce un aumento en la necesidad de aspiración.

ASPIRACIÓN ORO-NASO-FARÍNGEA

- *No* debe realizarse aspiración nasofaríngea, ni introducir una sonda a través de ese conducto, cuando exista sospecha de salida de líquido cefalorraquídeo o cuando exista un trastorno hemorrágico.
- La aspiración orofaríngea puede estimular el reflejo de deglución y ser de difícil ejecución si el paciente muerde el tubo. Para separar los dientes, puede ser necesario un depresor lingual.
- Para la aspiración nasofaríngea, lubríquese la sonda (medida French 14 o 16) e introdúzcase unos 7 a 12 cm a través de los agujeros de la nariz. En lo posible, solicítese al paciente que aspire profundamente y tosa, ya que esto permite una inserción más fácil de la sonda a través de la nasofaringe hacia la garganta. Cámbiese de agujero nasal en cada aspiración.
- Cuando el paciente se halle inconsciente, tírese de la lengua y manténgase fuera de la boca para facilitar el paso de la sonda de la nariz a la garganta.

ASPIRACIÓN TRAQUEOBRONQUIAL A TRAVÉS DE UNA TRAQUEOSTOMÍA

- Cuando se aspire a través de una traqueostomía, utilícese una sonda de diámetro 14-16 French; la sonda de aspiración no debe nunca superar un tercio del diámetro de la luz del tubo de traqueostomía.
- Insértese la sonda de aspiración hacia el bronquio a aspirar.
- Cuando se encuentre alguna resistencia, retírese la sonda un centímetro. La cabeza del paciente debe girarse en dirección contraria a la del bronquio a aspirar. La aspiración no debe iniciarse hasta que no se comience a retirar la sonda mediante un movimiento de rotación con los dedos, para evitar que se adhiera a la superficie mucosa. En caso de que esto suceda, libérese el agujero de aspiración durante un momento.
- Si las secreciones son muy espesas o no pueden ser aspiradas y se observa congestionado al paciente, puede suceder que la humidificación no sea correcta. En este caso, pueden introducirse unas gotas de suero fisiológico estéril dirigidas hacia la tráquea para fluidificar las secreciones: en los niños suelen ser necesarios unos 0,5 ml de suero fisiológico, y en los adultos, unos 0,8 ml.

Consideraciones de enfermería pediátrica

- En los lactantes y niños pequeños la aspiración no debe superar los 5 segundos. Debe permitirse al paciente respirar 3 o 4 veces antes de aspirar nuevamente, o aplicar 4 o 5 compresiones de ambú conectado a una fuente de oxígeno.
- Para la aspiración de los neonatos, en caso de que las secreciones no sean muy espesas, la sonda adecuada es la de tamaño 6 French. En los niños de mayor edad puede utilizarse una sonda de 8 a 10 French. *Nunca* debe ocluirse completamente la vía aérea con la sonda. En los niños no se deben superar los 100 mm Hg de vacío.
- En la aspiración a través de una traqueostomía, la sonda no debe ser superior a un tercio del diámetro de la luz del tubo de traqueostomía. Debe dejarse espacio suficiente alrededor de la sonda para el paso del aire.
- En los niños, los signos más precoces de distrés respiratorio son la taquicardia y la intranquilidad.

Biopsia hepática

Descripción

Esta técnica diagnóstica consiste en la aspiración de una muestra de tejido hepático con la ayuda de una aguja, y habiendo realizado previamente anestesia local. También es frecuente realizar la biopsia hepática durante el curso de una laparoscopia (véase TE: Endoscopia). Independientemente del método utilizado, la principal complicación de la técnica corresponde a la hemorragia.

Consideraciones de enfermería

- Para proceder a la técnica, suele ser necesario contar con el consentimiento del paciente por escrito.

- Como precaución ante una complicación hemorrágica, debe disponerse del tipo de sangre del paciente y solicitar la práctica de pruebas cruzadas.
- Antes de la biopsia el paciente debe permanecer en ayuno absoluto.
- Para la aspiración con un sistema cerrado de aguja, debe colocarse el paciente tendido sobre su lado izquierdo y con el brazo derecho levantado, o bien en posición supina (sobre la espalda), de acuerdo con la preferencia del médico. La aguja penetra en el hígado a través de un espacio intercostal.
- Con el fin de evitar cualquier movimiento de la pared torácica, mientras se inserta y extrae la aguja debe solicitarse al paciente que llene el pecho de aire, lo expulse y seguidamente aguante la respiración.
- Se tomarán las constantes vitales antes, así como cada 15 minutos después de la biopsia, hasta que los parámetros se estabilicen, y posteriormente cada 4 horas durante las siguientes 12 horas.
- Después de la biopsia, el paciente debe colocarse sobre su lado derecho, con una almohada bajo el reborde costal, manteniendo esta postura durante varias horas. Es necesario el reposo en cama durante las siguientes 24 horas.
- Debe vigilarse la aparición de signos de complicaciones: hemorragia, peritonitis y neumotórax (véase EMQ: Aproximación general, postoperatorio; Digestivo, peritonitis; Respiratorio, neumotórax).

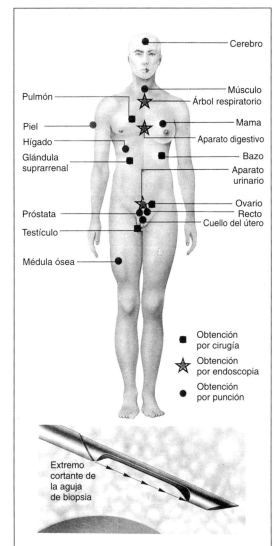

Biopsia. La obtención de muestras para biopsia se lleva a cabo con diferentes procedimientos según sea el órgano que se pretende estudiar, como se ve en la ilustración superior. En la ilustración inferior, una típica aguja de biopsia.

Biopsia renal

Descripción

La biopsia renal mediante punción percutánea es útil para establecer el diagnóstico histológico de las diferentes enfermedades renales. El principal riesgo de esta técnica es la hemorragia, que puede dar lugar a hematuria, hematoma o dolor en el flanco. La biopsia renal también puede realizarse a cielo abierto (para la toma de muestra para microscopía electrónica).

Consideraciones de enfermería

Punción biópsica percutánea

- Es necesario el consentimiento del paciente por escrito.
- Después de la punción se debe aplicar una compresión durante 20 minutos. Debe dejarse puesto un apósito compresivo durante las 24 horas siguientes.

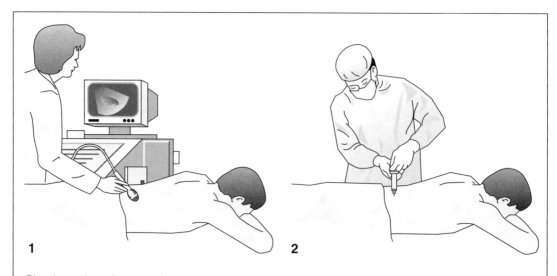

Biopsia renal por vía transcutánea. 1. Antes de iniciar la operación, se localiza la parte del riñón de la que se quiere obtener la muestra (corteza, médula) mediante un aparato de ultrasonidos. 2. Tras inyectar un anestésico local, se extrae la muestra de tejido renal introduciendo una aguja de biopsia que penetre a través de la piel en el lugar indicado y a la profundidad necesaria. La muestra es tratada con el colorante adecuado y examinada después al microscopio.

- Es necesario mantener reposo en cama durante 24 horas.
- Deben controlarse con frecuencia las constantes vitales, el color de la orina, la concentración de hemoglobina y el hematocrito.
- Debe forzarse la ingesta de líquidos.

Biopsia renal a cielo abierto

- Los cuidados de enfermería son los mismos que los correspondientes a la cirugía renal (véase EMQ: Genitourinario, postoperatorio de la cirugía renal).

Cateterismo arterial

Descripción

La instauración de un cateterismo arterial permanente se practica cuando es preciso tomar repetidamente muestras de sangre arterial (gasometrías), a fin de evitar múltiples punciones, o si conviene tener un registro gráfico continuo de gran fiabilidad de la onda de presión arterial. Este procedimiento es efectuado por el personal médico; el personal de enfermería se encargará de colaborar en la introducción del catéter arterial y procederá a los debidos controles y cuidados mientras se mantenga colocado.

Consideraciones de enfermería

- Explíquese al paciente el procedimiento y su finalidad, solicitando su colaboración.
- Prepárese todo el material necesario para colaborar con el médico encargado de aplicar la técnica; procédase a la limpieza y desinfección de la zona (campo quirúrgico).
- Dispóngase el dispositivo de flujo continuo y el sistema de goteo al que se conectará el catéter una vez insertado.
- Vigílese la circulación sanguínea de la zona distal a la inserción de la cánula con la misma frecuencia que se controlan las constantes vitales.
- Contrólese la ausencia de signos de isquemia; si se detectan, comuníquese de inmediato al médico responsable antes de retirar el catéter.
- Si se monitoriza la presión arterial mediante el cateterismo, contrólese que la alarma esté correcta y constantemente conectada; vigílese la onda de presión en el monitor, teniendo en cuenta que cualquier cambio de forma o una amortiguación de la misma puede indicar un

fallo en la permeabilización o una fuga en el sistema. Compárese periódicamente la presión registrada mediante el cateterismo y la obtenida mediante la medición con el método clásico (esfigmomanómetro).

- Al retirar el catéter arterial, compruébese su integridad. Debe comprimirse manualmente el punto de inserción no menos de 7-8 minutos (15 minutos si el paciente recibe terapéutica anticoagulante). Posteriormente se debe desinfectar la zona y cubrir con un apósito.
- Vigílese periódicamente el área donde haya estado insertado el catéter en busca de signos

de inflamación o infección durante las siguientes 24 horas.

Cateterismo venoso

Descripción

Esta técnica corresponde a la instauración de una vía de acceso al sistema venoso mediante la colocación de un catéter, de diverso tipo, material, calibre y longitud, cuya elección depende de las finalidades de su uso y las características del enfermo. Se diferencian distintos tipos de cateterismo venoso en función de las venas en que se inserte y aloje el catéter.

Cateterismo venoso periférico

Puede practicarse en diversas venas periféricas, aunque generalmente se efectúa en un vaso del miembro superior (venas basílica o cefálica). Nunca se utilizan las venas superficiales del miembro inferior, porque existe un alto riesgo de tromboflebitis.

Este tipo de cateterismo se emplea fundamentalmente para la infusión venosa de corta duración (administración de medicamentos, sueros o transfusiones de sangre).

Cateterismo venoso central

En este caso, el catéter (que puede tener más de una luz, para mejor aprovechamiento de la vía) se introduce hasta que el extremo distal se aloje en una vena de gran calibre (vena cava superior o vena cava inferior) o bien en la aurícula derecha del corazón.

- El *cateterismo central periférico* se efectúa a través de las venas basílica o cefálica, usando un catéter largo (drum) que puede introducirse hasta la aurícula derecha.
- El *cateterismo central directo* se practica a través de las venas yugular interna, subclavia o femoral.

Entre las diversas aplicaciones de este procedimiento, cabe destacar la infusión intravenosa prolongada, la medición de presiones intracardiacas o de la PVC, la obtención de muestras de sangre, la práctica de explora-

Cateterismo arterial. *Introducción del catéter intraarterial. 1. Punción de la arteria. 2. Retirada de la aguja que lleva la aguja de Cournand. 3. Introducción del fiador metálico a través de la aguja. 4. Retirada de la aguja, con cuidado de no desplazar el fiador. 5. Introducción del catéter en la arteria, usando el fiador como guía. 6. Retirada del fiador.*

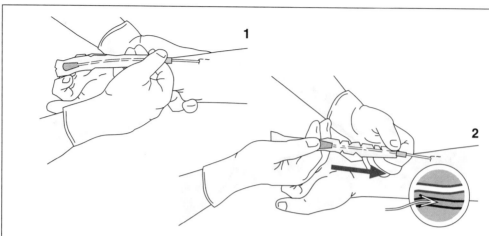

Cateterismo venoso periférico. En los adultos es preferible utilizar una de las venas del brazo, la vena cubital o la cefálica; en los bebés suelen usarse las venas del tobillo. 1. Pinchar la vena y comprobar que se ha hecho correctamente. 2. Hacer avanzar el catéter, guiándolo con la mano y a través del protector de plástico, hasta colocar su punta en el lugar preciso.

ciones radiológicas o la administración de soluciones hipertónicas.

Consideraciones de enfermería

- Explíquese al paciente la técnica, la necesidad y conveniencia de aplicarla, teniendo en cuenta que si desconoce el procedimiento se sentirá atemorizado. Adviértanse las molestias que podrá notar y solicítese su colaboración en lo que se refiere a respetar la postura más conveniente, indicando que se abstenga de movilizar la zona de inserción del catéter.
- Respétese la técnica aséptica durante la colocación del catéter, extremando las precauciones en la inserción de catéteres que alcancen las cavidades cardiacas.
- Compruébese que el catéter está bien insertado en la vena y que se mantiene permeable, constatando que al situar el suero por debajo del nivel del paciente fluye sangre, que la infusión progresa con facilidad o que se aspira sangre sin dificultades.
- Indíquese al paciente la forma en que debe movilizarse para prevenir que se le arranque el catéter; si conviene, aplíquese una sujeción del miembro cateterizado.
- Cámbiese el apósito según las normas del centro (como mínimo cada 24 horas), vigilando el estado del mismo para advertir si se producen escurrimientos.

- Cámbiese el sistema de perfusión según las normas del centro (habitualmente cada 24-48 horas).
- Vigílese la zona de inserción del catéter en busca de signos de complicaciones tales como flebitis o infiltración. Si se advierte tumefacción, hipersensibilidad, calor o enrojecimiento en el trayecto de la vena, notifíquese de inmediato al médico.
- Ante la sospecha de infección o flebitis, si se decide la retirada del catéter, debe tomarse una muestra para efectuar un cultivo. En la obtención de la muestra deben usarse pinzas y tijeras estériles, evitando todo contacto del catéter con la piel; la muestra debe ponerse en un recipiente estéril y ser enviada al laboratorio de inmediato.

Constantes vitales

Descripción

Para determinar de manera global el estado fisiológico del organismo se determinan diversos parámetros que, en condiciones normales, se mantienen estables dentro de ciertos límites: la temperatura corporal, el pulso arterial (frecuencia cardiaca), la presión arterial y la frecuencia respiratoria. La medición de estos indicadores sirve para evaluar la actividad de los órganos vitales (cerebro, corazón, pulmones), siendo su control una actividad básica de enfermería.

Consideraciones de enfermería

- Practíquese un control y registro de las constantes vitales en el momento de admisión del paciente. Estos datos, debidamente registrados en la hoja de enfermería, serán muy útiles como valores basales en las posteriores evaluaciones clínicas del paciente.
- Siempre debe respetarse estrictamente el horario pautado para el control de las constantes vitales según las normas de cada centro y las indicaciones específicas de cada caso. En ocasiones resulta suficiente con efectuar una medición diaria o en cada turno de enfermería, pero en otros casos, ante situaciones críticas, es imprescindible efectuar un control muy frecuente o prácticamente constante.
- Siempre debe investigarse si el paciente está familiarizado con los procedimientos que deben practicarse. Hay que tener en cuenta que un estado de ansiedad o de temor puede alterar el resultado de las mediciones, por lo que se debe explicar la naturaleza de las mismas para tranquilizar al paciente.
- Sólo deben tomarse las constantes vitales cuando el paciente está en reposo o llevando a cabo sus actividades normales, nunca después de comer (dejar pasar 30 minutos),

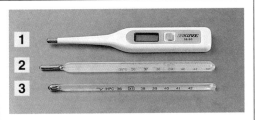

Temperatura corporal. Tres tipos de termómetros usados para medir la temperatura.
1. Termómetro digital. Poco preciso para ser usado por el personal médico, sí puede recomendarse su utilización en el hogar, pues es más fácil su colocación y la lectura posterior de la temperatura. *2. Termómetro clínico de mercurio. 3. Termómetro con la ampolla de mercurio más redondeada, especial para tomar la temperatura rectal.*

ingerir líquidos fríos o calientes, fumar o realizar algún tipo de ejercicio intenso.

TEMPERATURA CORPORAL

La temperatura interna del organismo se mantiene prácticamente constante sobre los 37 °C, requisito imprescindible para que se desarrollen con normalidad los procesos metabólicos. Sin embargo, aun en condiciones normales, los resultados de la medición difieren en función del punto donde se toma: la *temperatura oral* es de 36,5-37,2 °C, mientras que la *temperatura axilar* es algo inferior (0,2-0,3 °C más baja), y la *temperatura rectal* es algo superior (0,3-0,4 °C más alta).

Consideraciones de enfermería

- El control de la temperatura corporal debe efectuarse periódicamente y con los intervalos requeridos para la situación clínica particular de cada enfermo, preferiblemente siempre a las mismas horas, a fin de obtener una gráfica significativa. Si no hay indicaciones precisas, la temperatura basal se registra mínimamente una vez en cada turno; por la noche, si la medición no es indispensable, se tiende a respetar el sueño del enfermo.
- No se debe realizar la determinación inmediatamente después de que el paciente haya comido, realizado ejercicio físico o fumado. Espérese 30 minutos.
- Conviene tomar la temperatura siempre en el mismo lugar, eligiendo en cada paciente una zona en que puedan efectuarse repetidamente las mediciones. Por razones de comodidad e higiene, lo habitual es practicar la determinación en la zona axilar, salvo cuando se trate de niños pequeños o cuando existan situaciones específicas que así lo requieran (amputación de miembro superior, hipotermia profunda, etc.); en este caso se optará por medir la temperatura oral o la rectal.
- Evítese tomar la temperatura en la boca cuando existan alteraciones respiratorias, o en el recto cuando el enfermo presente trastornos gastrointestinales, etcétera.
- Nunca debe tomarse la temperatura en la boca si se advierte que el paciente no puede colaborar o existe peligro de que se rompa el

termómetro. La medición en la boca está contraindicada en pacientes con crisis convulsivas, estado de inconsciencia, desorientación y confusión, administración de oxígeno por sonda nasal, sondaje nasogástrico y enfermedades de boca, nariz o garganta.

- En los niños pequeños se aconseja tomar la temperatura rectal y siempre al final del resto de mediciones, porque las maniobras pueden provocar llanto y con ello alterar el pulso y la presión arterial.
- Una vez situado el termómetro, espérese el tiempo correspondiente según sea la zona de medición:
  1. En la axila: como mínimo 5 minutos.
  2. En la boca: como mínimo 3 minutos.
  3. En el recto: como mínimo 3 minutos.
- Efectúese la lectura sosteniendo el termómetro a la altura de los ojos.
- Dentro de lo posible, utilícese un termómetro individual para cada paciente, requisito básico si el paciente se mantiene en condiciones de aislamiento.
- Tras la medición, lávese el termómetro con una esponja impregnada en jabón líquido, aclárese y séquese bien. La limpieza debe efectuarse siempre con agua fría o templada, sin exponer nunca el instrumento a una temperatura superior a la que marca el límite de la escala; de lo contrario, el mercurio contenido en su interior podría dilatarse y romper el vidrio. Si se lleva a cabo la esterilización del termómetro, debe escogerse un método que no lo exponga a temperaturas elevadas.
- Cuando se guarde el termómetro en un recipiente con solución antiséptica, cámbiese ésta cada 24 horas.

PULSO ARTERIAL

El pulso arterial corresponde a la expansión intermitente que experimentan las arterias cuando circula por su interior la sangre bombeada por el corazón. Se produce a partir de la propagación de los impulsos recibidos por la pared de la aorta en cada sístole cardiaca. Se considera que es un buen indicador de la actividad cardiaca, porque las pulsaciones se corresponden con los latidos del corazón. Sin embargo, hay circunstancias patológicas que constituyen una excepción (arritmias) y re-

quieren la debida comparación entre el pulso arterial periférico y el pulso central, determinado mediante la auscultación de la actividad cardiaca con el fonendoscopio en la línea media clavicular aproximadamente en el quinto espacio intercostal izquierdo.

Pulso periférico

- Puede tomarse en cualquier arteria periférica, pero para facilitar la medición se registra el pulso de las arterias superficiales de calibre

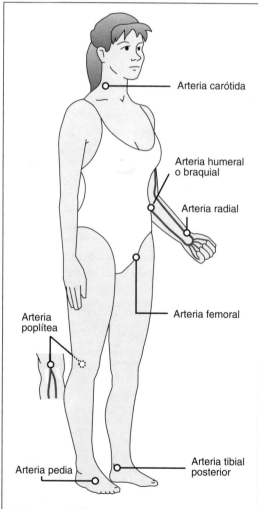

Pulso arterial. En los adultos, el lugar más común para tomar el pulso es la arteria radial de la muñeca. En los bebés, niños pequeños y personas en estado de inconsciencia se suele tomar en la arteria carótida, en el cuello.

medio: radial (borde interno de muñeca), braquial, temporal, carótida (cuello, 5-7 cm por debajo de la apófisis mastoides), femoral (ingle), tibial posterior, poplítea, pedia (empeine). En la práctica, si no hay razones que lo impidan, se registra el pulso radial.

- Deben registrarse las siguientes características:
  1. Frecuencia: cantidad de pulsaciones por minuto.
  2. Ritmo: regularidad de las pulsaciones.
  3. Amplitud de la onda pulsátil: mayor o menor según sea la diferencia entre la presión sistólica y la presión diastólica; puede tratarse de pulso pequeño o débil, filiforme (shock), grande o fuerte.

Consideraciones de enfermería

- Evítese tomar el pulso con los dedos que tienen pulso propio, como el pulgar y el índice, para evitar confusiones; es preferible efectuar la medición con los dedos medio y anular.
- No conviene comenzar el recuento inmediatamente, sino esperar unos momentos para que el paciente se relaje.
- Siempre deben aplicarse los dedos en la zona de medición efectuando una presión inicial muy suave; si la presión es fuerte, un pulso débil podría pasar inadvertido.
- Cuéntense las pulsaciones durante un tiempo suficiente, no menos de 30 segundos, y si se aprecia cualquier irregularidad, durante un mínimo de 60 segundos.
- Si hay antecedentes de arritmia, a continuación del pulso radial debe determinarse el pulso central.
- Si el paciente presenta una patología vascular periférica, conviene registrar el pulso en ambos lados.
- Regístrese la medición especificando la frecuencia y otras características, así como el punto de la toma.

PRESIÓN ARTERIAL

La presión o tensión arterial (TA) corresponde a la fuerza que imprime la sangre impulsada por el corazón sobre las paredes arteriales y que permite la circulación por todo el árbol arterial venciendo la resistencia periférica. Habitualmente se registra la presión arterial en el brazo (arteria braquial), pero en caso de necesidad (amputación, quemaduras) puede tomarse en el muslo (arteria poplítea). La medición de efectúa con el esfigmomanómetro y un fonendoscopio; existen diversos tipos de esfigmomanómetro (de mercurio, aneroide, electrónico), pero en la práctica clínica suele emplearse el de mercurio. El esfigmomanómetro debe tener un manguito adaptado a las características del paciente, lo que corresponde a una anchura equivalente a dos tercios de la longitud del brazo, y una longitud suficiente para abarcar dos tercios de su circunferencia. El brazal debe ser suficientemente largo como para rodear por completo la extremidad (1,5-2 veces la circunferencia del brazo, con un margen mínimo del 20% para la fijación de los extremos). En términos generales, la anchura de manguito aconsejada es:

  1. Menores de 1 año: 2-5 cm.
  2. 1-4 años: 5-6 cm.
  3. 4-8 años: 8-9 cm.
  4. Adulto normal: 12-13 cm.
  5. Adulto obeso: 14-15 cm.
  6. Adulto muy obeso: 16-18 cm.

Técnica

- Explicar la técnica al paciente.
- Situar el paciente en una posición cómoda y relajada, con el brazo extendido y apoyado sobre una superficie firme.
- Aplicar el brazal del esfigmomanómetro alrededor del brazo, dejando libre la zona de flexión del codo.
- Localizar por palpación el pulso braquial y colocar en la zona la membrana del estetoscopio.
- Cerrar la válvula de aire e insuflar rápidamente el manguito hasta que desaparezca el pulso (180 mm Hg o más si el paciente es hipertenso, unos 20-30 mm Hg por encima de la presión necesaria hasta notar la desaparición del pulso comprobada por palpación de arteria radial).
- Abrir la válvula de aire y dejar que el manguito se desinfle lentamente, observando la escala del manómetro y escuchando la reaparición de latidos con el estetoscopio:

1. El punto en que se escucha el primer ruido corresponde a la presión sistólica o máxima.
2. El punto en que dejan de escucharse por completo los latidos o se advierte un ostensible cambio en su nitidez o intensidad corresponde a la presión arterial diastólica o mínima.

- Si no es posible auscultar los latidos con el estetoscopio, se determinará la presión sistólica por palpación de la arteria radial, en el momento que se comience a percibir el pulso (la presión diastólica no puede registrarse mediante palpación).
- Desinflar completamente el manguito y retirar el brazal.
- Registrar la medición en la gráfica del paciente, anotando la presión sistólica y la diastólica, siempre respetando los colores y símbolos utilizados en cada centro.

Consideraciones de enfermería

- Averígüese si el paciente está familiarizado con la técnica antes de medir la presión arterial, porque un estado de ansiedad o temor puede alterar significativamente los resultados. Si el paciente no está habituado a ello, colóquese el manguito y déjese durante un rato sin insuflar antes de iniciar la medición.
- No debe efectuarse el registro de las cifras de presión basales hasta que pasen 30 minutos desde que el paciente haya realizado ejercicio, comido, bebido líquidos fríos o calientes, fumado o haberse expuesto al frío.
- La medición puede realizarse con el paciente sentado o en decúbito, pero asegurándose de que el brazo está situado a la altura del corazón. Debe comprobarse que no existan obstáculos para la circulación entre el corazón y la zona de colocación del manguito, en especial que la ropa no comprima el brazo.
- Hay que apretar la membrana del estetoscopio lo suficiente como para evitar ruidos extraños, pero no tan fuerte como para alterar o suprimir el pulso de la arteria.
- Cuando se alcanza la insuflación suficiente, debe dejarse el manguito inflado sólo el tiempo indispensable para iniciar el registro.
- Evítese desinflar el manguito demasiado rápido o a saltos, procurando que se deshinche a una velocidad uniforme de 2 mm Hg/segundo.

- Si existe alguna duda sobre las cifras obtenidas, debe repetirse el procedimiento. Antes de practicar una nueva medición, debe desinflarse por completo el manguito y esperar un mínimo de 20 segundos antes de insuflarlo nuevamente (si es posible, conviene esperar uno o dos minutos).

FRECUENCIA RESPIRATORIA

La determinación consiste en precisar la cantidad de ciclos inspiración/espiración que se producen en el término de un minuto, observando el tórax del paciente para apreciar la profundidad de los movimientos. Además, conviene determinar las características de los movimientos respiratorios, consignando si son laboriosos, superficiales, profundos, etc. En condiciones normales, en un individuo adulto la respiración tiene una frecuencia que oscila entre 10 y 20 movimientos por minuto, es regular, silenciosa y se desarrolla sin dificultades.

Consideraciones de enfermería

- En lo posible, hay que procurar que el paciente no advierta la medición, porque cualquier estado de ansiedad provoca notables cambios en la frecuencia respiratoria.
- La medición se efectúa por simple observación del tórax, pero si los movimientos respiratorios son poco perceptibles, conviene realizar la determinación mediante auscultación con el fonendoscopio en el hemitórax derecho durante un minuto.

Diálisis

Descripción

La diálisis renal se utiliza para suplir la función de los riñones en caso de insuficiencia renal aguda o crónica. Con esta práctica terapéutica se consigue corregir los trastornos electrolíticos y del equilibrio ácido-base, así como extraer sustancias tóxicas, y también eliminar el exceso de líquidos corporales cuando los diuréticos no son efectivos. El proceso de diálisis se basa en la ósmosis (filtración y

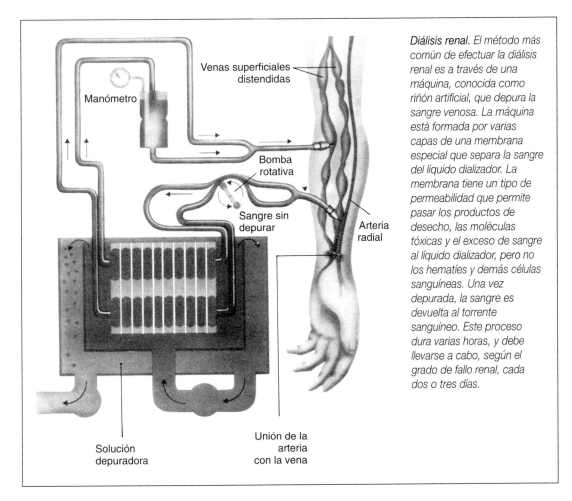

Venas superficiales distendidas

Manómetro

Bomba rotativa

Sangre sin depurar

Arteria radial

Solución depuradora

Unión de la arteria con la vena

Diálisis renal. El método más común de efectuar la diálisis renal es a través de una máquina, conocida como riñón artificial, que depura la sangre venosa. La máquina está formada por varias capas de una membrana especial que separa la sangre del líquido dializador. La membrana tiene un tipo de permeabilidad que permite pasar los productos de desecho, las moléculas tóxicas y el exceso de sangre al líquido dializador, pero no los hematíes y demás células sanguíneas. Una vez depurada, la sangre es devuelta al torrente sanguíneo. Este proceso dura varias horas, y debe llevarse a cabo, según el grado de fallo renal, cada dos o tres días.

difusión de soluciones a través de membranas semipermeables).

En la *diálisis peritoneal*, la solución de diálisis se perfunde en la cavidad peritoneal a través de una sonda. La membrana peritoneal sirve como membrana semipermeable entre los vasos sanguíneos y el líquido de diálisis. Cuando se extrae, el líquido de diálisis contiene los productos de desecho que normalmente serían expulsados por los riñones.

En la *hemodiálisis* (riñón artificial), se hace circular la sangre del paciente a través de una máquina en la cual la sangre y el líquido de diálisis están separados por una membrana semipermeable sintética, que permite el intercambio de sustancias entre la sangre y el líquido.

Tanto en la diálisis peritoneal como en la hemodiálisis el objetivo es el mismo; sin embargo, la hemodiálisis es más rápida a la ho-

ra de corregir los trastornos químicos o líquidos. Ambos tipos de diálisis pueden ser realizados en el propio hogar del paciente y ser efectuados por el propio enfermo y sus familiares, siempre que se lleve a cabo un entrenamiento previo.

DIÁLISIS PERITONEAL

- Debe explicarse la técnica al paciente y, en caso necesario, obtener su consentimiento por escrito.
- El paciente debe orinar o ser sondado antes de colocar el catéter, para prevenir una perforación accidental de la vejiga.
- Antes de la práctica, debe registrarse el peso del paciente, las constantes vitales y, si está indicado, la presión venosa central.
- Para efectuar el procedimiento, el médico inserta un catéter en la cavidad peritoneal con

técnica aséptica, fijándolo en su sitio con puntos. Se coloca un vendaje estéril, que debe mantenerse seco y cambiarse cada vez que sea necesario.

- El recipiente con la solución para diálisis se calienta a la temperatura corporal y se conecta con el tubo de administración. Este tubo debe ser purgado, para evitar que entre aire en la cavidad peritoneal; a continuación se conecta con el catéter peritoneal. Se añade heparina al líquido de diálisis, para evitar que se formen coágulos de fibrina en los tubos.

- El médico indicará el tipo y cantidad de líquido de diálisis para perfundir, así como el esquema de procedimiento a seguir. El esquema de irrigación, también denominado *ciclo de intercambio*, se divide en entrada, permanencia y salida. En los adultos, se administran dos litros de solución en cada ciclo (que dura aproximadamente una hora). En los niños, la cantidad de líquido de diálisis viene determinada por el peso corporal. El ciclo de intercambio se repite continuamente hasta que se consigue la respuesta clínica deseada. La diálisis peritoneal puede ser continua, con una duración que oscila entre 6 y 48 horas. También puede ser realizada en el domicilio de los pacientes con insuficiencia renal crónica y con un tiempo de permanencia prolongado, inclusive durante el sueño.

- Es absolutamente necesario mantener durante el proceso una asepsia meticulosa. La complicación más frecuente es la peritonitis. Cuando exista sospecha de infección, se realizará un cultivo del líquido de drenaje. Debe determinarse la temperatura del paciente cada 4 horas.

- Debe comprobarse el estado del catéter abdominal en busca de inflamación o fugas. Cuando se utiliza la técnica adecuada, el catéter puede mantenerse de forma indefinida.

- Después de la inserción del catéter, el líquido puede salir ligeramente teñido de sangre; progresivamente se va aclarando y adquiriendo un color pajizo. Cualquier variación en el color debe comunicarse inmediatamente al médico.

- Si durante la diálisis aparece disnea, debe detenerse el proceso y comunicárselo al médico. Si aparece diarrea aguda o un aumento súbito en el volumen de orina durante el primer ciclo, debe sospecharse la perforación del intestino o de la vejiga.

- Debe mantenerse un registro continuo de cada intercambio en la cabecera de la cama. Puede cambiarse de posición al paciente para favorecer la salida de todo el líquido introducido. Si después de dos o tres intercambios el líquido sigue retenido, debe comunicarse dicha situación al médico.

- Es necesario controlar las constantes vitales y realizar una exploración respiratoria para descartar la posibilidad de sobrehidratación o de shock debido a pérdida de líquidos. Debe tomarse la frecuencia del pulso y la tensión arterial, cada 15 minutos durante el primer ciclo de intercambio y, posteriormente, entre un ciclo y otro. Después de la salida de una cantidad de líquidos elevada, puede producirse una hipotensión. No debe colocarse el paciente en posición de Trendelenburg si todavía existe líquido en el abdomen, ya que puede producirse distrés respiratorio debido a la comprensión de la cavidad torácica por el líquido; el líquido también puede comprimir la vena cava inferior y disminuir el retorno venoso.

- Debe comprobarse con regularidad el estado de conciencia del paciente, ya que pueden producirse cambios debidos a trastornos metabólicos.

- Dado que se mantienen largos períodos de inmovilidad, y debido a los trastornos en la nutrición de los tejidos de los pacientes sometidos a diálisis, es probable la aparición de lesiones cutáneas.

HEMODIÁLISIS

- La hemodiálisis es una técnica realizada en unidades especiales y, en algunos casos, en el propio domicilio del paciente. La sesión suele requerir de 4 a 6 horas, y se repite con una frecuencia variable que depende del estado del paciente. El enfermo que está sometido a este tratamiento puede requerir el ingreso hospitalario por otras razones, y en este caso debe tenerse presente que los accesos artificiales al sistema circulatorio requieren atención especial.

- El acceso directo al sistema circulatorio suele obtenerse mediante una fístula interna o una comunicación arteriovenosa a través de una cánula externa (véase figura). En cualquiera de los dos casos, no debe tomarse la presión arterial, ni poner una vía EV ni extraer sangre de la extremidad en la cual se halle esta fístula.

- La fístula interna puede crearse por anastomosis de una vena y una arteria en la pierna o, preferiblemente, en el brazo. Antes de que la vena aumente de tamaño pasan varias semanas. En cada sesión de diálisis se requiere la punción de la vena. La fístula dura más y es menos susceptible de infectarse o trombosarse que la comunicación externa. La aparición de cualquier enrojecimiento o dolor sobre la zona de la fístula, la ausencia de soplo o una isquemia distal a la fístula deben comunicarse al médico. El soplo se debe a la turbulencia de la sangre arterial al pasar por el interior de la fístula, y se oye al colocar el estetoscopio encima de ésta.

- Las cánulas de las comunicaciones arteriovenosas están unidas mediante un conector plástico mientras no se conectan a la máquina de hemodiálisis. No es necesaria la punción venosa en cada sesión. Existe mayor riesgo de infección en la zona epidérmica y peligro de hemorragia si las cánulas se desconectan accidentalmente. La zona de comunicación puede tener que cambiarse al cabo de unos meses.

- Después de su inserción, debe controlarse la aparición de coágulos en la cánula. En caso de que desaparezca un soplo, que se produzca la aparición de un color rojizo u oscuro en la cánula, o que ésta esté fría al tacto, debe comunicarse al médico.

- La cánula requiere un cuidado estrictamente aséptico cada día. Cualquier signo de infección precisa un tratamiento inmediato.

- *Siempre* deben tenerse a mano dos pinzas en la zona del vendaje de la cánula, por si se produjera una desconexión accidental. Como torniquete de emergencia puede utilizarse un manguito colocado sobre la zona de la cánula e hinchado a una presión superior a la sistólica.

- Los pacientes sometidos a hemodiálisis tienen un riesgo superior al normal de sufrir hepatitis B, debido a la contaminación de su sangre, por lo que el personal a cargo de los mismos también presenta un elevado riesgo de contraer dicha enfermedad. Además, la manipulación de productos hemáticos implica una eventual exposición al VIH (virus del SIDA), por lo cual el personal de enfermería debe extremar las debidas precauciones para sangre/líquidos corporales (Véase TE: Infección, aislamiento, técnicas y precauciones).

Consideraciones de enfermería

- Debe determinarse el peso corporal diariamente, antes y después de la diálisis, o a la misma hora de cada día cuando no se practique la diálisis.

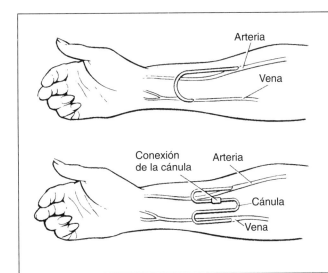

Arteria

Vena

Conexión de la cánula

Arteria

Cánula

Vena

Hemodiális. Para el desarrollo de la hemodiálisis es preciso contar con un acceso vascular que permita conseguir un adecuado flujo de sangre hacia el riñón artificial (200-300 ml/min) y su posterior retorno a la circulación. Para evitar los repetidos pinchazos en la vena y arteria que deberían sufrir los pacientes, se suele instaurar una fístula arteriovenosa externa que comunica la arteria, normalmente la radial y la vena adyacente, que suele ser la cefálica.
En los niños pequeños es más práctico efectuar esta fístula o comunicación arteriovenosa en los vasos próximos al tobillo.

- El registro de entrada y salida de líquidos debe incluir *todos* los líquidos administrados, orales y parenterales, así como *todas* las salidas, incluyendo heces y vómitos.
- Los pacientes sometidos a hemodiálisis tienen una mayor susceptibilidad a la infección.
- Existe una mayor tendencia a sangrar debido a la heparinización de la sangre durante la hemodiálisis.

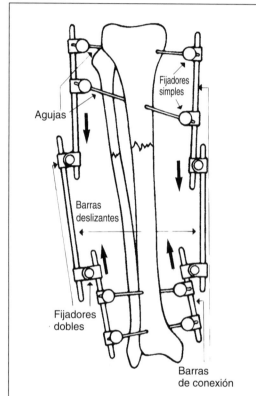

Dispositivos de fijación externa. Las fijaciones externas con clavos se utilizan para mantener unidos los fragmentos de un hueso fracturado, sobre todo en los huesos largos en los que no se pueden utilizar las fijaciones internas. Las agujas insertadas a través del hueso, a nivel proximal y distal de la fractura, se conectan por parejas mediante barras y fijadores metálicos. Las barras permiten, al deslizarse, aplicar más o menos presión sobre la zona de fractura al aproximar ambos extremos del hueso. La presión resultante mantiene la alineación del hueso. Es muy importante mantener una limpieza cuidadosa de la piel que rodea los clavos y estar atento ante cualquier signo de infección.

- En la diálisis peritoneal, deben controlarse los niveles de glucosa en orina. Puede producirse hiperglucemia debido a la absorción de glucosa por el líquido de diálisis.
- Deben tomarse muestras de sangre de forma regular para la determinación de electrólitos, creatinina, nitrógeno, fósforo, calcio y glucosa, así como para la determinación del tiempo parcial de tromboplastina (TTP), la concentración de hemoglobina y el hematocrito. Es importante que la sangre se extraiga cuando se indique, y que en las etiquetas se marque «antes» o «después» de la diálisis.
- La dieta de los pacientes sometidos a diálisis se determina de forma individualizada, dependiendo de los resultados de los análisis y de si se realiza diálisis peritoneal o hemodiálisis. La insuficiencia renal produce retención de sodio y potasio, por lo que debe restringirse su ingesta. Los niveles séricos de fósforo suelen ser elevados, mientras que los de calcio suelen ser bajos. La cantidad de líquido que se permite ingerir al día depende de la diuresis.
- En la insuficiencia renal, los riñones del paciente no son eficaces como vía de excreción de fármacos. Por tanto, debe conocerse el motivo, así como las propiedades y efectos secundarios de cada fármaco administrado. Todos los fármacos recetados deben ser consultados con el nefrólogo. Debe tenerse siempre presente si el fármaco debe administrarse antes o después de la diálisis.

Dispositivos de fijación externa

Descripción

Los dispositivos de fijación externa se utilizan para la reducción e inmovilización de las fracturas óseas, especialmente las abiertas, con excesivo traumatismo de partes blandas. La técnica corresponde a la inserción de unas agujas metálicas a través del hueso y su fijación con unos dispositivos externos (véase figura). Estos dispositivos se utilizan en caso de fracturas de miembros superiores e inferiores, así como en las de la pelvis que no puedan mantenerse fijas con el tratamiento conservador (yeso o tracción) (véase TE: Yesos, cuidados de enfermería; Tracción, etcétera).

Consideraciones de enfermería

- Debe levantarse la extremidad, y fijarse oportunamente para evitar la caída del pie.
- Contrólese la aparición de signos de afectación neurovascular, palidez, ausencia de pulso, dolor, parálisis o parestesias.
- Mientras el paciente no pueda mover la extremidad por sí mismo, hay que proceder a su movilización, siempre sujetándola por los fijadores externos, no por el miembro.
- La herida y las zonas de entrada de la agujas necesitan una meticulosa técnica aséptica. Hay que poner mucho cuidado de que no se produzca una infección cruzada entre las mismas.
- En algunos hospitales existen protocolos para el cuidado de las agujas; en este caso deben consultarse debidamente. Los que se aceptan más comúnmente son los siguientes:
  1. Inspección de los puntos de entrada de las agujas en busca de tensión o movilidad (lo que se supone que aumenta la posibilidad de infección), así como en busca de signos de infección (*p.e.*, rubor, edema, dolor ante la palpación o supuración).
  2. Al principio, debe limpiarse la zona de punción de cada aguja dos o tres veces cada día; posteriormente, se hará una vez al día. Mediante el uso de un aplicador estéril para cada una de ellas, límpiese con agua oxigenada cada punto de entrada de las agujas, y aclárese con solución salina. Si se ha indicado, aplíquese un agente antibacteriano no oclusivo con aplicador estéril (el uso de povidona yodada no es aconsejable, dado que tiende a corroer el metal).
- En caso de que se suelte alguna aguja, debe avisarse al médico de inmediato.
- Debe limpiarse el fijador cada día con algodones empapados en alcohol.
- Debe animarse al paciente para que cuide él mismo del fijador y las agujas.
- Después de que haya desaparecido el edema inicial, se inicia la práctica de ejercicios de movilización de articulaciones. Inicialmente

no se suele permitir el apoyo de la extremidad ni la carga de pesos.
- Debe procederse al cuidado de las heridas de tejidos blandos, en caso de que existan (véase EMQ: Musculoesquelético, fracturas abiertas).

Drenaje postural

Descripción

El drenaje postural permite la salida por gravedad de las secreciones retenidas en los segmentos pulmonares hacia los bronquios y la tráquea, de tal forma que puedan ser expectorados o aspirados. Cada posición es específica para el drenaje de un segmento broncopulmonar determinado (véase figura siguiente).

Consideraciones de enfermería

- Debe comprobarse que el paciente entiende bien el motivo de la técnica.
- El drenaje postural se realiza 3 o 4 veces al día. Hay que procurar estar con el paciente durante la primera secuencia de posiciones, para comprobar su tolerancia. *Nunca debe realizarse el drenaje postural después de las comidas.*
- Compruébese la aparición de signos de hipotensión postural e interrúmpanse los ejercicios si se observa disnea, taquicardia o dolor torácico.
- El tratamiento mediante inhaladores puede ser útil para fluidificar las secreciones cuando se realiza el drenaje postural.
- Auscúltese el tórax antes y después de la técnica, para comprobar la efectividad de la misma.
- Antes del tratamiento, así como durante el mismo, deben comprobarse las constantes vitales.
- El paciente debe hallarse lo más cómodo posible en cada una de las posiciones. Los niños pueden ser cambiados de posición mientras se sostienen en brazos.
- Debe procurarse que el paciente tosa, así como asegurarse que tenga a mano pañuelos de papel o recipientes para el esputo. En el ca-

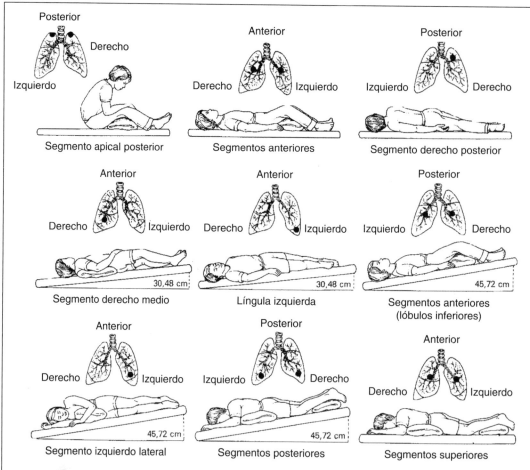

Drenaje postural. Las diferentes posiciones en las que se coloca el paciente permiten que la mayoría de las secreciones que obstruyen los bronquios puedan ser llevadas hacia la tráquea, donde son fácilmente expulsadas mediante la tos. Cada una de las posturas mostradas en el dibujo es específica para drenar las secreciones provenientes de cada lóbulo pulmonar. Aunque es posible llevar a cabo el drenaje postural en el hogar del paciente, algunas posiciones son difíciles de adoptar si no se cuenta con camas especiales. En muchos casos, la percusión suave y repetida en el lugar adecuado complementa el efecto de la postura.

so de tratarse de lactantes o niños, es importante disponer de un equipo de aspiración.

Drenaje quirúrgico

Descripción

El término drenaje se utiliza tanto para designar el procedimiento técnico como el material destinado a mantener asegurada la salida de líquidos orgánicos normales (sangre, orina, bilis) o secreciones patológicas (pus, trasudados, exudados) de una herida, un absceso, una víscera o una cavidad natural o quirúrgica.

Tipos de drenaje

Hay drenajes pasivos, que actúan por capilaridad o por gravedad, y también drenajes activos, que garantizan la salida del material mediante un sistema de aspiración.

Los tipos de drenaje más utilizados son:

• *Drenaje de gasa.* Consiste en una tira de gasa o una gasa enrollada a modo de cigarrillo cuyo extremo se coloca en una herida o un absceso y actúa por capilaridad, facilitando el flujo de las secreciones. Suele emplearse como complemento de un tubo de drenaje, para aumentar su efectividad.

• *Drenaje de Penrose.* Corresponde a un tubo de caucho, delgado y aplanado, que se mantiene colapsado mientras no pasa líquido por su interior. Se trata de un drenaje pasivo que se coloca a través de una abertura cutánea y actúa por capilaridad, arrastrando los líquidos hacia el exterior. Se coloca al finalizar la intervención quirúrgica, antes de cerrar la pared, a través de una pequeña incisión practicada a tal efecto, y se asegura mediante un punto de sutura. Las secreciones pasan a un apósito colocado sobre la zona; también puede colocarse una bolsa de colostomía para recoger las secreciones.

• *Drenaje en teja o tejadillo.* Es un trozo de plástico flexible, de forma ondulada. Actúa por capilaridad, como el anterior, y también se asegura a la piel mediante un punto de sutura, colocándose un imperdible de seguridad para impedir su penetración al interior.

• *Drenaje de Redón.* Se trata de un sistema de drenaje activo, por aspiración, constituido por un tubo flexible con un extremo en el que hay múltiples perforaciones y que se coloca en la zona a drenar, y otro extremo apto para adaptarse herméticamente a un tubo alargador conectado a un recipiente de recolección donde previamente se practica el vacío. Este mecanismo permite un drenaje constante, que puede regularse según sean las necesidades de cada caso. Cuando el frasco de recolección se llena o pierde el vacío, debe sustituirse por otro garantizando la esterilidad del sistema.

• *Drenaje de Kehr.* Es un tubo blando que tiene forma de T, utilizado en cirugía biliar: los dos extremos cortos de la T se insertan en el colédoco y el conducto hepático, y la vía más larga se saca por contrabertura a través de la pared abdominal. Asegura el paso de bilis al colédoco, y así evita que se produzca un incremento de la presión en las vías biliares si se produce alguna complicación postoperatoria; una parte de las secreciones atraviesa el tubo en dirección al duodeno, mientras que el resto sale al exterior. Este drenaje actúa por gravedad; se conecta a un sistema de recolección cerrado y estéril, colocado por debajo del nivel del enfermo, donde se recoge el líquido drenado.

Consideraciones de enfermería

• Efectúense como mínimo unos cuidados diarios del drenaje, con el correspondiente cambio de apósitos, siempre realizando la cura con técnica aséptica (lavado de manos, guantes).

• Cámbiese el apósito siempre que se advierta húmedo o manchado, en especial si las secreciones drenadas son irritantes.

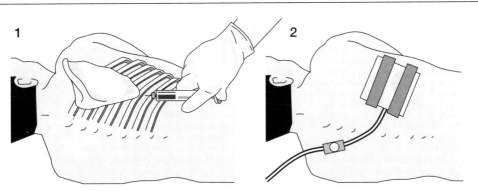

Drenaje quirúrgico. El fundamento del drenaje quirúrgico se basa en la evacuación al exterior de secreciones purulentas que se han formado en el interior del organismo de manera espontánea o como resultado de una incisión. En la imagen se muestra el drenaje de un absceso subfrénico. 1. Tras anestesiar la zona, se llega hasta el absceso mediante un trocánter. 2. A continuación se coloca un drenaje de Penrose, o de aspiración pasiva, que se fija mediante un dispositivo externo. Es importante comprobar de manera regular el tubo de drenaje, que puede obturarse o desplazarse con facilidad.

- Si el drenaje se coloca por contrabertura, los apósitos y las curas del drenaje y de la herida principal deben ser totalmente independientes.
- Obsérvese detenidamente el líquido drenado, su aspecto, color, olor, etcétera. Deben tenerse presentes las características normales de la secreción drenada en cada caso, a fin de poder advertir rápidamente cualquier anomalía (sospecha de hemorragia, infección, etc.); en este caso debe comunicarse de inmediato.
- Contrólese con regularidad la cantidad de líquido drenado. Si se observa que el volumen se reduce, compruébese que no existe un obstáculo para el drenaje.
- Colóquese el apósito de tal modo que no provoque acodamientos ni se enrolle con el tubo de drenaje, previendo que al efectuar la cura se puede producir su arrancamiento.
- Contrólese con regularidad que el tubo de drenaje no está pinzado ni acodado. Conviene mantener el tubo asegurado con esparadrapo u otro medio a la ropa de cama, comprobando que su longitud permite los movimientos del paciente. Explíquese al paciente las precauciones que debe adoptar para no interrumpir el flujo por la sonda de drenaje con sus movimientos y posturas.
- Contrólese con regularidad si el tubo está bien conectado al sistema de recolección.
- Adóptense las precauciones oportunas para asegurar la eficacia del sistema cuando se moviliza al paciente en un traslado o durante el aseo y arreglo de la cama.

Drenaje torácico

Descripción

El drenaje de aire y líquidos de la cavidad pleural se consigue mediante flujo por gravedad, o bien por succión. Para extraer el líquido y el aire, se utiliza un sistema de botellas selladas con agua o unidades de plástico desechables. Independientemente del sistema utilizado, éste debe mantenerse a unos 60 a 90 cm por debajo del tórax del paciente; debe colocarse el colchón de forma que se mantenga esta diferencia de 60 a 90 cm. Los recipientes deben mantenerse en una bandeja o fijos en el suelo. En caso de utilizarse una unidad de plástico desechable, ésta puede colgarse en el marco de la cama a los pies del paciente. Todas las conexiones del sistema deben estar bien selladas para evitar la pérdida de aire. Estos sistemas de drenaje se basan en que el sellado por agua funciona como una válvula unidireccional que previene que el aire y el líquido extraídos regresen al espacio pleural. Los sistemas más utilizados están sellados por agua, y el líquido en el tubo de sellado por agua suele fluctuar unos 6 cm entre inspiración y espiración. Cuando existe mucho burbujeo en el tubo de sellado por agua, es señal de que existe una fuga en el sistema. Cuando el tubo de drenaje pleural está obstruido, dejan de producirse las fluctuaciones. Estos sistemas de sellado por agua tienen una abertura al aire a través de la cual se da salida al aire evacuado o se permite el control automático del grado de succión. *Nunca debe obstruirse dicha abertura*.

ASPIRACIÓN CON DRENAJE POR SELLADO CON AGUA

La aspiración produce una presión negativa en el sistema cerrado; véase la figura (3). Esta presión negativa aspira el aire y el líquido del espacio pleural más rápidamente que el drenaje por gravedad. Además de las botellas de drenaje de uno o dos recipientes con sistema de sellado por agua descritos más adelante, el sistema de aspiración incluye otro recipiente para el control de la aspiración. La salida para el aire aspirado en el sistema de gravedad de sellado por agua se conecta a la botella de succión, como se muestra en la figura (3). El tubo de cristal de la botella de succión corresponde al de control de aspiración. El extremo superior debe mantenerse siempre en contacto con el aire atmosférico. El nivel al que se sumerge el tubo en el interior del líquido establece la presión de succión, que estará pautada siempre por el médico (como 10, 15 o 20 cm de H_2O). Es recomendable marcar el nivel de líquido al inicio de la aspiración y controlar, cada hora, que el tubo permanece sumergido el número adecuado de centímetros. Se producirá un burbujeo continuo en la

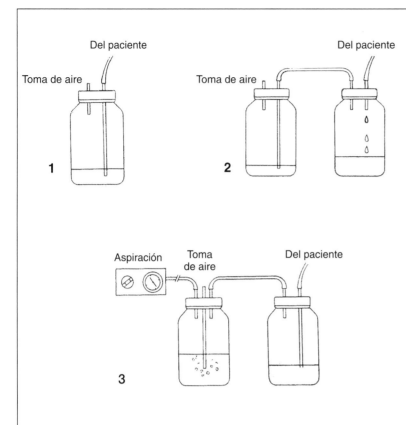

Drenaje torácico. *Diversos sistemas de botellas utilizados para el drenaje torácico. En el primero de ellos (1) el líquido pleural se drena por la gravedad con sellado por agua de una botella. Un pequeño tubo consigue evacuar los gases extraídos. En el segundo (2), se usan dos botellas conectadas. El sistema de sellado por agua es independiente del de recolección de drenaje, lo que facilita la valoración del líquido evacuado. En el tercer caso (3), un dispositivo mecánico produce una aspiración activa. En los dos últimos casos, la botella que recoge el líquido drenado debe estar graduada para facilitar la medición del total evacuado.*

botella de control de aspiración, dado que ésta es la forma en que se mantiene el grado adecuado de la misma. Las otras botellas funcionan de la misma forma que se describe posteriormente para los sistemas de drenaje con recipiente.

DRENAJE POR GRAVEDAD CON UN RECIPIENTE CON SELLADO POR AGUA

La recolección del líquido de drenaje y la salida del aire se realizan en un solo recipiente; véase la figura (1). El aire evacuado se libera a la atmósfera a través de un tubo. El extremo del tubo de cristal conectado al paciente debe estar siempre unos 3 a 6 cm en el interior de agua estéril o suero fisiológico, para producir el sellado por agua. Esto permite que el aire y el líquido abandonen el espacio pleural, pero hace imposible que el aire exterior o el líquido vuelvan a entrar. Debe marcarse el nivel del líquido estéril antes de que comience el drenaje, para llevar un adecuado

registro de la entrada y salida de líquidos. Conforme el nivel de líquido aumenta, debido a la acumulación de drenaje, debe elevarse el tubo de cristal para que siga estando sumergido unos 3 a 6 cm, con lo que se mantiene la baja presión que el líquido de drenaje tendrá que vencer (ésta es la principal desventaja del sistema de un recipiente). Debe recordarse que el extremo del tubo de cristal debe hallarse siempre entre 3 y 6 cm por debajo del nivel de líquido.

DRENAJE POR GRAVEDAD CON DOS RECIPIENTES CON SELLADO POR AGUA

En el sistema de drenaje con dos botellas con sellado por agua, el líquido de drenaje y el sistema de sellado por agua están en dos recipientes separados, conectados tal como se observa en la figura (2). El sistema de sellado por agua es independiente del de recolección de drenaje, lo que proporciona más ventajas que el sistema de un recipiente único.

99

Consideraciones de enfermería

- Es recomendable alentar al paciente a toser y practicar ejercicios de respiración profunda que, aunque dolorosos, previenen las complicaciones respiratorias.
- Debe recordarse que el burbujeo continuo, al contrario que el intermitente, en los recipientes del sellado de agua, ya sea en los sistemas de gravedad o en los de aspiración, suele indicar una fuga de aire. Deben revisarse todas las conexiones, comenzando por la del drenaje pleural. Debe obturarse esta fuga, ya que se está produciendo una entrada de aire en el sistema y en la cavidad pleural. Si la fuga no puede detenerse, debe comunicarse al médico inmediatamente.
- Cuando se reciba un informe de un paciente con tubos de drenaje pleural, hay que averiguar cuánto burbujeo se ha producido y dónde.
- En la cabecera del enfermo debe haber dos pinzas, para poder colocarlas en los tubos de drenaje pleural si es necesario. Tal actuación sólo se realiza en caso de emergencia para prevenir la entrada de aire ambiental en el espacio pleural. Deben pinzarse lo más cerca posible del tórax (no cubrir *nunca* con apósitos) y durante un período de tiempo lo más corto posible. El peligro de mantener los tubos de drenaje pleural pinzados es que el aire atrapado en el espacio pleural puede dar lugar a un neumotórax por presión. La aparición de dolor torácico brusco, disnea, taquicardia y cianosis son indicadores de neumotórax.
- El que se produzcan acodamientos o haya una excesiva porción de tubo colgando provoca un mal funcionamiento del drenaje de gravedad. Cualquier exceso en la longitud del tubo debe enrollarse a nivel horizontal encima del colchón.
- Los tubos de drenaje pleural también pueden obstruirse por coágulos, lo que obliga a practicar un «ordeñado» cada hora durante las primeras 24 horas, y a partir de entonces, cada 4 horas. Para ello, se mantiene el tubo pleural a una distancia fija del tórax con una mano, mientras con la otra se aprieta a la vez que se estira hacia abajo; progresivamente, la técnica se efectúa cada vez más cerca de la unidad de recogida del drenaje. Esta práctica puede producir molestias al paciente, por lo que conviene explicar su utilidad y solicitar su colaboración.
- El drenaje de los tubos de drenaje pleural es al principio sanguinolento y progresivamente se modifica, hasta resultar serosanguinolento. Debe marcarse el nivel de drenaje cada hora durante las primeras 24 horas, y posteriormente, cada 4 horas. Debe comunicarse al cirujano en caso de que se produzca un drenaje de más de 200 ml/hora.
- Después de una neumonectomía suele dejarse un tubo de drenaje pleural, pero nunca para la aspiración.
- El sistema de unidad desechable de plástico reúne en una sola unidad el método de tres recipientes. Este sistema también debe mantenerse a unos 60 a 90 cm por debajo del nivel del tórax del paciente. Deben leerse las instrucciones del fabricante para la correcta utilización.
- Cuando se conecta el sistema de aspiración, se debe aumentar el grado de la misma hasta que se observe un burbujeo en la cámara o recipiente de succión. El sistema empieza a funcionar bien cuando se produce un burbujeo continuo y mantenido; entonces, no debe aumentarse más la aspiración.
- Siempre debe tenerse a mano otro sistema de plástico desechable u otro recipiente para poder efectuar un recambio.
- La retirada de los drenajes torácicos es muy dolorosa. Debe suministrarse medicación analgésica como mínimo 30 minutos antes de realizarla. Durante la extracción del tubo, el paciente debe realizar una maniobra de Valsalva o aguantar la respiración.

Ecografía (ultrasonografía)

Descripción

La ecografía se basa en la utilización de sondas sonoras de alta frecuencia (muy por encima de las que puede percibir el oído humano), cuyos ecos son detectados y analizados con el fin de obtener imágenes de los órganos internos del cuerpo, así como para

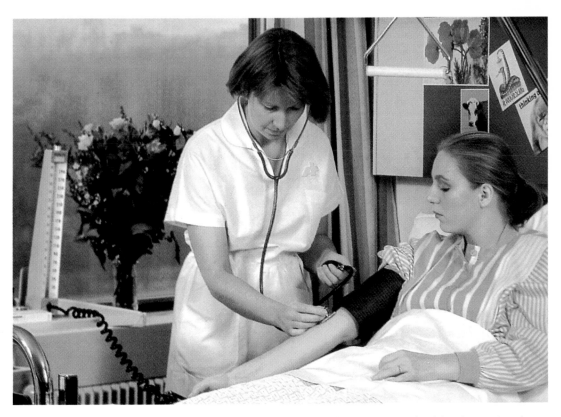

La presión arterial *suele medirse en el brazo mediante un esfigmomanómetro de mercurio, el tipo de aparato más utilizado en la práctica clínica. Este procedimiento es una actividad básica de enfermería que se repite en cada turno o con mayor frecuencia según sea la causa de la hospitalización.*

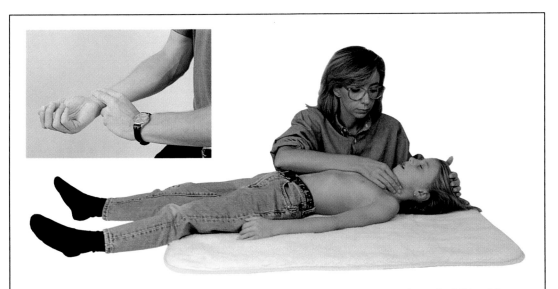

El pulso arterial *es un buen indicador de la actividad cardiaca, ya que se corresponde con los latidos del corazón. El pulso periférico puede tomarse en cualquier arteria superficial de calibre medio, como son las del brazo (arriba) o la carótida (sobre estas líneas).*

La temperatura corporal normal se mantiene prácticamente constante sobre los 37 °C en el interior del organismo, pero los resultados de su medición difieren en función del punto de la toma. Como se esquematiza en este gráfico, los valores del registro son algo más bajos cuando se mide la temperatura axilar, mientras que ofrecen unas cifras medias cuando se determina la temperatura oral o bucal y son ligeramente más elevados si se trata de la temperatura rectal.

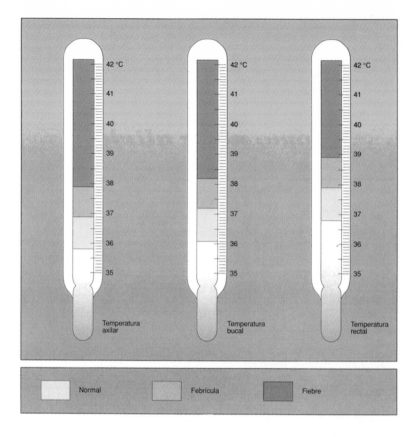

Temperatura axilar

Temperatura bucal

Temperatura rectal

Normal   Febrícula   Fiebre

El control de la temperatura corporal debe efectuarse periódicamente y con los intervalos requeridos para la situación clínica particular de cada enfermo, preferiblemente siempre a las mismas horas, a fin de obtener una gráfica significativa: si no hay indicaciones precisas, la temperatura basal se registra como mínimo una vez en cada turno. Arriba, detalle de la lectura de un termómetro digital.

apreciar y medir movimientos en el interior del organismo (por ejemplo, los latidos del corazón).

- En la ecografía, los ultrasonidos se utilizan de la misma manera que en el caso del radar y el sonar. En la práctica de la ecografía no se producen microondas ni radiación de rayos X, y no se necesita la administración de medios de contraste. Se trata de un método seguro e indoloro, no invasivo.

- Las aplicaciones de este procedimiento son muy amplias en el diagnóstico médico. En muchos campos ha reemplazado casi totalmente a otros métodos de visualización (en obstetricia), y entre sus múltiples utilidades, cabe destacar que ha reducido la necesidad del cateterismo cardiaco con su aplicación a la exploración cardiológica (*ecocardiografía*). Así mismo, es muy útil para la detección de

lesiones ocupantes de espacio en el abdomen y para el estudio del páncreas y del hígado, por mencionar sólo algunas de las indicaciones de esta técnica diagnóstica; también se emplea para la práctica de biopsias, ya que permite dirigir la aguja hasta el punto de toma de la muestra.

- Las técnicas ultrasonográficas pueden detectar y localizar las zonas de trombosis profundas, de estenosis (estrechamiento de las arterias), así como formaciones arterioscleróticas (depósitos de grasa en los vasos arteriales).

- La ecografía con técnica *Doppler* se emplea para registrar materias o líquidos en movimiento, pudiéndose detectar con este método flujos sanguíneos y pulsos que no serían apreciables con el estetoscopio normal.

Consideraciones de enfermería

- Los estudios que requieran bario o cualquier exploración que implique la inserción de aire en un órgano, deben realizarse después de las ecografías.

- Los pacientes que deban ser sometidos a una ecografía abdominal tienen que mantenerse en ayuno absoluto desde unas horas antes de la práctica; si el estudio se realiza por la mañana, conviene imponer una dieta absoluta desde la medianoche anterior.

- La ecografía pélvica requiere que la vejiga urinaria se halle completamente llena. El paciente debe beber dos o tres vasos de agua antes de la exploración y no orinar hasta después de la misma.

- La ecografía biliar requiere que no se consuman grasas el día anterior, con el correspondiente ayuno absoluto desde la medianoche anterior si el estudio se realiza por la mañana.

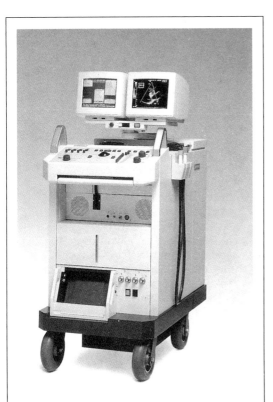

Ecografía. La exploración de las estructuras internas del organismo mediante el uso de ultrasonidos es una técnica diagnóstica no invasiva e indolora que tiene numerosas y diversas aplicaciones en la práctica médica.

Electrocardiograma (ECG). Colocación de las derivaciones

Descripción

El electrocardiograma es un método diagnóstico que permite conocer la actividad eléctrica del corazón y detectar sus alteraciones. El

ECG clásico de 12 derivaciones consta de 6 derivaciones periféricas y 6 derivaciones torácicas. Las 6 derivaciones periféricas se obtienen de la colocación de 4 electrodos en los brazos (muñeca) y las piernas (región pretibial), mientras que las derivaciones torácicas o precordiales se obtienen mediante la colocación de los correspondientes electrodos en las localizaciones preestablecidas (véase figura).

Técnica

- Debe comunicarse al paciente que se le va a practicar un ECG, explicándole que los electrodos no conducen electricidad y que el procedimiento es inofensivo.
- Para proceder al registro, se debe situar el paciente en decúbito supino sobre una cama horizontal.
- Remárquese al paciente la importancia de que se mantenga totalmente quieto durante el ECG, ya que cualquier movimiento puede interferir las señales registradas.

- Los electrodos de los miembros son metálicos y se fijan mediante cintas de goma. Entre la piel del paciente y el electrodo se coloca un gel o pasta conductora, o bien solución salina. Los electrodos deben colocarse en la parte interna de los antebrazos y las piernas; en caso de que no se puedan colocar en estas zonas, sirve cualquier parte de la extremidad. Los cables conectados a los electrodos tienen un código de color que suele estar indicado en el propio aparato, debiéndose respetar estas indicaciones.
- La conexión de los electrodos no debe estar sujeta a tensión. Debe evitarse que el cable esté doblado o retorcido.

Electroencefalograma (EEG)

Descripción

El electroencefalograma consiste en el registro sobre papel de la actividad eléctrica cerebral. Es una técnica diagnóstica empleada, en-

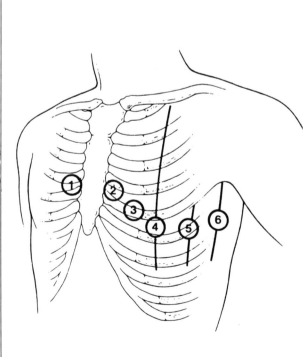

Electrocardiograma. Posición de las seis derivaciones unipolares precordiales o torácicas clásicas, denominadas con la letra V. (1) Derivación V1, en el cuarto espacio intercostal, junto a la línea paraesternal derecha. (2) Derivación V2, en el cuarto espacio intercostal, junto a la línea paraesternal izquierda. (3) Derivación V3, en un punto equidistante entre V2 y V4. (4) Derivación V4, en la intersección de la línea media clavicular con el quinto espacio intercostal. (5) Derivación V5, en la línea axilar anterior, al mismo nivel de V4 y V6, en el quinto espacio intercostal. (6) Derivación V6, en la línea axilar media, al mismo nivel de V4 y V5, en el quinto espacio intercostal. En ocasiones se emplean derivaciones adicionales (no indicadas en la ilustración), como son V7 y V8, situadas, respectivamente, en la línea axilar posterior y debajo del ángulo del omóplato izquierdo, ambas al mismo nivel que V4-V6. Es muy importante colocar siempre cada electrodo exactamente en el lugar que le corresponde, precaución de excepcional importancia cuando se practican ECG seriados.

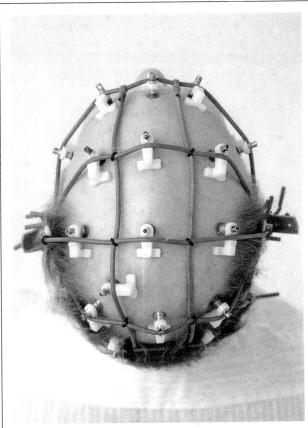

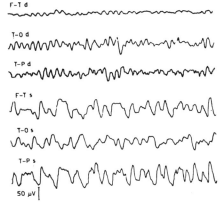

F–T d

T–O d

T–P d

F–T s

T–O s

T–P s

50 μV

El electroencefalograma (EEG) es un registro de la actividad eléctrica del cerebro que se obtiene mediante la colocación de electrodos en la superficie de la cabeza. En la ilustración de la izquierda, aplicación sobre el cuero cabelludo de los electrodos que registrarán la actividad eléctrica de las diferentes zonas del cerebro. A la derecha, arriba, cuadro de mandos de un electroencefalógrafo que registra los potenciales eléctricos cerebrales y permite seleccionar la modalidad del trazado sobre el papel. A la derecha, abajo, diversos tipos de ondas EEG obtenidas en la gráfica sobre papel.

tre otras aplicaciones, en la detección de trastornos convulsivos y en la determinación de la muerte cerebral, con diferente utilidad en el diagnóstico de los variados trastornos cerebrales.

Consideraciones de enfermería

- En las 24 horas previas a la exploración no debe ingerirse cafeína. Durante este período, el médico puede preferir que no se administre ninguna medicación; en caso contrario, debe comunicarse al médico las medicaciones que hayan sido administradas.
- Es posible que los pacientes sometidos a un estudio de trastornos convulsivos deban mantenerse privados de sueño, para proceder al registro de EEG mientras duermen (para conseguir el sueño pueden administrarse sedantes), ya que algunas ondas cerebrales patológicas sólo se manifiestan durante el sueño.
- Es importante que el paciente comprenda que los electrodos fijados en la cabeza sirven sólo para el registro de la actividad eléctrica del cerebro, y que no se va a producir ningún shock eléctrico. En ocasiones se inserta un electrodo hasta la faringe, a través de la nariz, para un mejor registro de la actividad cerebral en el lóbulo temporal; en este caso, debe comunicarse esta práctica al paciente previamente a su realización.

103

- Si se efectúa un estudio del sueño, el procedimiento suele durar una hora o más.
- Después de la práctica del EEG, la pasta conductora utilizada en los electrodos de la cabeza debe lavarse con champú.

Electromiograma (EMG)

Descripción

La electromiografía permite analizar la actividad eléctrica del músculo esquelético y su registro visual o auditivo (electromiograma o EMG). Es de utilidad en el diagnóstico y diferenciación de distrofias o atrofias musculares miopáticas o secundarias a neuropatías.

Técnica

La prueba se efectúa mediante la aplicación de unos pequeños electrodos conectados a un amplificador. Los electrodos pueden situarse sobre la piel cuando se explora un músculo superficial, pero lo más habitual es que se inserten en la masa muscular correspondiente mediante una aguja. A continuación, se registran los impulsos eléctricos del músculo en reposo y en contracción, y se visualizan en la pantalla de un osciloscopio o se oyen a través de un altavoz. En estado de reposo y relajación del músculo, no se percibe respuesta alguna (silencio eléctrico); en una contracción ligera, se registra la actividad de pocas unidades motoras a baja frecuencia; y a medida que la contracción se intensifica, se advierte la activación de mayor número de unidades motoras y un incremento de la frecuencia, hasta evidenciarse una gran confluencia de potenciales en el trazado. Las modificaciones en la forma y sonido de las ondas hacen posible determinar la existencia de alteraciones de naturaleza muscular o neurológica.

Consideraciones de enfermería

- Explíquese al paciente que la prueba es simple e inofensiva, advirtiéndole que sólo resulta molesta en el momento de introducción de los electrodos en el músculo.

- La exploración requiere de pocos minutos a una hora, según sea la cantidad de músculos a estudiar.
- No es preciso efectuar actuaciones de enfermería especiales ni antes del estudio ni después de su finalización.

Endoscopia

Descripción

La endoscopia es una técnica mediante la cual se visualizan los órganos internos o las cavidades corporales mediante un instrumento tubular que consta de una fuente luminosa y un sistema óptico. Existen diversos instrumentos para realizar la práctica, rígidos o flexibles, denominados genéricamente *endoscopios*, pero cuyo nombre concreto depende de la región a explorar (*broncoscopio, colonoscopio,* etc.). En la endoscopia con fibra óptica sensible (*fibroscopia*) se utilizan instrumentos en cuyo interior existen haces de fibra óptica que conducen la luz hacia la zona a observar y otros que recogen la misma y la conducen hasta el observador o hasta un monitor de televisión. Los endoscopios también cuentan con otros canales que permiten la introducción de diversos instrumentos, y así mismo existen canales para la introducción de aire y agua, así como para la aspiración.

Pruebas diagnósticas endoscópicas

- La *broncoscopia* permite la exploración visual de los bronquios, y se utiliza también para efectuar biopsias en dichas estructuras. En comparación con el broncoscopio metálico no flexible, el fibroscopio permite una exploración más completa del tracto respiratorio (véase figura).
- La *proctoscopia* o *sigmoidoscopia* permite la exploración visual de la región sigmoide del colon (colon distal), y también facilita la obtención de muestras para biopsias de la zona.
- La *colonoscopia* mediante uso de fibroscopio permite visualizar zonas tan lejanas como el intestino ciego. Mediante esta técnica pueden extraerse pólipos.

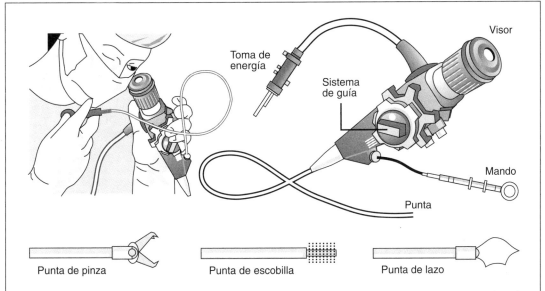

Punta de pinza   Punta de escobilla   Punta de lazo

Endoscopia. El operador manipula el sistema de guía que dirige el movimiento de la punta del endoscopio y el mando que controla el accesorio que esté empleando, observando las imágenes procedentes del interior del organismo en el visor del aparato o bien en un monitor de televisión adaptado al mismo. Abajo, algunos de los accesorios que pueden emplearse con fines diagnósticos y terapéuticos.

- La *cistoscopia* permite la exploración visual y la biopsia de la vejiga urinaria.
- La *mediastinoscopia* permite la exploración de los órganos y ganglios linfáticos del mediastino, así como su biopsia. El instrumento se introduce en la zona mediante una pequeña incisión subesternal.
- La *peritoneoscopia/laparoscopia* es una técnica esencial para la visualización de la superficie anterior del hígado y de la vesícula biliar, así como para la biopsia de dichos órganos y muchas otras indicaciones. El instrumento se introduce a través de una pequeña incisión abdominal.
- La *esofagogastroduodenoscopia*, mediante uso del fibroscopio, permite la visualización del esófago, el estómago y el duodeno, facilitando la visualización de úlceras, tumores, hernias hiatales, varices esofágicas y puntos de origen de hemorragias. Con frecuencia suelen practicarse biopsias a través del endoscopio.
- El cateterismo retrógrado endoscópico de la papila de Vater se realiza con un fibroscopio especial que dispone de visión lateral. El instrumento se introduce hasta alcanzar el duodeno, y a continuación se inserta un pequeño catéter a través de la papila de Vater

hasta el conducto pancreático, situándose en el conducto biliar común. Una vez situado, se inyecta un material de contraste, practicándose seguidamente un estudio fluoroscópico, con lo que se obtiene una visión del conducto pancreático y del árbol biliar. En caso de detectarse cálculos, se introduce un alambre de electrocauterización para abrir el esfínter de Oddi, retirándose los cálculos con un accesorio en forma de cesta.
- La *artroscopia* se utiliza para visualizar la superficie interna de una articulación, especialmente en la rodilla. Esta técnica permite llevar a cabo procedimientos diagnósticos y quirúrgicos, como biopsias y extracción de cuerpos extraños (Véase TE: Artroscopia).
- La *nasofaringolaringoscopia* permite una óptima visualización del oído, la nariz, la nasofaringe y la laringe.

Consideraciones de enfermería

- Debe explicarse al paciente el fundamento y las características de la técnica endoscópica a la que tenga que someterse, solicitando su consentimiento por escrito cuando sea preciso. Conviene explicar la posibilidad de que surjan complicaciones que, aunque raras, pueden originar una perforación, una hemorragia después de la toma de tejidos para biopsias o irritación de la mucosa. En caso de que deba llevarse a cabo una polipectomía o una extracción de cálculos, debe especificarse la práctica en el consentimiento.

- Debe averiguarse si el paciente toma productos anticoagulantes, ácido acetilsalicílico o productos capaces de propiciar una complicación hemorrágica. En este caso, comunicarlo al médico antes del inicio del estudio.

- Antes de la técnica, según sea el tipo de exploración a practicar, suele solicitarse una determinación de TP y TTP, así como un tipaje sanguíneo y pruebas cruzadas de sangre, en prevención de complicaciones hemorrágicas.

- A menos que se indique lo contrario, debe mantenerse el paciente en ayunas desde la noche anterior a la técnica exploratoria.

- Puede ser preciso instaurar una vía EV antes de efectuar el procedimiento, por ejemplo para permitir el acceso venoso de sustancias de contraste.

- Para la preparación de la endoscopia intestinal suelen administrarse laxantes y enemas. La preparación suele comenzar dos días antes de la práctica.

- Cuando se introduce un endoscopio por la boca, se debe anestesiar la garganta. No debe administrarse nada por boca hasta que no se haya recuperado el reflejo de deglución, lo cual suele requerir unas dos horas; la irritación faríngea puede durar un día o dos.

- Durante la colonoscopia suele insuflarse dióxido de carbono o aire para permitir una mejor visualización, lo cual puede dar lugar a dolores o espasmos. Lo mismo ocurre cuando se practica una laparoscopia, que puede producir sensación de distensión abdominal y espasmos.

- Las incisiones para la mediastinoscopia o la laparoscopia suelen cubrirse con un apósito simple. De todos modos, las complicaciones de estas técnicas pueden ser extremadamente graves, por lo que los pacientes deben ser sometidos a un estricto control después de haber terminado la prueba. Después de la mediastinoscopia puede presentarse enfisema subcutáneo, neumotórax o lesión del nervio recurrente. La laparoscopia tiene como posibles complicaciones la peritonitis y la hemorragia abdominal.

- El personal de enfermería debe saber qué técnica se ha practicado al enfermo, así como si se le ha realizado una biopsia hepática o una polipectomía, con el fin de estar prevenido ante las posibles complicaciones.

Enema

Descripción

El enema consiste en la inserción de una cánula a través del ano y la introducción de algún líquido con fines diagnósticos o terapéuticos. Para efectuar la técnica, se emplea un sistema constituido por un depósito graduado (irrigador) y un tubo flexible que se conecta a la cánula rectal, o bien un sistema desechable que puede llenarse con la solución prescrita o contener una preparación comercial. Se distinguen diferentes tipos de enemas, según sean las preparaciones que se administran o los efectos pretendidos:

- *Enema de limpieza.* Es el más utilizado, para facilitar la evacuación de las heces. Se administra por vía rectal agua pura templada o con algún producto que provoque irritación local y favorezca el peristaltismo intestinal (jabón, cloruro de sodio) o que facilite la evacuación (glicerina); también se emplean productos comerciales, especialmente preparados para tal fin. La cantidad de solución a administrar varía en función de las indicaciones, desde 500 ml como tratamiento del estreñimiento, hasta 1.500 ml cuando se pretende preparar el recto para un estudio diagnóstico.

- *Enema de retención.* Se administra por vía rectal una cantidad pequeña de solución (de 120 a 180 ml) y se solicita al enfermo que retenga el líquido durante un tiempo prolongado (como mínimo, 30 minutos). El objetivo depende del producto administrado en cada caso.

- *Enema oleoso.* Sirve para lubricar y proteger la mucosa intestinal si está irritada, a la par que ablanda las heces, facilitando su expulsión. Se emplea fundamentalmente para tratar el estreñimiento crónico, en especial cuando existen fecalomas. Suele administrarse por la noche y se complementa con un enema de limpieza al día siguiente.

• *Enema medicamentoso.* Corresponde a la administración de medicamentos por vía rectal. Puede tratarse de la administración de medicamentos de acción general cuando no es posible, fácil o conveniente el uso de la vía oral, ya que, como la mucosa rectal dispone de una importante irrigación y gran poder de absorción, se asegura el paso del producto administrado a la circulación sanguínea. También puede procederse a la administración de medicamentos con acción local: *enema sedante*, para disminuir la excitabilidad de los movimientos intestinales; *enema estimulante*, para potenciar el peristaltismo intestinal; *enema laxante*, para favorecer la evacuación intestinal; *enema antiséptico*, como preparación para cirugía de la zona; *enema carminativo*, para inhibir la formación de gases o favorecer su expulsión.

• *Enema opaco.* Consiste en la introducción por vía rectal de una sustancia baritada, opaca a los rayos X, para realizar estudios radiológicos de los segmentos finales del intestino grueso.

• *Enema ciego.* No se trata de un enema propiamente dicho, sino que consiste en la introducción de una cánula por vía rectal para facilitar la expulsión de gases.

Técnica del enema de limpieza

• Explicar la técnica al paciente, solicitando su colaboración.
• Proteger la cama.
• Situar el paciente en la posición adecuada.
• Lavarse las manos y ponerse guantes.
• Preparar el sistema.

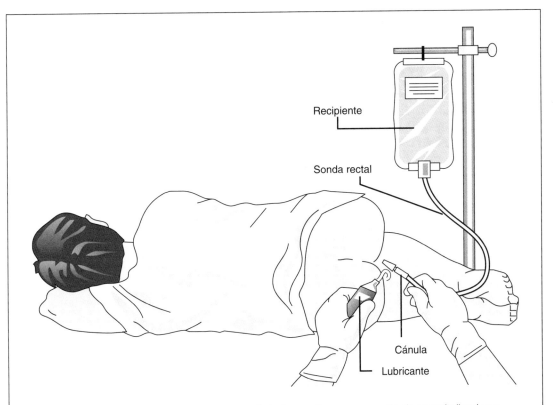

Recipiente

Sonda rectal

Cánula

Lubricante

Enema. La administración de enemas es un procedimiento sencillo pero no exento de contraindicaciones, por lo que sólo debe efectuarse bajo prescripción médica. Suele realizarse con el paciente en decúbito lateral izquierdo o posición de Sims, colocando el recipiente a unos 50 cm por encima del nivel del ano (puede regularse la administración de la solución modificando la altura del recipiente).

- Comprobar que la solución a administrar esté a temperatura templada y llenar el irrigador con la cantidad prescrita.
- Lubricar el extremo de la cánula rectal.
- Purgar el sistema de aire y pinzar.
- Elevar el recipiente a unos 50 cm por encima del nivel del paciente y colocarlo en el soporte.
- Introducir suavemente la cánula a través del recto, aproximadamente unos 15 cm.
- Administrar la solución, regulando la entrada de líquido mediante la pinza del sistema o modificando la altura del recipiente.
- Cuando se advierta que la solución está a punto de terminarse, cerrar la espita o pinzar y retirar la cánula, evitando el paso de aire.
- Solicitar al paciente que intente retener el líquido unos diez minutos.
- Después de la evacuación, proceder al aseo del paciente.
- Registrar la técnica y los resultados.

Consideraciones de enfermería

- El enema sólo debe practicarse bajo prescripción médica, *nunca* de forma rutinaria. Hay que considerar que la técnica no es totalmente inocua y tiene sus contraindicaciones, entre las que cabe destacar la oclusión intestinal, la peritonitis, el desgarro perineal y las suturas intestinales recientes.
- Si no existen lesiones en la región anorrectal, no es preciso que el enema se realice en condiciones de esterilidad, basta con emplear material limpio.
- Debe respetarse la intimidad del paciente, teniendo en cuenta su pudor y actuando con delicadeza. Preferiblemente se realizará en una habitación individual, y si ello no es posible debe aislarse la cama con biombos u otros medios disponibles.
- Para efectuar el enema suele emplearse la posición de Sims: decúbito lateral izquierdo, con la pierna izquierda extendida y la derecha flexionada. Puede introducirse la solución en esta posición y luego solicitar al paciente que pase al decúbito lateral derecho para retener el líquido.
- Extrémense las precauciones en la introducción de la cánula si el enfermo presenta hemorroides u otros trastornos anorrectales. Hay que lubricar suficientemente la sonda rectal

y actuar con suavidad, solicitando al paciente que haga fuerzas como si fuera a defecar, para favorecer la relajación del esfínter anal.
- Deben respetarse estrictamente las indicaciones con respecto a la solución a administrar y la cantidad de la misma.
- Compruébese con un termómetro la temperatura del líquido a administrar antes de su introducción, asegurándose de que se sitúe entre los 37 °C y los 40 °C. *Nunca* deben emplearse soluciones que sobrepasen los 43 °C, porque podrían producirse lesiones de la mucosa intestinal; es preferible tomar como límite máximo los 41 °C.
- Si al introducir la cánula rectal se advierte alguna resistencia, no se debe forzar; dejar pasar un poco de líquido y, luego, intentar continuar la inserción de la sonda. Si se encuentra una resistencia continuada, se debe suspender la práctica y notificar al médico.
- En lo posible, se debe permanecer junto al paciente cuando se ha administrado el enema, alentándolo a retener el líquido y ayudándolo a cambiar de posición para reducir la presión en el recto. Si no es posible permanecer junto al enfermo, o bien si el paciente prefiere quedarse a solas para la evacuación, hay que asegurarse de que podrá llamar si necesita ayuda, dejando el timbre a mano, así como la cuña y papel higiénico.

Estimulación nerviosa eléctrica transcutánea (ENET)

Descripción

La estimulación nerviosa eléctrica transcutánea (ENET) es un método no invasivo alternativo al tratamiento tradicional con analgésicos narcóticos. Cuando se utiliza en combinación con dichos analgésicos, se puede reducir la dosis de los mismos. Una de las ventajas de la ENET es que elimina los efectos secundarios de los narcóticos; otra es que el paciente está consciente. La ENET se utiliza principalmente para el tratamiento del dolor del miembro afectado (ciática, neuralgia postherpética, etc.), así como en los dolores postoperatorios.

No se conoce con certeza la razón por la cual la ENET reduce la percepción del dolor, aunque se cree que la estimulación de grandes fibras nerviosas periféricas «cierra la puerta» al estímulo doloroso antes de que éste alcance el sistema nervioso central. Otra teoría es que la estimulación nerviosa da lugar a la liberación de endorfinas, los opiáceos naturales del propio organismo.

Material

- Se conecta un estimulador de pilas (generador) a la pierna mediante unos electrodos. Los mandos de control del estimulador permiten ajustar el impulso eléctrico, atendiendo a los siguientes parámetros:
  1. Amplitud: intensidad o cantidad de corriente administrada, en miliamperios (mamps). El aumento de amplitud es percibido por el paciente como una sensación de vibración. Si la amplitud es demasiado alta, pueden aparecer contracciones musculares.
  2. Amplitud de pulsación: es la duración de la pulsación medida en microsegundos (µs). El incremento de esta amplitud produce aumento de la sensación. Si el paciente presenta una sensación de quemazón o pinchazo, es síntoma de que dicha amplitud está demasiado alta.
  3. Frecuencia: número de pulsaciones administradas (también denominada frecuencia de repetición). Al aumentar la frecuencia, se percibe una sensación más suave y menos pulsátil.
- El estimulador puede tener un juego de dos electrodos (canal único) o dos juegos de dos electrodos (canal doble).
- En la actualidad existen muchos modelos de ENET en el mercado, ya que no hay una estandarización. Si al leer las instrucciones se observa que el modelo presenta dificultades insalvables, hay que cambiarlo por otro.

Consideraciones de enfermería

- La colocación inicial de los electrodos suele realizarla el médico o el fisioterapeuta. Cuando los electrodos se retiran de forma temporal, debe marcarse la zona de colocación para que puedan ser colocados nuevamente en el mismo sitio.

1. Los electrodos no suelen aplicarse directamente sobre el punto doloroso, sino sobre las zonas donde los nervios que inervan la zona afectada están más cerca de la superficie, sobre el tronco nervioso o sobre el dermatoma correspondiente. Pueden colocarse por encima, por debajo o a los lados de la zona dolorosa.
2. Los electrodos no deben colocarse sobre el pelo ni sobre la piel rasurada. No deben tocarse el uno al otro.
3. Deben fijarse mediante el material adhesivo proporcionado por el fabricante. Para obtener un buen contacto con la piel, se aplica un gel conductor (debe procurarse que las supuraciones de las heridas no originen falsos contactos).
4. El estimulador debe retirarse si el paciente se va a bañar.
5. *Precaución*: los electrodos no deben colocarse sobre el seno carotídeo, los músculos laríngeos o faríngeos, ni en el abdomen de una mujer embarazada. No deben utilizarse tampoco si el paciente es portador de un marcapasos.

- El ajuste del estimulador se hace aumentando la intensidad, hasta que el paciente tenga una impresión desagradable, y posteriormente disminuyéndola lentamente, hasta que la estimulación no se perciba como desagradable. Una vez que el área se acomode a la sensación de hormigueo, dejará de tener sensibilidad.

  Deben registrarse en la hoja de enfermería los detalles referentes a la colocación, la regulación y el alivio del dolor producidos por el estimulador, con el fin de que pueda ajustarse posteriormente la estimulación en caso necesario.

- Las zonas de colocación de los electrodos deben controlarse dos veces al día para descartar la presencia de irritación cutánea. En caso de que se advierta irritación de la piel, los electrodos deben colocarse en otros puntos. (Para el cuidado de la piel irritada, véase TE: Ostomías, fisuras y heridas con drenaje.)

  Con el fin de prevenir la irritación cutánea, compruébese que no existen restos de preparación cutánea preoperatoria; lavar la piel con agua esterilizada, secarla escrupulosamente y dejarla expuesta al aire.

- Si el estimulador no funciona bien, comprué-
bense las baterías, los electrodos y las conexiones. Compruébese que la amplitud es la
correcta y que el contacto entre los electrodos
y la piel es el adecuado.
- La aparición de sensaciones desagradables,
tales como de pinchazo, quemazón o prurito,
así como de náuseas y cefalea, indica que
debe ajustarse el estimulador. Si no es posible resolver estos problemas por uno mismo,
debe avisarse al técnico de ENET.

Exanguinotransfusión

Descripción

Este procedimiento consiste en la sustitución parcial o total de la sangre de un paciente por sangre de donante, lo que comprende la extracción de sangre del enfermo
(generalmente, un lactante) y la inyección
de sangre de donante. Sus principales indicaciones son la enfermedad hemolítica del
recién nacido por incompatibilidad Rh materno-fetal o incompatibilidad materno-fetal
del sistema ABO (para la prevención del
kernicterus derivado de la hiperbilirrubinemia), y también la coagulopatía por consumo en el shock séptico (para eliminar el microorganismo causal y aportar factores de la
coagulación).
Se trata de una técnica compleja que es practicada por personal médico, pero requiere la
colaboración activa del personal de enfermería en la preparación del paciente, la
asistencia al médico que efectúa la práctica y
los diversos controles que se llevan durante la
misma y posteriormente. Como principales

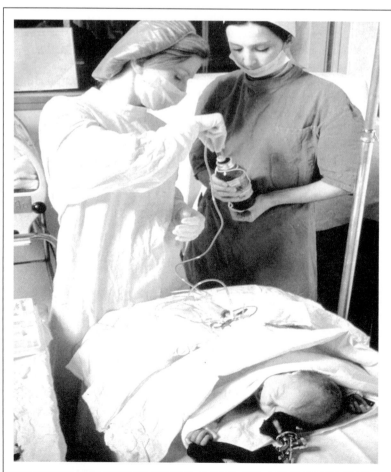

Exanguinotransfusión. La sustitución parcial o total de la sangre de un paciente por sangre de donante tiene su principal aplicación en el tratamiento de la enfermedad hemolítica del recién nacido por incompatibilidad Rh materno-fetal, como método de prevención de la ictericia nuclear (kernicterus) derivada de la hiperbilirrubinemia consecuente a la destrucción masiva de los hematíes. El procedimiento se efectúa mediante un cateterismo de la vena umbilical, generalmente con la extracción y posterior inyección de sangre a través de esta vía. Se trata de una técnica compleja que requiere una participación activa del personal de enfermería en la preparación del paciente, la asistencia al operador y los controles durante y después de la práctica.

cometidos del personal de enfermería, cabe destacar los siguientes:

- Colocación de sonda nasogástrica y aspiración del contenido estomacal.
- Colocación de una bolsa colectora de orina.
- Preparación y control de monitorización cardiorrespiratoria.
- Sujeción del paciente.
- Control de productos hematológicos.
- Preparación del campo operatorio.
- Colaboración en cateterización y realización del procedimiento.

Consideraciones de enfermería

- Manténgase al paciente en ayunas desde unas horas antes de efectuar la técnica, para garantizar que su estómago esté vacío y prevenir la regurgitación y broncoaspiración; si el lactante ha sido alimentado recientemente, procédase a la colocación de una sonda nasogástrica con aspiración del contenido gástrico.
- Dispóngase todo lo necesario para efectuar una monitorización cardiorrespiratoria continua, y colóquense los electrodos correspondientes.
- Asegúrese que la sangre a inyectar está a una temperatura constante entre 36 °C y 37 °C, empleando el método disponible. Durante la práctica, movilícese la bolsa para evitar la precipitación de células y garantizar que toda la sangre es rica en eritrocitos.
- Debe inmovilizarse al lactante mediante fijación de las cuatro extremidades.
- Debe obtenerse una primera muestra de sangre y enviar al laboratorio solicitando diversos datos a especificar en cada caso (hemograma completo, hematocrito, hemoglobina, bilirrubina, etc). La última extracción también se envía al laboratorio, para una nueva analítica.
- Regístrese la hora en que comienza el procedimiento y la de cada extracción y reposición de sangre, consignando cada vez la cantidad extraída y la cantidad inyectada, con un estricto control de ingresos y pérdidas.
- Mientras se efectúa el procedimiento, vigílese la frecuencia cardiaca, la presión arterial, la coloración de la piel, las características de la sangre extraída y los signos vitales.
- Después de la técnica, vigílese la zona en busca de signos de hemorragia, como mínimo una vez por hora durante las primeras cuatro horas, y cada cuatro horas durante las 24 horas siguientes.

Férulas

Descripción

Las férulas son dispositivos empleados para la restricción de movimientos o la inmovilización de una extremidad. Se utilizan como recurso de elección en situaciones de urgencia, aunque sus indicaciones son muy diversas; entre otras, se emplean para inmovilizar un miembro fracturado en una situación de emergencia hasta que se instaure el tratamiento definitivo o como tratamiento complementario o definitivo de fracturas poco desplazadas que no requieran enyesado completo; para inmovilizar una extremidad como tratamiento de esguinces y luxaciones; como dispositivo complementario para mantener una tracción continua en el tratamiento de fracturas de huesos largos (véase TE: Dispositivos de fijación externa; Tracción); para inmovilizar y dar soporte a una parte lesionada a fin de mantenerla en reposo, controlar la evolución de las heridas, favorecer la curación o prevenir complicaciones; para mantener elevados los miembros inferiores y favorecer el retorno venoso; para proteger los tejidos de una parte lesionada, permitir su cicatrización y evitar el roce con las sábanas; para corregir o prevenir deformidades y contracturas musculares; como complemento de cirugía u otros tratamientos ortopédicos.

Tipos de férula

Hay férulas de diferente forma y tamaño, algunas rígidas y otras flexibles. Las más comunes son:

- *Férula de Cramer.* Es un dispositivo flexible de alambre enrejado que puede moldearse para que su forma se adapte a la parte posterior de las extremidades. Resulta muy útil para lograr una inmovilización temporal.
- *Férulas de yeso.* Se confeccionan como las escayolas habituales pero sin rodear completamente la extremidad. Son útiles para mante-

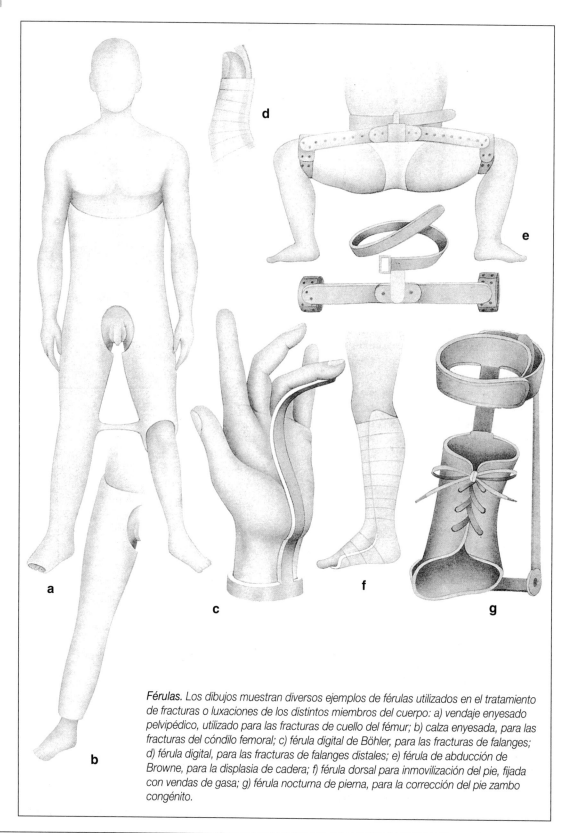

Férulas. Los dibujos muestran diversos ejemplos de férulas utilizados en el tratamiento de fracturas o luxaciones de los distintos miembros del cuerpo: a) vendaje enyesado pelvipédico, utilizado para las fracturas de cuello del fémur; b) calza enyesada, para las fracturas del cóndilo femoral; c) férula digital de Böhler, para las fracturas de falanges; d) férula digital, para las fracturas de falanges distales; e) férula de abducción de Browne, para la displasia de cadera; f) férula dorsal para inmovilización del pie, fijada con vendas de gasa; g) férula nocturna de pierna, para la corrección del pie zambo congénito.

ner el miembro en una posición determinada cuando la lesión a tratar no requiere inmovilidad absoluta.

- *Férulas de material sintético.* Pueden ser de diversos materiales plásticos que son blandos y moldeables al humedecerse con agua o una solución química y se vuelven secos y resistentes al secarse. Se preparan como las de yeso, y, con respecto a éstas, son más ligeras y menos frágiles.
- *Férulas inflables.* Estos dispositivos se inflan con aire para adoptar la forma definitiva: en forma de bota; para el miembro inferior, etc. Se emplean en situaciones de emergencia para el transporte de accidentados.
- *Férula de Böhler-Braun.* Es una férula metálica, rígida y no regulable, usada para mantener el miembro inferior en semiflexión. Se compone de un armazón que tiene una parte ascendente para apoyar el muslo y otra porción horizontal para soporte de la pierna; previamente a su uso, se almohadilla y se forran con vendas de gasa las barras metálicas laterales, confeccionando con vendas el plano sobre el que descansará el miembro. Suele emplearse para mantener los miembros inferiores en posición elevada en el tratamiento o prevención de edemas, y con el complemento de poleas, se emplea para tracción esquelética en fracturas de los huesos de la pierna (véase TE: Tracción).
- *Férulas digitales.* Son dispositivos flexibles usados para mantener inmovilizados los dedos. Pueden ser de hierro flexible almohadillado con algodón o celulosa, aunque actualmente se confeccionan de aluminio cubierto con gomaespuma por la parte correspondiente a la zona de apoyo con la piel.
- *Férulas de protección.* Estos dispositivos sirven para evitar el contacto de la parte lesionada con las sábanas, facilitando la curación de úlceras, heridas quirúrgicas, quemaduras, etc. El más sencillo está compuesto por un arco metálico que, colocado sobre la cama, cubre la parte lesionada. El *marco balcánico* es un aparato de madera o metal formado por dos barras verticales con pie y otras dos horizontales unidas entre sí para enmarcar la cama y evitar el contacto de las sábanas.

Consideraciones de enfermería

- La férula usada para inmovilizar una fractura debe tener la longitud adecuada, abarcando una extensión suficiente de la extremidad e inmovilizando las articulaciones situadas por encima y por debajo de la lesión.
- Debe comprobarse que el almohadillado de la férula protege las partes blandas y previene su compresión contra planos duros, especialmente en zonas de rebordes óseos, una vez que se aplique el vendaje que fije la inmovilización.
- Contrólese la aparición de complicaciones compresivas en el miembro en que se ha puesto una férula de inmovilización. Se debe evaluar los pulsos periféricos, la movilidad, la coloración y la sensibilidad de las partes expuestas.
- Instrúyase al paciente sobre los cuidados y precauciones que debe adoptar mientras utilice la férula (*p.e.*, si no se puede mojar, y, en este caso, la forma de actuar para proceder al aseo personal).
- Cuando se emplee una férula de manera intermitente, instrúyase al paciente sobre la forma adecuada de retirarla y volverla a colocar; compruébese que puede hacerlo por sí mismo de manera eficaz.

Fisioterapia articular

Descripción

La fisioterapia articular consiste en la aplicación de diversos recursos destinados a mantener o restablecer el movimiento de las articulaciones. Los movimientos articulares pueden ser activos o pasivos; en la fisioterapia pasiva, alguien ayuda al paciente. En caso de que exista algún problema articular (artritis, fractura) o de otro tipo (cardiopatía aguda) es necesario disponer de una orden médica para realizar la fisioterapia.

Consideraciones de enfermería

- Nunca debe forzarse una articulación hasta producir dolor. Debe detenerse el movimiento antes de que aparezcan molestias dolorosas, así como antes de fatigar al paciente.

- Para una fisioterapia articular básica, se sostiene la articulación y se realizan movimientos lentos y rítmicos a lo largo del recorrido de la misma en series de cinco veces.
- Cuando se receta fisioterapia articular completa, debe moverse cada articulación. Se empieza por la cabeza y el cuello, siguiendo por los hombros, los codos, las muñecas y los dedos; posteriormente se hace lo propio con las caderas, las rodillas y los dedos del pie. Estos ejercicios suelen realizarse tres veces al día.
- Tan pronto como sea posible, debe procurarse que los movimientos sean realizados activamente por el propio paciente. En caso de parálisis de un miembro, la extremidad afectada puede moverse con la ayuda de las restantes sanas.

Fisioterapia respiratoria

Descripción

La fisioterapia respiratoria comprende una serie de ejercicios de reeducación de los músculos respiratorios y técnicas destinadas a aprovechar mejor la capacidad pulmonar y facilitar la eliminación de secreciones acumuladas en el tracto respiratorio, con la finalidad de lograr una adecuada ventilación. Entre las principales indicaciones, cabe destacar los enfermos con afecciones que provocan obstrucción de las vías aéreas y la prevención de complicaciones respiratorias en pacientes encamados y durante el postoperatorio.

Consideraciones de enfermería

- Explíquese al enfermo con todo detalle y claridad la técnica correspondiente, tomando como meta fundamental que comprenda su fundamento y pueda realizarla con efectividad por sus propios medios.
- Evalúese la función respiratoria antes y después de cada sesión de fisioterapia.
- Contrólense las constantes vitales mientras dura el procedimiento para detectar posibles complicaciones, especialmente cuando se trata de la liberación de secreciones.
- Regístrense en la historia de enfermería todos los ejercicios enseñados, anotando si se considera que el enfermo los ha aprendido y su respuesta, así como las técnicas ejecutadas, la tolerancia del paciente y la eventual aparición de complicaciones.
- Debe controlarse que el enfermo no haga uso de los músculos accesorios de la respiración cuando se enseñen los ejercicios respiratorios.
- La cooperación por parte del paciente en estos ejercicios es mayor si se tiene la precaución de administrarle un medicamento analgésico unos 30 minutos antes de iniciar los mismos, puesto que así notará menos dolor.
- Hay que tener en cuenta que los ejercicios respiratorios cansan al paciente, sobre todo las primeras veces, y que pueden provocarle cierto grado de desánimo. Por ello, se debe actuar con prudencia y, valorar la capacidad del enfermo, procurando que la ejercitación sea progresiva.

EJERCICIOS INTERCOSTALES

Descripción

Estos ejercicios sirven para que el paciente sea consciente de la excursión torácica y facilitar así una adecuada expansión pulmonar.

Técnica

- Efectuar el procedimiento con el paciente semisentado. Si se pretende ejercitar un hemitórax, colocar al paciente en el decúbito lateral contrario al lado a tratar.
- Apoyar las manos sobre la parrilla costal del enfermo, de tal modo que ejerzan una ligera resistencia durante la inspiración.
- Indicar al paciente que fuerce al máximo sus movimientos respiratorios, acompañar con las manos el desplazamiento de las costillas durante la espiración y efectuar una compresión final para eliminar todo el aire de los pulmones.
- Para facilitar una mayor expansión de la parrilla costal, conviene que el enfermo eleve el brazo en la inspiración y que lo descienda durante la espiración.

RESPIRACIÓN PROFUNDA

Descripción

Esta técnica, también denominada respiración abdominal o diafragmática, consiste en potenciar la excursión del diafragma, para lograr la máxima expansión de la base de los pulmones. Es especialmente útil en los pacientes con enfermedad pulmonar obstructiva crónica (EPOC). (Véase EMQ: Respiratorio, enfermedad pulmonar obstructiva crónica).

Técnica

- El procedimiento se efectúa con el paciente sentado a unos 45°, la espalda y la cabeza apoyadas sobre un soporte, la musculatura abdominal relajada y las rodillas flexionadas.
- Para enseñar la técnica, se coloca una mano sobre el abdomen del paciente de tal modo que, al aumentar o aflojar la presión, pueda advertir los movimientos más favorables. Indicar que inspire lentamente y relaje el abdomen, para que la pared abdominal se desplace hacia delante y permita un amplio descenso del diafragma; a continuación, indicar que suelte el aire lentamente y contraiga los músculos abdominales, para que se retraiga la pared abdominal y se logre la máxima elevación del diafragma. Solicitar al paciente que sitúe una mano sobre su abdomen y la otra sobre el tórax, señalando que cuando la respiración se realiza correctamente, el abdomen se mueve, mientras que el tórax permanece inmóvil. Realizar ciclos de seis movimientos respiratorios.
- Una vez aprendida la técnica, aconsejar al paciente que ponga los brazos por encima de la cabeza, ya que así la expansión pulmonar es más completa.

EJERCICIOS DE ESPIRACIÓN E INSPIRACIÓN

La *espiración forzada* puede efectuarse con diversos recursos que ofrezcan una resistencia a la salida del aire y obliguen al paciente a esforzar su espiración. Entre otros medios, puede indicarse al enfermo que infle globos, que inspire profundamente y luego suelte el aire por la boca manteniendo los labios fruncidos, o hacer que espire a través de un tubo cuyo extremo se coloca en un re-

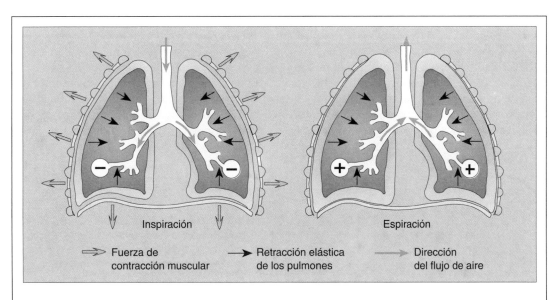

Inspiración		Espiración

⇒ Fuerza de contracción muscular → Retracción elástica de los pulmones → Dirección del flujo de aire

Fisioterapia respiratoria. La inspiración es un proceso activo: los músculos respiratorios se contraen, la caja torácica se distiende y la presión intraalveolar se vuelve negativa, con lo que el aire entra en los pulmones. La espiración es un proceso pasivo: los músculos respiratorios se relajan, los pulmones se retraen y la presión intraalveolar supera la presión atmosférica, con lo que el aire sale de los pulmones.

cipiente con agua, haciendo burbujas al soplar.

La *inspiración máxima mantenida* es básicamente una técnica de bostezo. Se le enseña al paciente a realizar una o más respiraciones lentas y profundas antes de sacar el aire.

La *espirometría de incentivo* es especialmente útil para que el paciente aprenda a controlar y determinar la efectividad de sus esfuerzos respiratorios. Se lleva a cabo con aparatos de diverso tipo, cuyas instrucciones de manejo suelen venir junto con el producto y varían según el fabricante. Los más comunes son unos espirómetros de plástico que disponen de tres compartimientos, en cada uno de los cuales hay una bola de plástico. El enfermo tiene que aplicar sus labios sobre la boquilla del tubo conectado al espirómetro, e inspirar profundamente, con lo que las bolas del aparato tenderán a elevarse. En cada inspiración intentará elevar el mayor número de bolas, manteniéndolas elevadas durante el mayor tiempo posible; luego, soltará la boquilla para expulsar el aire. El ejercicio puede hacerse cada vez más intenso, ofreciendo una dificultad creciente mediante la regulación del aparato.

TOS ASISTIDA

Descripción

Consiste en enseñar al paciente a toser de forma eficaz, es decir, expulsando el máximo de secreciones respiratorias con el menor esfuerzo posible. En los pacientes operados, junto con la técnica para estimular o potenciar la tos, debe enseñarse la forma adecuada de inmovilizar la zona de la herida.

Técnica

- Indicar al paciente que se siente, con la cabeza ligeramente inclinada hacia delante, los hombros dirigidos hacia dentro, los brazos relajados y las rodillas flexionadas.
- Si existen heridas quirúrgicas, sujetar los bordes para disminuir el dolor y facilitar los movimientos; si la herida se encuentra en la región abdominal, conviene situar el paciente en decúbito lateral, con los muslos flexionados sobre el abdomen, a fin de relajar la musculatura abdominal.
- Indicar al paciente que haga varias respiraciones lentas y profundas, aspirando por la nariz y expulsando el aire por la boca. Solicitar que haga una inspiración profunda y retenga el aire unos segundos, para después toser varias veces seguidas, ayudándose de la musculatura torácica y abdominal.
- Enseñar alguna técnica para intentar desencadenar la tos o hacerla productiva:
  1. Hacer una inspiración larga, seguida de soplos espiratorios cortos, interrumpidos por pausas.
  2. Realizar tres respiraciones, cada vez más profundas, y efectuar un acceso de tos voluntaria, para convertir una tos ineficaz en tos productiva.
  3. Hacer de tres a cinco inspiraciones sucesivas, sin espirar, para aumentar el volumen pulmonar y facilitar una tos eficaz.
- En enfermos que no pueden colaborar, puede provocarse la tos mediante una estimulación traqueal externa, aplicando una presión manual con los dedos apoyados sobre la región de la tráquea, por debajo del cartílago cricoides.

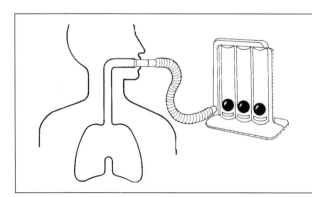

Fisioterapia respiratoria. Los ejercicios de inspiración y espiración mediante espirometría de incentivo son especialmente útiles para aprender a controlar la efectividad de los movimientos respiratorios. Uno de los espirómetros más empleados para este fin es el que ilustra el esquema, compuesto por tres compartimientos con una bola de plástico en su interior. El enfermo debe inspirar intentando elevar el mayor número de bolas posible y manteniéndolas elevadas durante un tiempo determinado.

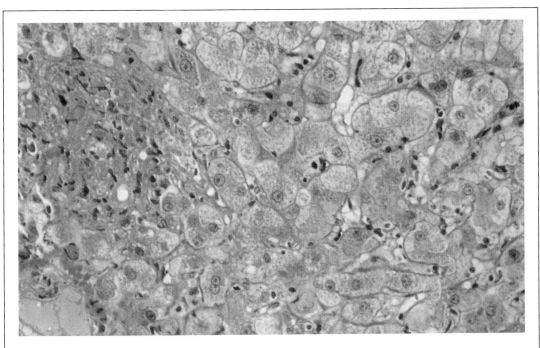

La biopsia hepática, efectuada mediante punción percutánea, permite establecer con certeza razonable el diagnóstico histológico de las diferentes enfermedades del hígado. En la imagen, microfotografía de tejido hepático que muestra una hepatitis crónica activa.

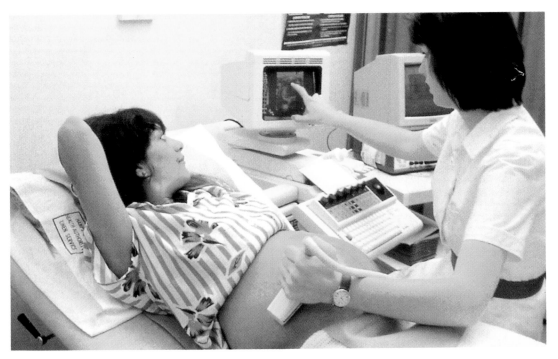

La ecografía tiene múltiples aplicaciones, si bien, dada la inocuidad de este procedimiento diagnóstico, una de sus principales indicaciones corresponde al seguimiento del embarazo.

El electrocardiograma permite conocer la actividad eléctrica del corazón y diagnosticar con la máxima precisión sus alteraciones, determinadas merced a la interpretación del gráfico obtenido, por lo que constituye uno de los estudios complementarios más utilizados en la práctica médica. Junto a estas líneas, un electrocardiógrafo y detalle de una gráfica ECG.

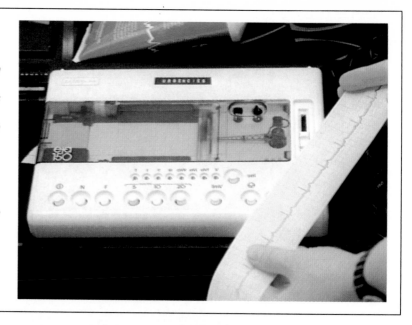

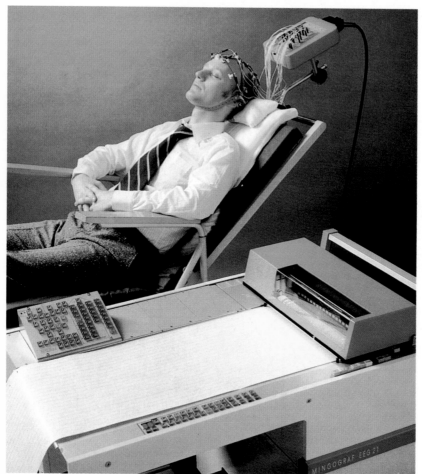

El electroencefalograma corresponde al registro sobre papel de la actividad eléctrica cerebral. Para su realización, se colocan sobre el cuero cabelludo del paciente una serie de electrodos conectados a un electroencefalógrafo, aparato que amplifica las diminutas corrientes eléctricas generadas en el cerebro y las traduce en una representación gráfica formada por una serie de líneas cuyas oscilaciones reflejan las variaciones de potencial que se van produciendo a lo largo del examen en las diversas zonas de la corteza cerebral. Esta técnica diagnóstica tiene su principal aplicación en el estudio de los trastornos convulsivos y en la determinación de la muerte cerebral.

PERCUSIÓN (CLAPPING)

Descripción

Consiste en efectuar una percusión sobre el tórax para desalojar mecánicamente las secreciones adheridas a las paredes bronquiales, movilizándolas desde los bronquios periféricos y hacia los de mayor calibre y la tráquea.

Técnica

- Cubrir el tórax con un paño delgado, evitando percutir directamente sobre la piel.
- Ahuecar las manos, con los dedos juntos, para poder practicar un golpeteo mediante una flexión y extensión de la muñeca, siempre con el codo relajado.
- Percutir lentamente sobre el área deseada, de forma rítmica, durante tres a cinco minutos. Comenzar por la zona periférica y progresar en dirección a la tráquea. *No se debe percutir* sobre la zona renal y la columna vertebral, ni tampoco sobre regiones que presenten lesiones cutáneas o fracturas.
- Mientras se efectúa la percusión, solicitar al paciente de vez en cuando que tosa y expectore.

Gammagrafía

Descripción

En medicina nuclear se utilizan isótopos radiactivos como marcadores para el diagnóstico. Los isótopos pueden administrarse por vía oral o por inyección, y la radiación que emiten es captada por un aparato que la convierte en imágenes. Es preferible realizar las gammagrafías antes de los estudios con bario o de otras técnicas radiológicas con contraste, procurando que no existan otras pruebas programadas para el mismo día. Cuando se solicite una serie de gammagrafías es aconsejable consultar con el departamento de medicina nuclear para ver cómo se puede organizar la secuencia de las mismas.

Consideraciones de enfermería

- La *gammagrafía de cerebro* se emplea para la identificación de tumores, hemorragias, hematomas y abscesos cerebrales. El paciente debe aumentar la ingesta de líquidos antes y durante la gammagrafía. El radiosótopo se administra mediante inyección, y tras ello el paciente regresa a su habitación; aproximadamente una hora después vuelve para la segunda parte del estudio, que suele durar unos 30 minutos. Si el paciente lleva una sonda permanente, debe vaciarse la bolsa de recolección cada 2 a 4 horas. El día de la gammagrafía, las enfermeras embarazadas no deben cuidar a estos pacientes.
- La *gammagrafía con galio* se usa para la detección de tumores o inflamación en órganos y tejidos. Consúltese con el departamento de medicina nuclear para disponer de las instrucciones pertinentes; el galio se inyecta en el torrente circulatorio, y la gammagrafía suele realizarse al cabo de 72 horas.
- La *gammagrafía cardiaca*, con talio o isótopos de tecnecio-99m, se utiliza para el diagnóstico de áreas de infarto de miocardio o de isquemia.
- La *gammagrafía de ventilación pulmonar con xenón* se emplea para valorar el flujo aéreo en el tejido pulmonar. No se administra ninguna inyección, pues el contraste se realiza mediante inhalaciones. El estudio dura unos 20 minutos.
- La *gammagrafía esplenohepática* sirve para determinar el tamaño y la forma de lesiones ocupantes, así como para valorar la rotura de bazo. Este estudio debe realizarse antes de cualquier serie de radiografías gastrointestinales o de un enema de bario, o bien después de que el paciente haya eliminado totalmente el bario; si se ha realizado una gammagrafía ósea previamente, debe esperarse un día para realizar la gammagrafía esplenohepática. Antes de la práctica, el paciente debe estar bien hidratado. El isótopo se administra mediante inyección endovenosa; el estudio dura unos 45 minutos. Puede realizarse una gammagrafía hepato-pulmonar para identificar abscesos subdiafragmáticos.
- La *gammagrafía hepática* se emplea para estudiar lesiones del hígado y para valorar la

función de la vesícula biliar y diagnosticar sus enfermedades agudas o crónicas. El paciente no debe tomar nada por vía oral entre en las 6 y 8 horas previas a la prueba. El isótopo se administra mediante inyección endovenosa; la gammagrafía dura unos 60 minutos.

- La *gammagrafía renal* y el *renograma isotópico* sirven para valorar el flujo sanguíneo renal, así como para identificar el tamaño, la localización y la función de los riñones y uréteres. El paciente debe hallarse bien hidratado y con la vejiga llena. La gammagrafía se realiza tras una inyección y dura unos 30 minutos. Durante el resto del día debe forzarse la ingesta de líquidos. Si el paciente lleva una sonda vesical permanente, debe vaciarse la bolsa antes de la gammagrafía y, posteriormente, cada 2 a 4 horas durante el resto del día. Las enfermas que

están embarazadas no deben cuidar a estos pacientes el día que se les practique la gammagrafía.

- La *gammagrafía ósea* se emplea para la identificación de áreas con aumento del metabolismo óseo asociado a tumores o cambios en el metabolismo del hueso. Tras administrar el isótopo mediante una inyección, el paciente debe beber aproximadamente tres vasos de líquido durante las siguientes dos horas; transcurrido este tiempo, regresa al departamento de medicina nuclear, debiendo haber vaciado previamente la vejiga urinaria. La gammagrafía dura aproximadamente una hora, y debe forzarse la ingesta de líquidos durante el resto del día. Si el paciente lleva una sonda vesical permanente, debe vaciarse la bolsa antes de la gammagrafía y, posteriormente, cada 2 a 4 horas

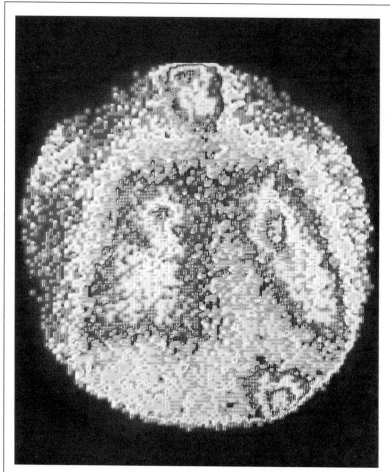

Gammagrafía de pulmón en la que se aprecia un absceso en el pulmón izquierdo (la imagen ha sido procesada por ordenador, que asigna un color distinto a las diferentes concentraciones tisulares del isótopo). Existen dos modalidades de gammagrafía de pulmón: por perfusión e inhalatoria. La más empleada es la gammagrafía de perfusión, en la que suele emplearse como isótopo el tecnecio 99-m administrado por vía intravenosa, que alcanza los pulmones a través de la circulación sanguínea y pone de manifiesto las zonas que sufren una alteración en la irrigación. Con menor frecuencia se practica la gammagrafía de ventilación, en la que suele emplearse como isótopo el xenón-133 administrado por inhalación y sirve para detectar zonas de obstrucción respiratoria.

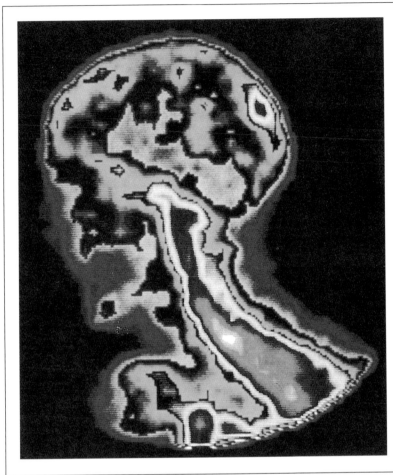

Gammagrafía de cabeza y cuello. Las aplicaciones de los estudios con radioisótopos son muy variadas, puesto que la gammagrafía sirve tanto para la detección de lesiones anatómicas o tumorales como para la determinación de alteraciones de carácter funcional que en ocasiones no pueden ser identificadas con otros métodos de diagnóstico. Se considera que la técnica es muy segura, puesto que sólo se requieren unas dosis de radiación mínimas. Dado que los radioisótopos que se emplean y las pautas de su administración difieren según sea el órgano o tejido a estudiar, en cada caso el personal de enfermería debe consultar con el departamento de medicina nuclear para conocer las instrucciones oportunas sobre el procedimiento que se ha de efectuar.

durante el resto del día. Las enfermeras embarazadas no deben atender a estos pacientes el día de la gammagrafía.

- La *gammagrafía de páncreas* sirve para identificar el tamaño y la forma de tumoraciones o pseudoquistes. El paciente debe hallarse en ayuno absoluto. Cuando el departamento de medicina nuclear requiere el traslado del paciente al mismo, se administra al enfermo una comida pancreática especial preparada por el servicio de dietética, y a continuación se procede al traslado inmediato. En el departamento de medicina nuclear se administra una inyección con el radioisótopo; la gammagrafía dura unos 45 minutos.

- La *gammagrafía de pulmón* se emplea para valorar la perfusión pulmonar; un área de isquemia puede indicar un embolismo pulmonar. El paciente debe estar bien hidratado an-

tes de la prueba. El isótopo se administra mediante inyección; la gammagrafía dura unos 20 minutos.

- La *gammagrafía de tiroides* sirve para conocer el tamaño, la localización y la forma del tiroides. El paciente debe hallarse bien hidratado previamente a la prueba. La sustancia radiactiva se administra mediante inyección; la gammagrafía dura unos 20 minutos.

- El estudio de *captación tiroidea* sirve para valorar la función del tiroides. Antes de realizar la gammagrafía debe determinarse si el paciente está tomando medicación tiroidea o ha sido sometido recientemente a algún estudio radiológico con contraste EV. El paciente debe ingerir una cápsula por vía oral de I^{131} el día antes de acudir al departamento de medicina nuclear. La gammagrafía dura unos 10 minutos.

Gasometría arterial (GA)

Descripción

La gasometría arterial se practica para determinar la capacidad de los pulmones para transferir O_2 y CO_2. También permite conocer el funcionamiento de los riñones en la secreción y absorción de los iones bicarbonato, cuya función es mantener el equilibrio ácido-base. La tabla 1 muestra los gases arteriales y sus valores normales.

Acidosis

El ser humano tolera mal la acidosis. Ésta puede deberse a un trastorno respiratorio o metabólico, y se tiene que corregir inmediatamente.

- La acidosis respiratoria se debe a retención de CO_2, lo que puede corresponder a un trastorno secundario a una enfermedad pulmonar obstructiva crónica o a un traumatismo torácico. El tratamiento consiste en mejorar el intercambio gaseoso; puede ser necesario intubar o practicar una traqueotomía. El principal indicador de la acidosis respiratoria es un aumento significativo de CO_2, con un incremento menor de HCO_3. La sintomatología típica es inquietud, confusión y taquicardia. Si no se consigue neutralizarla, la acidosis puede ocasionar el coma y la muerte.

- La acidosis metabólica se debe a cetoacidosis diabética, diarrea mal tratada, shock o insuficiencia renal. El tratamiento consiste en corregir la causa específica. El principal indicador es un descenso significativo del HCO_3, con una menor disminución de CO_2, y del pH. El descenso del bicarbonato puede ser tan importante que requiera la corrección por vía EV.

Consideraciones de enfermería

- Si el paciente está recibiendo oxigenoterapia debe consultarse con el médico si la muestra

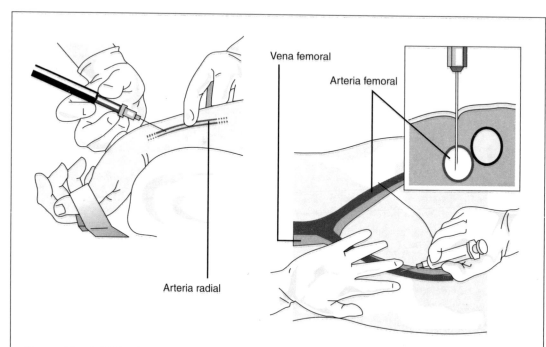

Gasometría arterial. *La obtención de la muestra puede efectuarse por punción en cualquier arteria cuyo pulso sea fácilmente palpable, aunque por lo general se lleva a cabo en la radial o en la femoral. Para realizar la punción, con una mano se localiza el pulso y se fija la arteria contra un plano profundo, y con la otra mano se introduce la aguja con un ángulo de 45° (arteria radial) a 90° (arteria femoral), dejando que la sangre fluya a la jeringa o bien aspirando con mucha suavidad.*

Tabla 1   Gases arteriales

Gas	Valores normales a nivel del mar	Comentarios
pO_2	80-100 mm Hg de presión parcial (aire ambiente)	A mayor altitud = menor pO_2 A mayor edad = menor pO_2
pCO_2	Presión parcial: 38-42 mm Hg	La media es 40
HCO_3	24-28 mEq/l	El bicarbonato está regulado por los riñones
pH	7,35-7,45	Superior a 7,45 = alcalosis Inferior a 7,35 = acidosis
Sat. O_2	95%	A mayor altitud = menor saturación O_2

para GA se extrae con respiración de oxígeno o de aire ambiente. Si la muestra sanguínea tiene que ser tomada bajo oxigenoterapia, hay que mantener el flujo de oxígeno cerrado al menos durante 30 minutos antes de realizar la toma. Marcar el flujo de oxígeno en la etiqueta del tubo de sangre. Si al paciente no se le administra oxígeno, indicar «aire ambiente».

- Normalmente existe un equipo especial para esta técnica, y la extracción suele practicarla personal especializado (*p.e.*, enfermeras o fisioterapeutas respiratorios).
- Notifíquese al laboratorio la extracción de la muestra.
- Debe colocarse la muestra en hielo inmediatamente después de la extracción, debiendo remitirla al laboratorio antes de 5 minutos.
- Presionar durante 5 minutos el punto de punción.
- Cuando el paciente recibe tratamiento anticoagulante, puede producirse una hemorragia en el punto de punción.

ALCALOSIS

El ser humano puede tolerar ligeros grados de alcalosis. Ésta suele ser una complicación secundaria de los trastornos respiratorios o renales.

- La alcalosis respiratoria se debe a una excesiva eliminación de CO_2. Su tratamiento consiste en elevar el nivel del mismo, ya sea respirando dentro de una bolsa o bien disminuyendo la frecuencia respiratoria. La anomalía más destacada consiste en un descenso importante del CO_2 junto con otro más moderado del HCO_3, así como un ligero incremento del pH. La sintomatología habitual es incapacidad para concentrarse e inestabilidad cefálica. Todo paciente con trastornos o lesiones del sistema nervioso central (SNC) e incapacidad para controlar la respiración rápida debe ser observado con atención.
- La alcalosis metabólica se debe a un exceso de base que puede ser debido a una excesiva ingesta de antiácidos o a la pérdida de ácidos por el tubo digestivo o los riñones, a la aspiración nasogástrica, a vómitos o a tratamiento diurético intenso, con la consiguiente pérdida de potasio. El tratamiento consiste en corregir la causa. Hay que asegurarse de que las perfusiones endovenosas funcionan adecuadamente durante la aspiración nasogástrica. Es necesario mantener el nivel normal de potasio si la causa de la alcalosis es la pérdida excesiva de HCl. El principal indicador de la alcalosis metabólica es la elevación significativa de HCO_3, con un menor incremento del CO_2 y del pH. Los síntomas típicos son debilidad muscular, confusión e íleo paralítico como trastorno secundario a la pérdida excesiva de potasio.

Gasometría capilar

Descripción

Aunque la determinación de los gases en sangre requiere una muestra de sangre arterial, es posible efectuarla a partir de una muestra de sangre capilar si la zona de obtención es sometida a algún procedimiento que aumente y acelere la circulación, ya que de esta forma los resultados son equiparables. Se recurre a este procedimiento para evitar las punciones arteriales repetidas, y especialmente en los niños pequeños, cuyas arterias son de difícil acceso.

Técnica

- Se selecciona la zona de la punción (lóbulo de la oreja; talón en el niño) y se aplica una técnica adecuada para incrementar el flujo capilar arterial (pomada rubefaciente; baño templado).
- Tras desinfectar la zona, se punciona con una lanceta. Las gotas de sangre brotan espontáneamente, formando un menisco; no es necesario presionar sino, en todo caso, presionar suavemente.
- Se toma un capilar de cristal y se acerca un extremo a la base de la gota, poniéndolo en posición horizontal a medida que se llena de sangre. Debe controlarse que no entre aire; de lo contrario, eliminar las burbujas.
- Se tapa un extremo del capilar, se introduce una barrita de hierro y se tapa el otro extremo; inmediatamente, se mueve la pieza de hierro mediante el desplazamiento de un imán por la superficie externa del capilar, con movimientos suaves y continuos que deben mantenerse hasta entregar la muestra en el laboratorio.

Consideraciones de enfermería

- Si a pesar de los cuidados en la técnica se observa que el capilar contiene burbujas, desecharlo y tomar otra muestra.
- Debe tenerse todo previsto para el envío inmediato de las muestras al laboratorio, antes

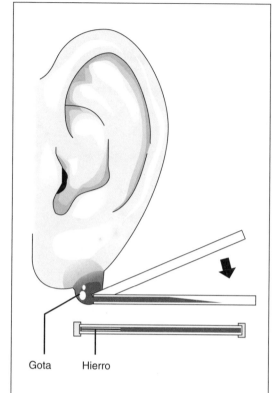

Gota   Hierro

La gasometría capilar ofrece resultados equiparables a los de la gasometría arterial y es de suma utilidad en los niños pequeños, cuyas arterias son de difícil acceso. Al obtener la muestra, es muy importante controlar que el capilar relleno de sangre no contenga burbujas de aire, puesto que ello distorsionaría los resultados. La barrita de hierro introducida en el capilar debe desplazarse, mediante un imán, con movimientos suaves y continuos hasta la entrega de la muestra en el laboratorio.

de que pasen 10 minutos, a fin de que lleguen al laboratorio mientras la composición gaseosa sea estable y representativa del estado real del paciente.
- Conviene enviar al laboratorio tres capilares, indicando si el paciente está sometido a oxigenoterapia.
- Registrar la técnica puntualizando las condiciones ventilatorias del paciente: concentración de O_2 en el aire inspirado, parámetros de la ventilación mecánica, etcétera.
- Si se ha usado una pomada rubefaciente, limpiar la zona con gasa y solución antiséptica, asegurándose de que no quedan restos.

Hipotensión postural (hipotensión ortostática)

Descripción

La hipotensión ortostática es un signo precoz de disminución del volumen sanguíneo, enfermedad vascular esclerótica o efectos secundarios de la medicación. Se manifiesta como una caída brusca de la tensión arterial cuando el paciente se incorpora.

Observaciones

- Determínese la tensión arterial y la frecuencia del pulso mientras el paciente está tendido. Indíquese al paciente que se levante y se sitúe al lado de la cama. Tómese de nuevo la tensión arterial y la frecuencia del pulso.
- Es habitual que al levantarse se produzca una caída de la presión arterial sistólica de entre 10 y 15 mm Hg, pero no dura más de 3 minutos. Si la caída de la tensión es superior a los 30 mm Hg durante un período más prolongado, es síntoma de hipotensión postural.
- Pueden producirse desmayos.

Consideraciones de enfermería

- Hay que recomendar al paciente que no se incorpore de forma brusca.
- Los esfuerzos para defecar también pueden dar lugar a una caída de la presión arterial.
- Aconsejar al paciente que no se automedique, sino que consulte a su médico.
- Las medias elásticas favorecen el retorno venoso desde las piernas al corazón cuando el paciente está de pie. Deben retirarse cuando el paciente está en la cama y colocarse nuevamente antes de que se incorpore.

Infección, aislamiento (técnicas y precauciones)

Descripción

Las técnicas y precauciones de aislamiento previenen la diseminación de enfermedades transmisibles de un paciente a otro, al personal sanitario o a las visitas. Las categorías de aislamiento son siete:

- Aislamiento de contacto.
- Aislamiento estricto.
- Aislamiento respiratorio.
- Aislamiento para la tuberculosis.
- Precauciones entéricas.
- Precauciones con sangre y líquidos corporales.
- Precauciones con secreciones y productos de drenaje.

Consideraciones generales de enfermería

- Debe recordarse que el aislamiento es para la enfermedad, no para los enfermos, teniendo en cuenta que los pacientes son muy reacios a ser considerados contaminados.
- Cuando la situación requiera aislamiento debe avisarse al médico.
- El lavado de manos es el método más eficaz para prevenir la infección intrahospitalaria. Debe realizarse antes de tocar a cualquier enfermo, así como después de manipular cualquier secreción o drenaje. El lavado de manos correcto consiste en el cepillado enérgico con agua y jabón durante 15 segundos, con posterior enjuague. Se recomienda la aplicación de un antiséptico para manos antes de manipular una sonda vesical o un catéter endovenoso.
- Las fuentes de infección nosocomial más frecuentes son las sondas vesicales y los catéteres endovenosos.
- Las mascarillas, los guantes y las batas deben utilizarse sólo una vez. Los guantes deben cambiarse tras tocar secreciones o productos de drenajes, incluso antes de acabar el cuidado del paciente.
- Todas las heridas deben manipularse con un par de guantes para retirar el apósito usado y con otro par para aplicar el nuevo. El uso de guantes no excluye el lavado de manos.
- Los pacientes que están inmunodeprimidos, debido a tratamiento o enfermedad, tienen un elevado riesgo de contraer infecciones por microbios presentes en su propio organismo. Por este motivo, el cuidado del paciente debe incluir dos baños al día, con cambio de la ropa de cama, y cuidado de la boca después

de cada comida y antes de acostarse. Es obvio que todo aquel que presente algún tipo de infección no debe entrar en contacto con estos pacientes.

- Las muestras remitidas al laboratorio deben ser etiquetadas con la señal «aislamiento».
- Cuando se utilicen los cultivos negativos como criterio para interrumpir el aislamiento, las muestras deben haberse tomado después de interrumpir el tratamiento antibiótico.

AISLAMIENTO DE CONTACTO

Descripción

El aislamiento de contacto se utiliza para prevenir la aparición de infecciones altamente transmisibles o epidemiológicamente importantes que no requieran aislamiento estricto. Todas las enfermedades o entidades englobadas en esta categoría se expanden principalmente por contacto directo, por lo cual se recomienda el uso de mascarillas, batas y guantes para cualquiera que entre en contacto directo con un paciente que tenga algún tipo de infección (o colonización) incluida en esta categoría. En algunas enfermedades pueden no ser necesarias algunas de las medidas que se expondrán. Por ejemplo, en el cuidado de lactantes y niños con enfermedades respiratorias víricas agudas no está indicado el uso de mascarillas y guantes; en la conjuntivitis gonocócica del recién nacido no suele estar indicado el uso de batas; y las mascarillas no suelen estar indicadas para el cuidado de pacientes infectados con microorganismos de resistencias múltiples, excepto en aquellos con neumonía. Es posible, por lo tanto, que en esta categoría exista un cierto grado de «sobreaislamiento».

Especificaciones para el aislamiento de contacto

1. Es necesaria una habitación individual. Por lo general, los pacientes afectados por el mismo microorganismo pueden compartir la misma habitación. Durante los brotes epidémicos, los lactantes y niños con el mismo síndrome clínico respiratorio pueden compartir la misma habitación.

2. Está indicado el uso de mascarillas en aquellas personas que estén en contacto directo con el paciente.

3. Las batas están indicadas en el caso de que existan líquidos infectados.

4. Está indicado el uso de guantes para la manipulación de material infectado.

5. Las manos deben lavarse antes de entrar en la habitación y tras manipular al paciente o tocar artículos potencialmente contaminados, así como antes de entrar en contacto con otro paciente.

6. Los artículos y el material contaminado deben ser desechados y etiquetados antes de enviarlos a descontaminación y reciclaje.

Indicaciones del aislamiento de contacto

Requieren aislamiento de contacto las siguientes infecciones:

- Infecciones respiratorias agudas de los lactantes y niños, incluyendo difteria, gripe, resfriados, bronquitis y bronquiolitis producidas por el virus sincitial respiratorio, adenovirus, coronavirus, influenza, parainfluenza y rinovirus.
- Conjuntivitis gonocócica en neonatos.
- Difteria cutánea.
- Endometritis por *Streptococcus* grupo A.
- Forunculosis estafilocócica en neonatos.
- Herpes simple diseminado, severo, primario o neonatal.
- Impétigo.
- Influenza en niños y lactantes.

También requieren aislamiento de contacto las infecciones por bacterias con resistencia múltiple, así como la infección o colonización por cualquiera de los siguientes agentes:

1. Bacilos gram negativos resistentes a todos los aminoglucósidos ensayados (por lo general, dichos organismos deberán ser resistentes a la gentamicina y la tobramicina para que sean indicadas estas precauciones).

2. *Staphilococcus aureus* resistentes a la meticilina (o naficilina u oxacilina si se utilizan en lugar de la meticilina en el antibiograma).

3. *Pneumococcus* resistentes a la penicilina.

4. *Haemophilus influenzae* resistentes a la ampicilina (beta-lactamasa positivo) y al cloramfenicol.

5. Pueden incluirse otras bacterias resistentes si son consideradas epidemiológicamente signi-

Tabla 2 Normas de aislamiento

	Respiratorio	Cutáneo	Intestinal	Estricto
Batas	No necesarias	Necesarias	Necesarias	Necesarias
Mascarillas	Necesarias, excepto para personas no susceptibles a la enfermedad.	Necesarias	No necesarias	Obligatorias
Manos	Lavar al entrar y al salir.	Lavar al entrar y al salir.	Lavar al entrar y al salir.	Lavar al entrar y al salir.
Guantes	No necesarios	Necesarios para el personal en contacto con la zona infectada.	Necesarios para el personal en contacto con artículos combinados.	Obligatorios
Artículos diversos	Precauciones con los que estén en contacto con secreciones. Desinfectar o tirar.	Precauciones con los contaminados con pus. Desinfectar o tirar.	Precauciones con los contaminados con heces. Desinfectar o tirar.	Precauciones con todos los artículos que se retiran de la habitación. Desinfectar o tirar.
Principales enfermedades que requieren aislamiento	Neumonías. Psitacosis. Meningitis meningocócica. Tos ferina. Rubéola. Sarampión. Tuberculosis pulmonar abierta (BK positivo) hasta que vire el BK en esputo.	Heridas y quemaduras infectadas. Estreptococias y estafilococias cutáneas. Herpes zóster. Enfermedades ampollosas.	Cólera. Hepatitis vírica. Tifoidea. Paratifoidea.	Carbunco. Infecciones por citomegalovirus. Difteria. Peste. Rabia. Tifus exantemático. Herpes y rubéola congénitos.

ficativas por el equipo de control de infecciones.

- Pediculosis.
- Infecciones laríngeas en lactantes y niños.
- Neumonía vírica en lactantes y niños.
- Rubéola congénita u otras formas.
- Sarna.
- Síndrome de la piel escaldada estafilocócica (enfermedad de Ritter).
- Infección cutánea de heridas y quemaduras, sobre todo con drenaje y no cubiertas con apósitos, o si los apósitos no logran mantener el material purulento, incluida la infección por *S. aureus* o *Streptococcus* del grupo A.
- Vacuna (*eccema vaccinatum* generalizado y progresivo).

AISLAMIENTO ESTRICTO

Descripción

El aislamiento estricto es una categoría pensada para prevenir la transmisión de enfermedades altamente contagiosas que pueden transmitirse por contacto directo o a través del aire.

El aislamiento estricto es un procedimiento profiláctico destinado a evitar la propagación de infecciones con un alto índice de contagiosidad que se transmiten por contacto directo o a través del aire, pero también puede emplearse como método preventivo con pacientes inmunodeprimidos como consecuencia de enfermedades o tratamientos. Toda persona que entre en la habitación debe utilizar mascarilla, bata y guantes estériles desechables durante todo el tiempo que permanezca en el recinto.

Especificaciones para el aislamiento estricto

1. Es necesaria una habitación equipada con lavabo e instalación sanitaria para cada enfermo. Por lo general, los pacientes infectados por el mismo germen pueden compartir la habitación. Las puertas deben mantenerse cerradas.
2. Debe utilizarse mascarilla para entrar en la habitación.
3. Ha de llevarse bata para entrar en la habitación.
4. Deben llevarse guantes para entrar en la habitación.
5. Deben lavarse las manos previamente a la entrada en la habitación y después de tocar al enfermo u objetos potencialmente contaminados.
6. Los objetos contaminados con material infectivo deben ser apartados, desechados o empaquetados y etiquetados antes de ser remitidos a desinfección y reciclaje.

Indicaciones del aislamiento estricto

- Ántrax pulmonar.
- Difteria faríngea.
- Fiebres hemorrágicas víricas.
- Herpes zóster, especialmente la forma diseminada.
- Neumonía estafilocócica
- Neumonía estreptocócica.
- Peste neumónica.
- Rabia.
- Viruela.

AISLAMIENTO PARA LA TUBERCULOSIS

Descripción

Este aislamiento se practica con los pacientes que presentan tuberculosis pulmonar con baciloscopia positiva o radiografía de tórax que sugiera tuberculosis activa; la tuberculosis laríngea también está incluida en esta categoría. Por lo general, los niños con tuberculosis activa no requieren aislamiento, dado que casi nunca tosen y sus secreciones bronquiales contienen pocos bacilos en comparación con los enfermos tuberculosos adultos.

Especificaciones del aislamiento para la tuberculosis

1. Es necesaria una habitación individual, con lavabo y equipamiento sanitario, así como con sistema de ventilación especial; la puerta debe estar constantemente cerrada. Por lo general, pueden compartir la habitación pacientes infectados por el mismo germen.
2. Las mascarillas sólo están indicadas si el paciente tose y no se cubre la boca al hacerlo.
3. La bata sólo está indicada si existe posibilidad de contaminación de la ropa.
4. No es necesario llevar guantes.
5. Las manos deben lavarse después de tocar al enfermo o los objetos potencialmente contaminados.
6. La tuberculosis difícilmente se transmite mediante objetos; sin embargo, éstos deben ser cuidadosamente desinfectados o desechados.

AISLAMIENTO RESPIRATORIO

Descripción

El aislamiento respiratorio se realiza con el fin de prevenir la transmisión de enfermedades infecciosas transmitidas por gotitas a distancias cortas a través del aire. Aunque resulta infrecuente, tales enfermedades también pueden tener una transmisión directa e indirecta por contacto.

Especificaciones para el aislamiento respiratorio

1. Es necesaria una habitación individual. Los pacientes infectados con el mismo germen pueden compartir la misma habitación.
2. Todos quienes se pongan en contacto con el paciente o estén próximos al mismo deben llevar mascarilla.
3. No son necesarios guantes.
4. No es necesario el uso de bata.
5. Deben lavarse las manos antes de entrar y salir de la habitación, así como después de entrar en contacto con el paciente.
6. Los objetos contaminados con material infectivo deben ser separados, empaquetados y etiquetados antes de ser enviados a descontaminación y reciclaje.

Indicaciones del aislamiento respiratorio

- Epiglotitis por *H. influenzae*.
- Eritema infeccioso.
- Escarlatina.
- Fiebre Q.
- Meningitis por *H. influenzae*, confirmada o sospechada.
- Meningitis meningocócica, confirmada o sospechada.
- Meningococcemia.
- Neumonía meningocócica.
- Neumonía por *H. influenzae* en niños (de cualquier edad).
- Parotiditis.
- Psitacosis.
- Rubéola.
- Sarampión.
- Tos ferina.

PRECAUCIONES ENTÉRICAS

Descripción

Las medidas de aislamiento entérico se emplean para prevenir infecciones transmitidas por contacto directo o indirecto con las heces u objetos contaminados. La hepatitis A está incluida en esta categoría, ya que se transmite por las heces, a pesar de que su transmisión sea menos importante tras la aparición de la ictericia. La mayoría de las infecciones incluidas en esta categoría dan lugar a síntomas gastrointestinales, aunque en algunos casos no sea así; por ejemplo, las heces de enfermos con poliovirus o virus Coxsackie son infectivas, pero no dan lugar a síntomas gastrointestinales importantes.

Especificaciones para las precauciones entéricas

1. Es necesaria una habitación individual si el paciente tiene hábitos higiénicos personales inadecuados, si no se puede lavar las manos y contamina todo aquello que toca y el entorno. Por lo general, los pacientes infectados por el mismo organismo pueden compartir la misma habitación.
2. No es necesario el uso de mascarillas.
3. Está indicado el uso de batas si existe riesgo de contaminación de la ropa.
4. Los guantes son necesarios en caso de que deba manipularse material infectivo.
5. Deben lavarse las manos después de manipular material infectivo u objetos potencialmente contaminados.
6. Los objetos contaminados con material infectivo deben ser desechados o empaquetados y etiquetados antes de ser enviados a esterilización.

Indicaciones de las precauciones entéricas

- Cólera.
- Diarrea aguda con sospecha de etiología infecciosa.
- Disentería amebiana.
- Enfermedad por virus Coxsackie.
- Enfermedad por Echovirus.
- Encefalitis (a menos que se descarte su etiología por enterovirus).
- Enterocolitis producida por *Clostridium difficile* o *Staphilococcus aureus*.
- Infección enterovírica.
- Gastroenteritis producida por alguno de los siguientes agentes:
  — *Campylobacter.*
  — *Cryptosporidium.*
  — *Dientamoeba fragilis.*
  — *Escherichia coli* (enterotóxica, enteropatogénica o enteroinvasiva).
  — *Giardia lamblia.*
  — *Salmonella.*

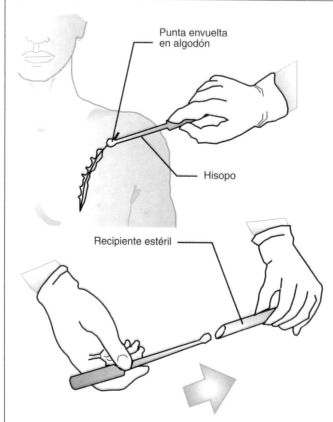

Punta envuelta en algodón

Hisopo

Recipiente estéril

Las precauciones con heridas, secreciones y drenajes están destinadas a prevenir el contagio de infecciones que se transmiten por contacto directo o indirecto con material purulento. La toma de muestras de heridas para cultivo debe efectuarse bajo rigurosas condiciones de asepsia, respetando la técnica estéril. En primer término, se extrae el hisopo del paquete, sin que toque ninguna superficie contaminante, y se pasa el extremo por la zona afectada de tal modo que la punta de algodón absorba el máximo de secreciones, sin tocar la piel adyacente. A continuación, se introduce el hisopo en un recipiente estéril, procurando no contaminar la superficie externa del mismo, y se tapa herméticamente, consignando en la etiqueta los datos del paciente, la naturaleza del material obtenido, el sitio de obtención de la muestra y la fecha y hora de la recogida. Todo el material obtenido se considera potencialmente contaminado, por lo que deben adoptarse las precauciones oportunas para evitar contagios. Todos los artículos contaminados deben ser desechados y bien identificados y aislados.

— *Shigella*.
— *Vibrio parahaemoliticus*.
— Virus, incluidos el agente Norwalk y los rotavirus.
— *Yersinia enterocolitica*.
- Etiología desconocida, pero presumiblemente infecciosa.
- Enfermedad mano-pie-boca.
- Hepatitis vírica, tipo A.
- Herpangina.
- Meningitis vírica (a menos que se descarte el enterovirus).
- Enterocolitis necrotizante.
- Pleurodinia.
- Fiebre tifoidea (*Salmonella tiphi*).
- Pericarditis, miocarditis o meningitis vírica (a menos que se descarte enterovirus).

PRECAUCIONES CON SANGRE Y LÍQUIDOS CORPORALES

Descripción

Estas precauciones están destinadas a prevenir las infecciones que se pueden transmitir por contacto directo o indirecto con sangre o líquidos corporales infectivos. Las infecciones incluidas en esta categoría son aquellas que producen sangre o líquidos corporales infectivos, a menos que estén incluidas en otra categoría que requiera normas más estrictas. En algunas enfermedades de esta categoría sólo la sangre es infectiva, como ocurre, por ejemplo, en la malaria; en otras, como la hepatitis B o el SIDA (incluidos los pacientes seropositivos), tanto la sangre como otros líquidos corporales se consideran infectivos.

Especificaciones para las precauciones con sangre/líquidos corporales

1. Está indicada la habitación individual sólo si la higiene del paciente es deficiente, ya que si no puede lavarse las manos tras tocar los objetos contaminados, transmite la infección a todo lo que toca. Por lo general, los pacientes infectados por el mismo germen pueden compartir la habitación.
2. No está indicado el uso de mascarilla.
3. Está indicado el uso de batas si existe posibilidad de contaminar la ropa con sangre o líquidos corporales.
4. Está indicado el uso de guantes si se ha de manipular sangre o líquidos corporales.
5. Las manos deben lavarse inmediatamente si han estado en contacto con sangre o líquidos corporales, así como antes de tocar a otro enfermo.
6. Deben tomarse las precauciones necesarias para evitar las heridas con agujas. No deben reutilizarse, doblarse ni romperse las agujas utilizadas; deben ser colocadas en un recipiente adecuado que resista la perforación y convenientemente identificado.
7. Las salpicaduras de sangre deben lavarse inmediatamente con una solución desinfectante, como el hipoclorito sódico u otro producto adecuado para la superficie manchada.
8. Los objetos contaminados con sangre o secreciones corporales deben colocarse en una bolsa impermeable, con una llamativa señalización, antes de su envío para reciclado o desecho. Los artículos de un solo uso deben ser incinerados o desechados según las normas del centro sanitario. Los artículos reutilizables deben ser reprocesados respetando las normas hospitalarias al respecto.

Enfermedades que requieren precauciones para sangre/líquidos corporales

- Síndrome de inmunodeficiencia adquirida (SIDA).
- Fiebres víricas transmitidas por artrópodos (fiebre amarilla, etcétera).
- Babesiosis.
- Enfermedad de Creutzfeldt-Jakob.
- Hepatitis B (incluidos los portadores de antígeno HB_S Ag).
- Hepatitis C y hepatitis delta (hepatitis no A no B).
- Leptospirosis.
- Malaria.
- Fiebre por mordedura de rata.
- Fiebre recurrente.
- Sífilis primaria y secundaria con lesiones cutáneas o en las membranas mucosas.

PRECAUCIONES CON SECRECIONES/DRENAJES

Descripción

Estas medidas están pensadas para prevenir el contagio de infecciones que se transmiten por contacto directo o indirecto con material purulento o drenajes de una zona corporal infectada. Esta categoría incluye muchas de las infecciones que anteriormente se integraban en las precauciones para heridas y piel, exudación y secreción. Las infecciones incluidas en esta categoría son aquellas en las que se produce material purulento, a menos que la enfermedad haya sido incluida en una categoría más estricta.

Especificaciones para las precauciones con secreciones/drenajes

1. No es necesaria habitación individual.
2. No es necesario el uso de mascarilla.
3. El uso de guantes sólo está indicado para tocar el material infectivo.
4. No es preciso el uso de batas si no es probable la contaminación de la ropa.
5. Las manos deben lavarse después de tocar al enfermo o los objetos potencialmente contaminados.
6. Los artículos contaminados deben ser desechados, empaquetándolos en bolsas impermeables y resistentes, debidamente señalizadas, antes de ser enviados a esterilización.

Enfermedades que requieren precauciones con secreciones/drenajes

Las infecciones que se citan a continuación son ejemplos de las incluidas en esta categoría, siempre y cuando no sean: 1) debidas a organismos con resistencia múltiple; 2) infecciones de quemaduras, lesiones o heridas importantes (que drenen y en las que no haya un apósito que las cubra o éste no logre contener el producto drenado), incluidas las causadas por *S. aureus* o *Streptococcus* del grupo A; o 3) infección gonocócica ocular en el neonato. Consúltese la categoría de aislamiento de contacto para cualquiera de estas categorías.

- Abscesos, pequeños o limitados.
- Infección de quemaduras, pequeñas o limitadas.
- Conjuntivitis.
- Úlceras de decúbito infectadas, menores o limitadas.
- Infecciones cutáneas, menores o limitadas.
- Heridas infectadas, menores o limitadas.

Intubación traqueal

Descripción

La colocación de un tubo endotraqueal se emplea en múltiples circunstancias para restablecer y/o mantener la permeabilidad de vía aérea, ya sea para solucionar una obstrucción, evitar la aspiración de material a los pulmones, aspirar secreciones bronquiales o proporcionar ventilación mecánica. Además de ser una técnica fundamental de la reanimación cardiorrespiratoria y en la aplicación de anestesia general, el procedimiento se lleva a cabo principalmente en pacientes que no pueden ser ventilados adecuadamente a través de la vía aérea bucofaríngea, en personas con obstrucción de la vías aéreas altas, como prevención de la broncoaspiración de líquidos en pacientes con alteración de la conciencia y en pacientes que deben ser conectados a un ventilador mecánico.

La intubación endotraqueal es una técnica propia del médico o el anestesista, con la debida colaboración del personal de enfermería; en situaciones de urgencia, puede ser practicada por personal de enfermería cualificado.

Consideraciones de enfermería

- Si el paciente está consciente, se le debe explicar la necesidad y utilidad de la técnica, comunicándole que posteriormente no podrá hablar mientras se mantenga la intubación y pactando un sistema de comunicación no verbal. Si no es posible brindar esta información previamente, habrá que hacerlo cuando recupere la conciencia, actuando con delicadeza y teniendo en cuenta su inquietud ante la situación que descubre y su imposibilidad de hablar.
- Antes de proceder a la técnica debe comprobarse el balón de neumotaponamiento y el funcionamiento del laringoscopio.
- Conviene tener dispuesto un aspirador de secreciones, ya que durante la intubación pueden producirse vómitos y existe riesgo de broncoaspiración.
- Contrólese con regularidad la fijación del tubo endotraqueal, tanto para evitar desplazamientos laterales que produzcan lesiones en

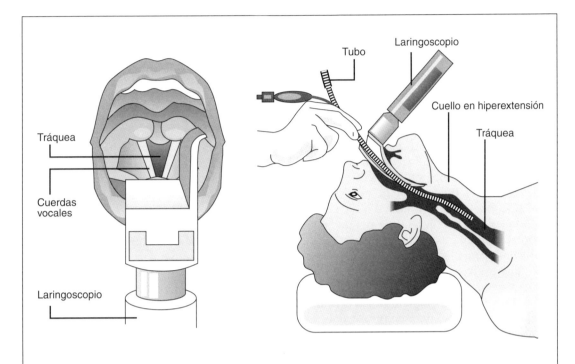

La intubación traqueal es una técnica empleada para establecer o mantener la permeabilidad de las vías aéreas cuya práctica sólo debe ser efectuada por personal cualificado. Con la ayuda de un laringoscopio, se visualiza la glotis (el espacio comprendido entre las cuerdas vocales de la laringe) y, manteniendo el cuello del paciente en hiperextensión, se introduce el tubo endotraqueal de tal modo que su extremo distal alcance la luz de la tráquea, donde se fija insuflando el balón de neumotaponamiento.

la mucosa de la boca o de los labios como para impedir su salida de la tráquea o su introducción en un bronquio principal.

- Mientras se mantenga la intubación, auscúltense con regularidad ambos campos pulmonares para verificar su correcta ventilación.
- Si es preciso aspirar las secreciones traqueobronquiales a través del tubo, deben extremarse las medidas de asepsia (véase TE: Aspiración oro-naso-faringo-traqueal).
- Realícese una higiene cuidadosa de la boca, aspirando las secreciones.
- Compruébese con frecuencia la presión del balón de neumotaponamiento, teniendo en cuenta la indicación registrada en el momento de su colocación. Si la presión es insuficiente, pueden producirse escapes de aire que dificulten la ventilación.
- Si el paciente presenta alteración de la conciencia y existe riesgo de arrancamiento del tubo, deben emplearse los medios de sujeción oportunos para evitar el accidente.

Kegel, ejercicios para el reforzamiento de la musculatura perineal

Descripción

El paciente contrae y relaja voluntariamente la musculatura abdominal, perineal y glútea. Una de las formas de practicarlo es iniciar y detener la micción repetidamente. Los ejercicios de Kegel pueden realizarse con la frecuencia deseada, en cualquier momento y en cualquier lugar. Están especialmente recomendados para las mujeres (especialmente en el posparto), con el fin de prevenir la relajación pélvica, así como en el postoperatorio de gran número de intervenciones, tanto en el hombre como en la mujer. Para mayor detalle, véase Enfermería Maternoinfantil, procedimientos y pruebas médicas.

Manta de hipotermia

Descripción

La manta de hipotermia está hecha a base de caucho o plástico, y por su interior se hace circular una solución fría de alcohol y agua. La manta se conecta a un dispositivo de refrigeración que se ajusta, según las indicaciones médicas, a la temperatura a la que se pretende mantener el cuerpo. El termómetro rectal se conecta a la máquina e indica en el panel de control la temperatura del paciente de forma continua. Las mantas hipotérmicas se utilizan para disminuir las temperaturas corporales muy elevadas durante períodos prolongados, siendo el ritmo de enfriamiento de 0,3 °C por hora. La manta suele colocarse debajo del paciente, aunque en caso necesario pueden utilizarse dos mantas, una debajo y otra encima.

Inicio y mantenimiento de la colocación de la manta hipotérmica

- Antes de utilizar la manta debe bañarse al paciente. Durante todo el proceso, la piel debe mantenerse bien lubricada, con crema de lanolina y crema para el frío.
- Antes de conectar la manta debe colocarse una vía endovenosa o una sonda nasogástrica. Estos pacientes deben estar en ayuno absoluto. También debe colocarse una sonda vesical permanente y administrarse un enema de limpieza antes de iniciar la hipotermia.
- Las zonas sometidas a presión deben protegerse adecuadamente.
- El termómetro rectal debe fijarse con esparadrapo de papel.
- Antes de iniciar la hipotermia, debe tomarse la lectura de las constantes vitales.
- Deben leerse las instrucciones del fabricante para el uso adecuado de la máquina.
- Debe fijarse la temperatura a mantener, y comprobarse cada hora la lectura de la temperatura en el termómetro rectal. Con el fin de verificar la exactitud del termómetro, debe tomarse otra lectura adicional con otro termómetro, también por vía rectal.

- Deben evitarse los escalofríos, dado que aumentan el metabolismo y prolongan el tiempo necesario para alcanzar el descenso de temperatura. Puede administrarse clorhidrato de clorpromacina con el fin de prevenir los escalofríos.
- El paciente debe ser cambiado de posición cada hora, y se vigilará la aparición de lesiones en la piel.
- Durante las dos primeras horas debe determinarse la tensión arterial, la frecuencia del pulso y la respiratoria cada 30 minutos, y posteriormente, cada 2 horas. La frecuencia cardiaca y la respiratoria, así como la diuresis, disminuyen durante la hipotermia. Cuando la temperatura corporal es muy baja pueden aparecer trastornos cardiacos y respiratorios.
- Las mantas de hipotermia pueden utilizarse durante varios días. Cuando se retiren, debe controlarse la temperatura del paciente cada 2 horas hasta que se estabilice.

Médula ósea, aspiración y biopsia

Descripción

La principal función de la médula ósea es la producción de eritrocitos, leucocitos y plaquetas, siendo la aspiración y biopsia de la médula ósea un recurso diagnóstico para valorar dicha función.

Consideraciones de enfermería

- Generalmente se solicita el consentimiento firmado del paciente para proceder a la práctica. Debe explicarse el fundamento, la finalidad y los pasos de la técnica.
- El procedimiento suele realizarse en la misma cama del enfermo.
- Deben prepararse los instrumentos, recipientes y conservantes adecuados.
- La aspiración puede realizarse en la cresta ilíaca o en el esternón; en los lactantes y niños pequeños se evitará el esternón. En caso de biopsia medular, la técnica se realiza en la cresta ilíaca.
- La zona de punción se insensibiliza con anestesia local.

- En el momento de aspirar o retirar una porción de médula ósea se produce un dolor agudo y momentáneo.
- Con el fin de evitar una hemorragia posterior, debe aplicarse presión sobre la zona durante 3-5 minutos.
- Compruébese la ausencia de hemorragia pasados 15 minutos.
- Una complicación potencial de la punción esternal es el neumotórax, producido por la punción accidental de la cavidad pleural.

Monitorización cardiaca

Descripción

El registro continuo de la actividad eléctrica del corazón es una técnica habitual para los pacientes ingresados en servicios de unidad coronaria y cuidados intensivos. Es una técnica de control muy eficaz cuando existen situaciones patológicas que pueden desencadenar fallos súbitos de la función cardiaca, permitiendo el diagnóstico inmediato de las arritmias graves y haciendo posible la instauración de un tratamiento oportuno, incluyendo las técnicas de reanimación.

El procedimiento es semejante a la electrocardiografía, con la diferencia de que el registro se refleja en un monitor que muestra continuamente el trazado correspondiente a la actividad cardiaca. En la pantalla puede observarse constantemente la secuencia de las contracciones del corazón, apreciándose sus características, velocidad, ritmo, etcétera.

Hoy en día se cuenta con diversos modelos de aparatos para monitorización cardiaca. Constan de un monitor en el que puede observarse el trazado y también de un sistema de alarma que se dispara si se producen anomalías en la función cardiaca, especialmente en caso de arritmias. Algunos aparatos también permiten obtener registros sobre papel, y en algunos casos, a la par que la alarma sonora, se activa el registro sobre papel. Hay aparatos que disponen de un desfibrilador, de máxima utilidad porque la monitorización cardiaca es indispensable para practicar desfibrilaciones sincronizadas con el latido cardiaco.

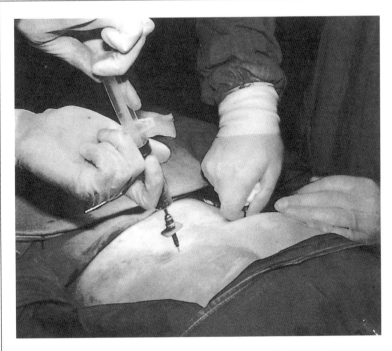

La aspiración y biopsia de médula ósea es un recurso diagnóstico muy útil para valorar la función eritropoyética de esta estructura en caso de anemia o insuficiencia medular, y el examen microscópico de la muestra también suministra información sobre la presencia de células anormales o malignas en caso de leucemias.
La obtención de la muestra se efectúa mediante una punción en la cresta ilíaca (como se observa en la ilustración) o bien en el esternón, generalmente bajo anestesia local.

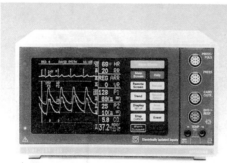

Monitorización cardiaca. Arriba, paciente que lleva en su cintura un monitor Holter para registro electrocardiográfico continuo ambulatorio. Abajo, monitor que refleja la actividad cardiaca del paciente.

134

Técnica

- Se colocan sobre la superficie torácica los electrodos que captan la actividad eléctrica del corazón. A través de los correspondientes cables, se transmite la información a un osciloscopio capaz de transformarla en un trazado que refleja el funcionamiento cardiaco.
- En la pantalla del monitor pueden visualizarse diversos datos, fundamentalmente el trazado de la onda ECG para control visual de la frecuencia, el ritmo y la forma del latido cardiaco. También consta de un indicador de la frecuencia cardiaca; un indicador de alarma, con los límites de activación inferior y superior, y un indicador de la derivación seleccionada.
- Los mandos del aparato permiten regular la velocidad, amplitud y sensibilidad del trazado, y también la activación del dispositivo de alarma y la selección de los límites de frecuencia cardiaca superior e inferior que dispararán la señal auditiva.

Consideraciones de enfermería

- Explíquese la técnica al paciente, para que comprenda sus fundamentos, necesidad y conveniencia y poder así contar con su colaboración. Indíquese la posibilidad de que se produzcan falsas alarmas y explíquense las precauciones que conviene adoptar para prevenirlas, en especial que no deben efectuarse movimientos bruscos que arranquen los electrodos.
- En la monitorización habitual se utilizan tres derivaciones, colocando los electrodos en los siguientes puntos:
  1. Cara anterior del tórax, bajo la clavícula derecha.
  2. Cara anterior del tórax, bajo la clavícula izquierda.
  3. Sexto espacio intercostal izquierdo, en la línea media clavicular.
- Si no es posible colocar los electrodos en las posiciones indicadas, pueden situarse bajo las articulaciones de los hombros.
- Selecciónense zonas que no presenten arrugas ni irregularidades para la colocación de los electrodos. Si conviene, puede rasurarse la zona de aplicación de los electrodos para asegurar el adecuado contacto con la piel.

- Compruébese que los cables están conectados a las salidas correspondientes, observando en cada aparato las indicaciones de colores que garanticen la correcta conexión a los distintos electrodos.
- Contrólese que los electrodos no se mojen tras su conexión a los cables de derivación.
- Asegúrese que el cable del monitor no esté en contacto con objetos metálicos o eléctricos capaces de distorsionar el registro, como pueden ser los barrotes de la cama, los soportes de suero, etcétera.
- Cámbiense periódicamente los electrodos según las pautas del centro. Habitualmente se cambian cada 24 horas, coincidiendo con el aseo corporal del paciente, pero si están correctamente fijados pueden usarse continuamente durante tres días; si se emplean durante lapsos prolongados, compruébese que no se pierde el contacto con la piel debido al sudor o los movimientos del paciente.
- Al efectuar el cambio de electrodos debe investigarse si la piel está irritada en el punto de colocación; en este caso hay que situarlos en otros puntos cercanos. No olvidarse de ajustar el trazado del monitor a la nueva situación.
- Si se practica un ECG completo con otro aparato, hay que desconectar el monitor para evitar interferencias y posibles riesgos eléctricos.

Muleta, determinación de su medida

Consideraciones de enfermería

- Cuando se toma la medida de una muleta debe comprobarse que el taco de goma está colocado en el extremo de la misma.
- La medida se determina desde unos 5 cm del pliegue axilar hasta un punto en el suelo situado a unos 10 cm enfrente del paciente y 15 cm por fuera de los dedos de los pies (entre el brazo de la muleta y el pliegue axilar debe existir una separación de dos dedos).
- Con el paciente acostado, se mide desde el pliegue axilar anterior hasta la planta del pie, y se añaden 5 cm.

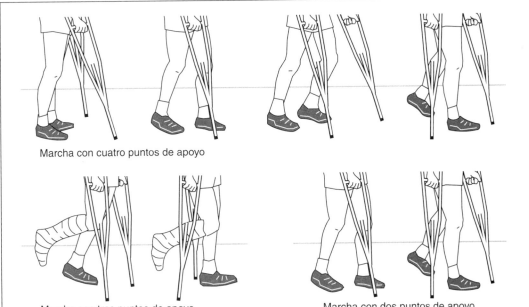

Marcha con cuatro puntos de apoyo

Marcha con tres puntos de apoyo

Marcha con dos puntos de apoyo

Marchas con muletas: con cuatro puntos de apoyo (secuencia: muleta derecha, pie izquierdo, muleta izquierda, pie derecho); con tres puntos de apoyo, para pacientes que sólo pueden descargar su peso en una pierna (secuencia: se adelantan ambas muletas, se pasa el sostén del peso a las muletas y luego se adelanta la pierna sana), y con dos puntos de apoyo (secuencia: se adelanta la muleta derecha junto con el pie izquierdo, y luego la muleta izquierda junto con el pie derecho).

• La manilla de la muleta que sirve de apoyo para la mano debe permitir una flexión del codo de unos 20-30°.

Orina: toma y análisis de muestras

Descripción

El método de obtención de las muestras de orina depende del tipo de análisis que se pretenda realizar, ya sea un estudio macroscópico, microscópico, físico-químico, bacteriológico, etc. La mayor parte de las determinaciones son realizadas en el laboratorio, pero hay algunas que pueden ser efectuadas por el personal de enfermería e inclusive por el propio paciente, con el debido asesoramiento. Por lo común, la muestra se obtiene por recogida simple en un recipiente limpio, pero hay casos en que debe seguirse un método que permita efectuar el estudio sobre una muestra de orina obtenida durante un período determinado, y otros en que es imprescindible la recogida con un método estéril. Siempre deben respetarse estrictamente las indicaciones con respecto al momento de recogida y el método de obtención de la muestra, ya que de ello depende la fiabilidad de los resultados, así como los pasos básicos de las determinaciones realizadas por el personal de enfermería. Cuando sea posible, se intentará contar con la colaboración del paciente, pero siempre asegurándose de que ha comprendido los fundamentos de la técnica y con la debida supervisión.

RECOGIDA SIMPLE

Es el método habitual de obtención de muestras de orina, usado para practicar los análisis comunes de determinación de sustancias, pH, gravedad específica, etcétera.

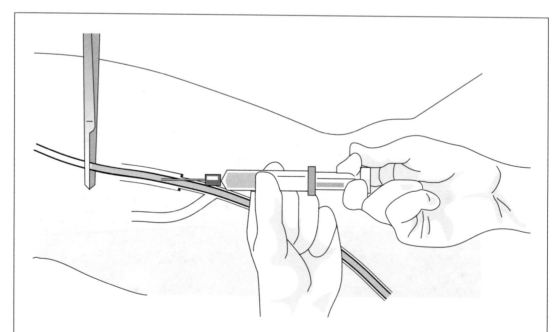

Obtención de orina en paciente con sondaje vesical. Para la recogida de una muestra de orina para urocultivo en un paciente con sondaje conviene practicar una punción en la sonda, a fin de asegurar la ausencia de contaminación. En primer término, se pinza la sonda en su porción más proximal y se esperan unos 15 minutos. A continuación, se desinfecta el punto de la sonda elegido para la punción y se introduce la aguja con un ángulo inferior a 45°, hasta que la punta alcance la luz, aspirando entonces la cantidad de orina solicitada para la prueba. La muestra se deposita en un recipiente estéril, que se etiquetará oportunamente y se enviará al laboratorio con prontitud.

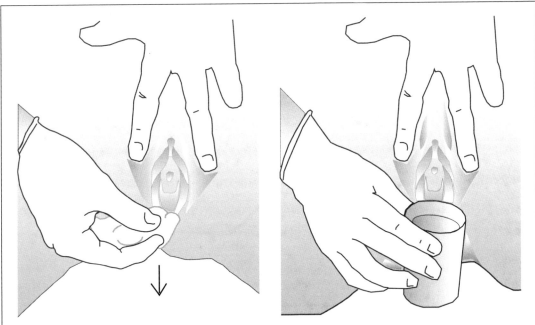

La obtención de muestras de orina con método estéril exige una técnica que garantice la ausencia de contaminación. En la mujer, primero se lleva a cabo la limpieza y desinfección de la zona genital, separando los labios vulvares para exponer el meato urinario y actuando siempre en sentido descendente, de arriba hacia abajo (de adelante hacia atrás). A continuación, manteniendo los labios de la vulva separados, se recoge la orina en un recipiente estéril tras desechar el primer chorro de la micción.

Consideraciones de enfermería

- No es imprescindible recoger la orina en condiciones estériles, aunque conviene realizar una higiene de los genitales previamente a la obtención de la muestra.
- Conviene obtener la muestra de la *primera orina* de la mañana, porque está más concentrada.
- La orina debe depositarse en un recipiente limpio y seco.
- Si se cuenta con la colaboración del paciente, deben especificarse las condiciones de higiene previa y los requisitos de la obtención de la muestra.
- Una vez recogida la muestra, se practican los análisis correspondientes o se envía al laboratorio cuanto antes. Si el envío no es inmediato, conviene mantener la muestra refrigerada.

MÉTODO ESTÉRIL

Las muestras deben tomarse con este método para garantizar que no estén contaminadas, siendo imprescindible cuando se pretenda hacer un análisis bacteriológico o urocultivo. Si no es posible contar con la cooperación del paciente, puede ser necesario efectuar un sondaje urinario para efectuar la toma, aunque en lo posible debe evitarse esta técnica, que siempre implica riesgo de infección. En los niños, la muestra puede obtenerse mediante punción suprapúbica de la vejiga urinaria.

Consideraciones de enfermería

- La muestra se obtiene de la *primera orina* de la mañana, ya que así pueden obtenerse recuentos bacterianos más elevados.
- Si se cuenta con la colaboración del paciente, debe instruirse acerca del método de lavado de manos y de limpieza del meato uretral con solución antiséptica, siempre actuando desde el centro hacia la periferia.
- Una vez desinfectada la zona genital, el paciente inicia la micción y desecha el primer chorro, para continuar orinando en un recipiente estéril.

- El recipiente debe cerrarse sin tocar el interior de la tapa, etiquetarse y enviarse de inmediato al laboratorio.

MÉTODO FRACCIONADO

Este método se utiliza con los pacientes diabéticos, antes de las comidas, así como antes de acostarse, con el fin de determinar la cantidad de glucosa y cuerpos cetónicos en la orina.

Consideraciones de enfermería

- La muestra debe obtenerse a la hora especificada de la *segunda orina*. El paciente orinará 30 minutos antes de la determinación, realizándose la toma con la orina producida a partir de ese instante.
- En el momento de la toma de la muestra, el paciente orinará de nuevo, determinándose entonces la glucosuria y la cetonuria. De esta manera es posible averiguar la cantidad de glucosa y de cuerpos cetónicos eliminados en un intervalo de tiempo conocido, no la almacenada desde horas antes.
- Si la muestra se obtiene a través de un sondaje vesical permanente, la orina se extraerá a través del aplique de toma de muestras, no de la bolsa.

Tabla 3 Sustancias conservantes de la orina durante 24 horas

No necesitan conservante	No requieren conservante, sin embargo, la adición de 10 ml de HCl no afectará a los resultados	Conservantes diversos	
Amilasa Urea	Estrógenos Hormona folículo estimulante	VMA Aldosterona	10 ml HCl concentrado 15 ml de ácido acético al 30% o 4,5 ml de ácido acético glacial y 10,5 ml de agua
Calcio Creatinina Glucosa	17-OH-corticosteroides 17-Cetogenosteroides 17-OH-esteroides	5 HIAA	25 ml ácido acético glacial
Metales pesados Hidroxiprolina LDH Oxalatos Fósforo	17-Cetoesteroides Pregnanodiol	Metanefrina Porfirinas Uroporfirinas Coproporfirinas Cortisol	5 ml HCl concentrado 5 g carbonato sódico 5 g carbonato sódico 5 g carbonato sódico 2 tabletas de ácido bórico
Porfobilinógeno Potasio Pregnanotriol HCG cuantitativa Sodio Ácido úrico Proteínas totales en orina		Catecolaminas	10 ml HCl concentrado

- Todas las muestras de orina minutadas deben conservarse en lugar refrigerado o rodearlas de hielo.
- En caso de que se pierda alguna de las micciones durante el período de recolección, notifíquese dicha circunstancia al laboratorio.

• Un informe del paciente o de la enfermera indicando que hay más que indicios de glucosa, requiere inmediatamente la realización de una nueva prueba antes de administrar insulina.

MÉTODO MINUTADO

Estas determinaciones se realizan con el fin de valorar la función metabólica y renal.

Consideraciones de enfermería

• Debe disponerse de un recipiente que permita recolectar toda la orina emitida durante el período especificado.

Los análisis de orina para la determinación de glucosa y cuerpos cetónicos deben efectuarse siguiendo paso a paso todas las instrucciones de cada prueba y asegurando una adecuada lectura o comparación entre las tiras reactivas y la escalas colorimétricas, a fin de obtener un resultado seguro.

• En caso de que sea necesario añadir alguna sustancia preservante, ésta deberá añadirse en el laboratorio. En la tabla 3 se relacionan aquellas determinaciones que requieren sustancias preservantes.

• Se debe instruir al paciente para que guarde toda la orina que se produzca a partir de una hora determinada. Marcar la hora en el recipiente.

• Completar la muestra haciendo que el paciente orine al final del período fijado.

• Debe advertirse al paciente que no orine directamente en el recipiente donde se acumula la orina a analizar.

• Todas las muestras de orina minutadas deben conservarse en lugar refrigerado, o bien pueden ser rodeadas de hielo.

• En caso de que se pierda alguna de las micciones durante el período de recolección, notifíquese dicha circunstancia al laboratorio.

DETERMINACIÓN DE GLUCOSA Y CUERPOS CETÓNICOS

Descripción

La orina obtenida de los pacientes diabéticos en varias muestras se analiza en busca de acetona y glucosa. Los resultados de estas determinaciones permiten ajustar la cantidad de insulina o, si es necesario, añadir nuevas dosis.

Métodos

Acetest
Comprimidos reactivos para cuerpos cetónicos
• Se coloca un comprimido en una servilleta de papel.
• Se deja caer una gota de orina sobre el comprimido.
• Esperar 30 segundos.
• La lectura se realiza mediante comparación con una tabla de colores. Los valores corresponden a una determinada gama de color púrpura. Los valores posibles son: negativo, ligero, moderado o importante.

Ketostix
Para cuerpos cetónicos
• Permite medir la presencia de cuerpos cetónicos en la orina como ligera, moderada o im-

portante. Se utiliza para la determinación de cuerpos cetónicos cuando existe un 1% o más de glucosa en la orina. Pueden producirse falsos resultados positivos cuando exista L-Dopa o fenilcetonas.

Tiras reactivas

Para glucosa y cuerpos cetónicos

- Se moja una tira reactiva en el chorro de la orina o en el recipiente de la misma y se compara el color resultante con una escala de colores para conocer su contenido de glucosa y cuerpos cetónicos.

Diastix

Para glucosa

- La presencia de grandes cantidades de cuerpos cetónicos, ácido ascórbico o L-Dopa puede interferir en la reacción colorimétrica.

Clinistix

Para glucosa

- Esta determinación permite saber si existe glucosa o no en la orina, por lo que es ideal para aquellos diabéticos que únicamente necesiten controles periódicos de su glucosuria. Los resultados pueden alterarse ante dosis elevadas de ácido acetilsalicílico o de vitamina C.

Keto-Diastix

Para cuerpos cetónicos y glucosa

- Este método está pensado para aquellos pacientes cuyo control es muy irregular y requiere la determinación de cuerpos cetónicos de forma simultánea a la de glucosa.

Test-Tape

Para glucosa

- Es un método de mojar y leer que viene en forma de cinta enrollada. En ocasiones su lectura resulta difícil.

Clinitest

Comprimidos para glucosa (métodos de dos y de cinco gotas)

- Ambos métodos son idénticos, excepto en lo referente al número de gotas utilizadas. Cada uno tiene su propia carta de colores de lectura. El método de dos gotas es más exacto y

determina la glucosuria con concentraciones de entre el 0 y el 5%; se utiliza especialmente en aquellos pacientes cuya diabetes es difícil de controlar. El método de cinco gotas determina concentraciones de entre el 0 y el 2%.

Técnica

- Recoger la orina en un recipiente limpio. Colocar cinco (o dos) gotas de la orina en un tubo de ensayo limpio; añadir 10 gotas de agua.
- Poner un comprimido en el tubo de ensayo. Observar el cambio de color: si cambia rápidamente de naranja brillante a marrón o verde oscuro, indica que la concentración es superior al 2%. Si se quieren resultados más exactos, se debe utilizar el método de dos gotas.
- No debe agitarse el tubo durante la reacción ni en los 15 segundos posteriores.
- Después de 15 segundos, agítese el tubo y compárese el color con el de la escala de colores.
- Anotar los resultados. Consúltense las órdenes médicas respecto a la dosis de insulina a administrar.

Consideraciones de enfermería

- Los comprimidos de Clinitest son venenosos y pueden producir quemaduras. No deben tocarse con los dedos. Se guardarán en lugar oscuro y seguro.
- Estas tabletas reaccionan con cualquier tipo de azúcar que exista en la orina (no sólo con la glucosa). Los métodos Clinistix y Diastix son específicos para la glucosa, por lo que pueden utilizarse como segunda prueba en caso necesario.
- El Clinitest puede dar falsos resultados positivos si existen grandes cantidades de ácido ascórbico, ácido nalidíxico, cefalosporinas o probenecid. Si el paciente está tomando alguno de estos fármacos, debe realizarse la determinación con otro método.
- Para cada paciente debe utilizarse siempre el mismo método.
- En caso de que el análisis revele la existencia de más que indicios de glucosa, debe

realizarse una nueva prueba antes de administrar insulina.

DETERMINACIÓN DE LA GRAVEDAD ESPECÍFICA

Descripción

La gravedad específica de la orina corresponde a la relación que existe entre su peso y el peso de un volumen igual de agua. Su determinación permite conocer la capacidad del riñón para concentrar o diluir la orina. La hiperhidratación y la insuficiencia renal dan lugar a una gravedad específica baja; en cambio, una gravedad específica elevada indica poca ingesta de agua o excesiva pérdida de líquidos. Los valores normales para la orina oscilan entre 1.001 y 1.035.

Consideraciones de enfermería

- El equipo necesario para determinar la gravedad específica consiste en un cilindro (de unos 10 ml) donde se coloca la orina y un urinómetro.

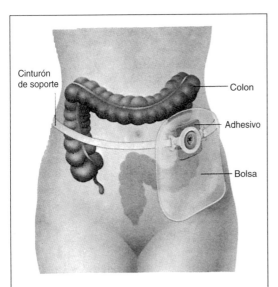

Ostomías. Disposición de una bolsa desechable de colostomía y los dispositivos de fijación. Existe una gran cantidad de productos de este tipo en el mercado, debiendo observarse las indicaciones médicas y las instrucciones de utilización en cada caso.

Cinturón de soporte

Colon

Adhesivo

Bolsa

- Para efectuar la determinación se utilizará orina reciente:
  1. Llenar el cilindro hasta tres cuartas partes de su capacidad.
  2. Introducir el urinómetro en el cilindro y hacerlo girar con suavidad.
  3. Cuando el urinómetro se detiene, se procede a su lectura (a la altura de los ojos) en el punto donde el menisco del líquido cruza la escala de medidas. La lectura corresponde a la medida de la gravedad específica.
- Registrar los resultados.

Ostomías, fístulas y heridas con drenaje

Descripción

Las ostomías, fístulas (vías anómalas de una cavidad normal a otra o a la piel) y las heridas con drenaje representan situaciones en las que un material procedente de órganos internos se drena directamente sobre la piel. El drenaje procedente del tracto gastrointestinal superior es especialmente irritante para la piel, dado su alto contenido enzimático. Las ostomías se realizan con el fin de mejorar esta situación, pudiendo ser temporales o permanentes.

El objetivo del tratamiento de las fístulas y heridas con drenaje es su cierre. Ambas entidades se consideran juntas, dado los puntos en común en lo relativo a sus cuidados de enfermería, basados en la protección de la piel alrededor de la abertura cutánea, la recolección del material de drenaje, la eliminación de malos olores y el apoyo emocional al paciente.

Material

El material debe seleccionarse entre la gran cantidad de productos de que se dispone, de acuerdo con las necesidades personales del paciente. Para mayor seguridad, véanse las indicaciones médicas y las instrucciones de utilización de cada producto. A continuación se exponen unas normas generales.

- Bolsas y dispositivos de fijación:
  1. Bolsas de postoperatorio, desechables, de una pieza, con engomado flexible y adhesivo. Este tipo de bolsa se utiliza en el hospital. Puede ser abierta o cerrada, o puede tener una válvula en el extremo inferior para facilitar su vaciado (en los estomas urinarios). Las colostomías de asa requieren inicialmente el uso de una bolsa extra especial para la fijación en el cilindro del soporte.
  2. Bolsa desechable de dos piezas. En este tipo, la sujeción tiene una pieza con barrera cutánea embebida en una sustancia que permite fijar en ella una bolsa del mismo tamaño de abertura.
  3. Bolsa desechable con pieza cutánea y abertura predeterminada. Se trata de una bolsa adecuada para los estomas circulares o casi circulares. Debe seleccionarse unos 5 mm más ancha de diámetro que la abertura del estoma, medida con la regla que se acompaña. Por ejemplo, un estoma que mida 3,7 cm requerirá una bolsa de abertura de 4,2 cm.
  4. Bolsa reutilizable. Puede ser de una pieza (placa cutánea rígida y bolsa) o de dos piezas, con la placa cutánea rígida y la bolsa por separado. Puede utilizarse en el domicilio del paciente después de que el estoma haya alcanzado su tamaño permanente. Esta bolsa puede durar varios meses si se cuida apropiadamente. Hay que tener en cuenta que se trata de un tipo de bolsa cara; por ello, si el paciente ingresa en el hospital es preferible utilizar las bolsas desechables del centro, dado que además ahorran tiempo al personal de enfermería, puesto que se tarda de unos 30 a 40 minutos en limpiar la bolsa reutilizable.
- Barreras de protección cutánea:
  1. Película de protección cutánea. Recubre y protege la piel. Se pone con un espray, un pincel o un cepillo.
  2. Karaya.
     - Polvo de karaya.
     - Pasta de karaya. Viene preparada, pero si se necesita en grandes cantidades puede prepararse mediante la adición de polvo de karaya sobre glicerina hasta alcanzar la consistencia adecuada.
     - Anillos de karaya. No son apropiados para las ostomías urinarias, dado que la orina los deshace.
  3. Preparaciones de gelatina/pectina/celulosa. Se dispone de varias preparaciones (polvo, pasta, etc.); puede utilizarse para las ostomías fecales y urinarias.
- Productos de fijación:
  1. Cemento cutáneo. La piel debe estar seca antes de aplicarlo. Se pone una capa delgada sobre la piel y sobre la superficie interna de la bolsa. El cemento debe estar «seco» antes de aplicar la bolsa sobre la piel. Puede comprobarse el grado de sequedad tocando ligeramente con el dedo la superficie del cemento: se considera que está «seco» cuando al tocarlo con el dedo se arrastra una porción.
  2. Deben lavarse escrupulosamente los disolventes que se utilizan para limpiar el cemento.
  3. Para soportar el peso de la bolsa pueden utilizarse cinturones especiales.
  4. Puede utilizarse esparadrapo hipoalérgico para fijar la placa cutánea a la piel.
  5. Pueden utilizarse discos adhesivos de doble cara en lugar de cemento. Suelen utilizarse en los apliques reutilizables y deben colocarse sobre una barrera cutánea.

Consideraciones de enfermería

- La enseñanza del cuidado del estoma debe iniciarse en el preoperatorio y continuarse, tan pronto como sea posible, después de la intervención. El objetivo consiste en que el paciente acepte el estoma como parte de su organismo y pueda sentirse independiente en su cuidado.
- En las heridas que presenten drenaje es necesaria la técnica estéril para su manipulación.
- En aquellas heridas que presenten gran cantidad de drenaje, la utilización de tiras de Montgomery facilita el cambio de los apósitos.

Pasos básicos para la aplicación de una bolsa postoperatoria desechable

1. Lávese bien la piel con agua; séquese suavemente, sin frotar.

2. Colóquese el protector de plástico del aplique de protección cutánea sobre el estoma y dibújese la forma del mismo con un rotulador. Recórtese este patrón, recordando que debe tener un diámetro 5 mm superior al del estoma.

3. Colóquese el patrón obtenido sobre el estoma. Encárese la cara adhesiva de la bolsa hacia la parte superior del patrón, de la misma forma que se pretende que quede fijada al paciente. Con la ayuda del patrón, dibújese la forma del estoma sobre la placa adhesiva de la bolsa. Recórtese el dibujo obtenido en la placa de la bolsa.

4. Retírese el papel de protección de la cara adhesiva de la bolsa y, guardando el papel como nuevo patrón, sosténgase la bolsa delante del estoma.

5. Colóquese el aplique de protección cutánea encarado hacia la cara adhesiva de la bolsa y adhiérase.

6. Aplíquese una ligera capa de protección cutánea sobre la piel periostomal seca y limpia.

7. Retírese el papel protector del aplique de protección cutánea y, con cuidado, fíjese la bolsa alrededor del estoma.

8. Fíjese con esparadrapo hipoalérgico la placa de fijación de la bolsa, para mayor seguridad.

9. Ciérrese el extremo de la bolsa con un clip o una goma, así como la válvula en las bolsas urinarias.

Prevención de fugas alrededor del aplique

1. Es importante que el aplique se ajuste perfectamente.

2. La placa adhesiva de la bolsa, al igual que los ajustes de protección cutánea, deben acoplarse suavemente sobre la piel. La piel debe estar suave y lisa, lo que se consigue haciendo que el paciente se tumbe sobre su espalda (los defectos cóncavos de la piel de alrededor del estoma pueden rellenarse con pasta de protección cutánea para conseguir una superficie plana donde fijar el estoma).

3. Antes de aplicar la placa adhesiva o el protector cutáneo, debe secarse la piel alrededor del estoma. Puede colocarse una gasa o un

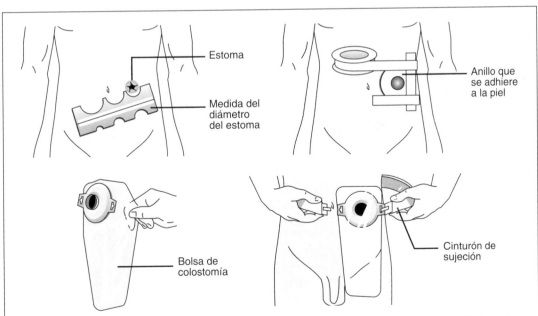

Estoma

Medida del diámetro del estoma

Anillo que se adhiere a la piel

Bolsa de colostomía

Cinturón de sujeción

El equipo de colostomía está compuesto, básicamente, por una bolsa para la recogida de heces (de la cual existen múltiples modelos), un aplique de protección cutánea (anillo o placa adhesiva) y un cinturón de sujeción para la bolsa. Antes de proceder a la aplicación del sistema debe medirse el estoma, verificando que el anillo de protección se adapte perfectamente e impida todo contacto del material evacuado con la piel. Recuérdese que el tamaño del estoma tiende a reducirse en las semanas posteriores a la intervención, por lo que debe repetirse la medición antes de cada cambio.

143

apósito encima del estoma para absorber el producto de drenaje.

4. Hágase recostar al paciente sobre su espalda al menos durante 30 minutos después de colocar la bolsa, con el fin de que la fijación adhesiva pueda asentarse.

5. Vacíese la bolsa con tanta frecuencia como sea necesario, para evitar un peso excesivo que pudiera disminuir la capacidad de fijación del adhesivo (enjuáguese la bolsa antes de cerrarla de nuevo). Cámbiese la bolsa con tanta frecuencia como sea necesario para evitar fugas (habitualmente, cada 3 a 5 días), ya que producen irritación cutánea. Los pacientes pueden reconocer por sí mismos la presencia de una fuga, dado que notan una sensación de quemazón o picor bajo el aplique, así como mal olor procedente del producto de la bolsa.

6. El gas acumulado en la bolsa debe eliminarse al vaciarla. Si se perfora la bolsa con una aguja, ya no tendrá la capacidad de retener olores y evitar fugas.

Prevención y tratamiento de la irritación cutánea

- Lávese la piel con agua, secándola escrupulosamente. Dependiendo del grado de irritación, pueden utilizarse uno o más de los siguientes métodos:

  1. En el momento de cambiar el aplique, puede tomarse una ducha o un baño y dejar la piel expuesta al aire.

  2. La presencia de exudado sobre la piel puede lavarse con una solución de hidróxido de aluminio. Elimínese la capa de líquido de la parte superior de la botella y utilícese la pasta líquida espesa del fondo. Déjese secar. Espolvoréese polvo de karaya por encima. Aplíquese una capa de espray de protección cutánea y séquese al aire.

  3. El polvo de karaya es un buen material para curar la piel, aunque el paciente debe saber que le producirá una sensación ardiente.

  4. Las zonas cutáneas con amplia excoriación pueden cubrirse con una delgada capa de pasta protectora cutánea utilizando un depresor lingual, en una capa única o en varias capas finas, para que seque más rápido. La cara adhesiva de la bolsa debe fijarse

con esparadrapo incluso encima de la pasta. Cualquier zona de la pasta que quede expuesta debe recubrirse con esparadrapo, de tal forma que no se enganche a la ropa ni a las sábanas.

Control de los malos olores

1. Las bolsas desechables deben lavarse bien después de vaciarlas. Para evitar malos olores, puede introducirse en la bolsa un desodorante comercial, una gota de aceite de menta o de aceite de clavo.

2. El gas puede liberarse abriendo la bolsa en el lavabo.

3. Si la bolsa cuenta con un botón para la eliminación de gas, no se debe practicar ningún orificio en la misma. Puede adaptarse un filtro con carbón activado a dicho orificio, lo que evita malos olores.

3. Utilícense ambientadores. Procúrese que el lavado de la colostomía se realice en momentos en que no moleste al resto de los pacientes de la habitación.

Irrigación de la colostomía

- Léanse con detenimiento las instrucciones del equipo de irrigación que se vaya a utilizar.

- Es preferible utilizar boquillas de irrigación romas, para evitar lesiones del intestino.

- Instrúyase al paciente para que pueda efectuar las irrigaciones necesarias por sí mismo.

OSTOMÍAS URINARIAS

Descripción

Corresponden a salidas creadas en la piel por el contenido urinario.

Consideraciones de enfermería

Hay que tener en cuenta los siguientes puntos:

- La orina disuelve los anillos de karaya. En su lugar, deben utilizarse protectores cutáneos de gelatina con pectina/celulosa. Si se irrita la piel, utilícese la técnica descrita anteriormente para combatir la irritación cutánea.

• Se recomienda utilizar bolsas desechables. A fin de evitar la formación de cristales y de olores desagradables, la bolsa debe lavarse cada noche con una solución correspondiente a un tercio de taza de vinagre blanco y dos tercios de agua templada, según la técnica siguiente:

1. Introdúzcase la solución de vinagre en la bolsa mediante una jeringa con un catéter en su extremo.
2. Hágase que el paciente se tienda sobre su espalda durante 20 minutos.
3. Conéctese la bolsa a un recolector nocturno.
4. Si el paciente tiene que seguir un control de entrada y salida de líquidos, recuérdese anotar la cantidad excretada.

• Las bolsas de urostomía deben conectarse a una bolsa de drenaje cada noche.

• Es normal la aparición de mucosidades en la orina de los pacientes con conductos ileales, pero debe prestarse atención a los signos de infección urinaria (mal olor de la orina o dolor de espalda a nivel de la región lumbar).

Oxigenoterapia

Descripción

El oxígeno es un componente del aire que respiramos, pero cuando se administra de forma artificial, debe ser manipulado y considerado como un fármaco y, por lo tanto, capaz de producir daños si su uso no es correcto. El oxígeno debe administrarse a una velocidad de flujo predeterminada, que debe regirse por el

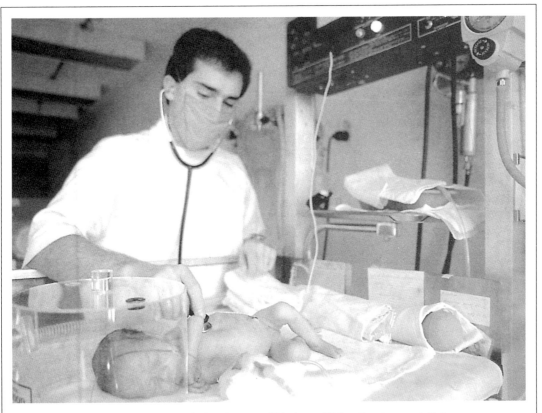

*La **oxigenoterapia** es un recurso terapéutico de suma utilidad en múltiples situaciones patológicas que cursan con hipoxemia. Sus indicaciones, por tanto, son muy diversas, así como los métodos de suministro de oxígeno y las pautas de administración requeridas en cada caso, que deben ajustarse a las necesidades individuales del paciente.*

estudio de la gasometría arterial. También debe humidificarse, para prevenir la sequedad del tracto respiratorio; esta humidificación artificial sustituye a la propia del aire normal que respiramos. El oxígeno es muy combustible, especialmente cuando se halla concentrado, por lo que debe evitarse manipular llamas o chispas eléctricas en el área en que se esté administrando. En el adulto, el oxígeno se administra con mascarilla o por sonda o gafas nasales. En los niños pueden utilizarse las tiendas de oxígeno. En el caso de las traqueostomías, se utilizan tubos especiales para la administración de oxígeno directamente en la tráquea.

Inicio y mantenimiento de la oxigenoterapia

Método isolette

- Se coloca al niño en el interior del isolette, en el que el flujo de oxígeno, la humedad y la temperatura deben estar estrictamente controlados.

La tienda de oxígeno es un sistema de oxigenoterapia empleado especialmente en pacientes pediátricos y requiere un frecuente control de la concentración de oxígeno, la temperatura y la humedad.

- El nivel de oxígeno puede fluctuar, por lo que se utiliza un dispositivo de plástico en el interior del isolette para administrar la cantidad precisa de oxígeno.
- En caso de que no se utilice este dispositivo, contrólese el nivel de oxígeno con frecuencia.

Método de la capucha de oxígeno

- Se introduce la cabeza del niño en el interior de la capucha; si es necesario, protéjase la piel del contacto de la misma. Evítese dirigir el flujo de oxígeno directamente sobre la cara del niño.
- Se administra un flujo constante de oxígeno, pudiéndose administrar una cantidad elevada de oxígeno de forma rápida. Debe conocerse el flujo prescrito y la forma de control.
- Debe controlarse el elevado grado de humedad que se forma en el interior de la capucha, para mantener la ropa seca.

Tienda de oxígeno

- El oxígeno se administra en una tienda de plástico. Se coloca al paciente en el interior y se fija la tienda alrededor de la cama para evitar que se pierda el oxígeno. Cuando se abre la tienda, se necesitan de 15 a 20 minutos para restablecer la concentración de oxígeno deseada.
- Debe conocerse la cantidad de oxígeno prescrita, el método de control y la temperatura en el interior de la tienda. La concentración de oxígeno debe analizarse con frecuencia, controlando la temperatura y la humedad para mantener al paciente confortable.

Gafas nasales

- Las gafas nasales (cánula nasal) constan de dos pequeños salientes que se introducen en las fosas nasales y dirigen el oxígeno directamente hacia su interior.
- El flujo de oxígeno debe ser bajo.
- Colóquense los salientes de la cánula en la nariz, pasando el tubo que provee oxígeno por encima de las orejas.
- Regúlese el caudalímetro y fíjese la cantidad de flujo prescrita.
- Con la utilización directa de oxígeno en la nariz es frecuente la aparición de dolor o irritación en los senos nasales, así como de cefalea.

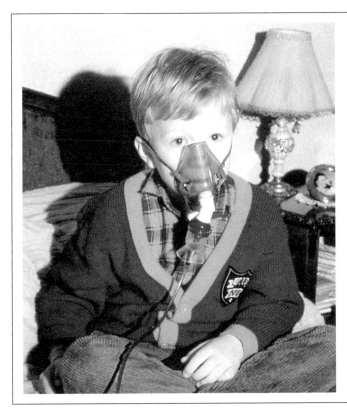

La mascarilla facial es un dispositivo de suministro de oxígeno del cual existen diversos tipos, cuya elección permite seleccionar el oportuno flujo continuo de oxígeno a la concentración requerida en cada caso. Siempre debe seleccionarse el modelo y tamaño de mascarilla que sea más útil para los requisitos de la oxigenoterapia y mejor se adapte a la cara del paciente, asegurando que el dispositivo quede bien encajado, para evitar fugas, y procurando que el elástico de sujeción lo mantenga firme pero sin provocar irritación en las mejillas o las orejas.

Sonda nasal

- Es una sonda que se inserta a través de una fosa nasal hasta la garganta, mientras que por el otro extremo se une a un tubo conectado a la fuente de oxígeno.
- Para calcular la longitud adecuada de la sonda, mídase desde la punta de la nariz hasta el lóbulo de la oreja.
- Insértese la sonda previamente lubricada en la nariz; el extremo debe sobresalir ligeramente del nivel de la úvula.
- Fíjese la sonda a la nariz. Altérnese cada 8 horas el agujero nasal por el cual se inserta.
- Iníciese la administración con flujo bajo.
- Contrólese la posible aparición de distensión abdominal por haber insertado erróneamente la sonda en la vía digestiva, problema que aparece cuando la sonda se introduce demasiado.

Mascarilla facial simple

- Esta mascarilla se conecta directamente al tubo de oxígeno.

- Se ajusta el oxígeno a flujo bajo.
- Explíquese al paciente que la mascarilla debe ajustarse perfectamente en la cara para lograr un funcionamiento adecuado. El aire exalado se elimina por unos agujeros a ambos lados de la mascarilla.
- Una vez que la mascarilla esté en su sitio, ajústese el flujo a la cantidad prescrita.

Mascarilla con reciclado parcial

- Este tipo consta de una bolsa de reserva entre la mascarilla y la fuente de oxígeno.
- Ajústese el oxígeno a flujo bajo.
- Llénese la bolsa de reserva con oxígeno, cerrando momentáneamente la abertura entre la bolsa y la mascarilla.
- Explíquese al paciente que la mascarilla debe fijarse bien a la cara para administrar la cantidad necesaria de oxígeno. Con cada inspiración, la bolsa debe deshincharse ligeramente.
- Ajústese el oxígeno a la cantidad prescrita después de comprobar que la mascarilla está en su sitio.

147

- El paciente reutiliza aproximadamente el 30% del aire respirado gracias a la bolsa de reserva. Aun así, este aire contiene una elevada cantidad de oxígeno.

Mascarilla sin reciclado

- Esta mascarilla se diferencia de la que dispone de reciclado parcial en que cuenta con dos válvulas unidireccionales que hacen que el oxígeno sólo llegue al paciente a través de la bolsa de reserva. Permite la administración de concentraciones de oxígeno más altas que el resto de sistemas.
- Ajústese el oxígeno a un flujo bajo.
- Rellénese la bolsa de reserva cerrando momentáneamente la válvula unidireccional entre la mascarilla y la bolsa.
- Explíquese al paciente que la bolsa debe estar bien ajustada.
- Las válvulas unidireccionales evitan que se respire nuevamente el aire exhalado. Compruébese que el tubo de administración de oxígeno no está obstruido. Ésta es la única forma efectiva en que el paciente puede recibir cualquier concentración de oxígeno, dado que el aire exterior no puede entrar debido al sistema de válvulas.
- Fíjese el oxígeno a la concentración prescrita.
- Elimínese el agua que se pueda acumular en la bolsa.

Mascarilla de Venturi

- Esta mascarilla funciona mediante el efecto Bernoulli, con lo que se mantiene una mezcla constante de aire y oxígeno en la mascarilla. No hace falta bolsa de reserva.
- Las mascarillas de Venturi se utilizan para la administración de un flujo exacto de oxígeno en pacientes extremadamente sensibles a los cambios en la concentración del mismo.
- Fíjese el flujo de oxígeno a la cantidad prescrita y señalada en la mascarilla.
- Explíquese al paciente que el aire ambiente se mezcla con el oxígeno para administrar la concentración adecuada del mismo.
- La mascarilla debe estar bien ajustada.
- Compruébese que las aberturas para la entrada de aire en la mascarilla no están obstruidas.

- No es necesaria una fuente externa de humidificación, dado que el oxígeno se mezcla con el aire ambiente y proporciona la humedad adecuada.

Tubo en T

- La base del tubo que forma la parte vertical de la T se fija a un tubo endotraqueal o de traqueostomía para la administración de oxígeno humidificado templado. Uno de los brazos de la T se conecta al nebulizador de oxígeno, y el otro, al aire ambiental.
- El nebulizador se usa para administrar la humedad necesaria para un paciente traqueostomizado. La rama de la T que conecta con el aire ambiental debe dar salida a una pequeña nube de aire, prueba de que el aire ambiental no diluye la concentración de oxígeno.
- Dado que se acumula agua en los tubos, éstos deben desconectarse periódicamente para vaciar el líquido.

Máscara de traqueostomía

- Es similar a la mascarilla facial simple, excepto que su forma está adaptada para la de una traqueostomía.
- Véanse más arriba los comentarios respecto al tubo en T.

Consideraciones de enfermería

- El oxígeno inspirado debe contener una contaminación bacteriana mínima. *Nunca* debe compartirse el equipo de administración de oxígeno con otros pacientes. Los humidificadores y los nebulizadores deben estar escrupulosamente limpios y llenos de agua esterilizada. Los nebulizadores tienen más tendencia a producir infecciones que los humidificadores.
- La oxigenoterapia continua, mediante mascarilla, nunca debe interrumpirse, excepto en intervalos muy cortos de tiempo, el suficiente como para lavar y secar la cara del paciente con el fin de evitar la necrosis del tejido facial.
- Cuando el paciente vaya a comer o beber, puede sustituirse la mascarilla por gafas nasales.
- En pacientes sometidos a oxigenoterapia continua, ésta puede administrarse mediante

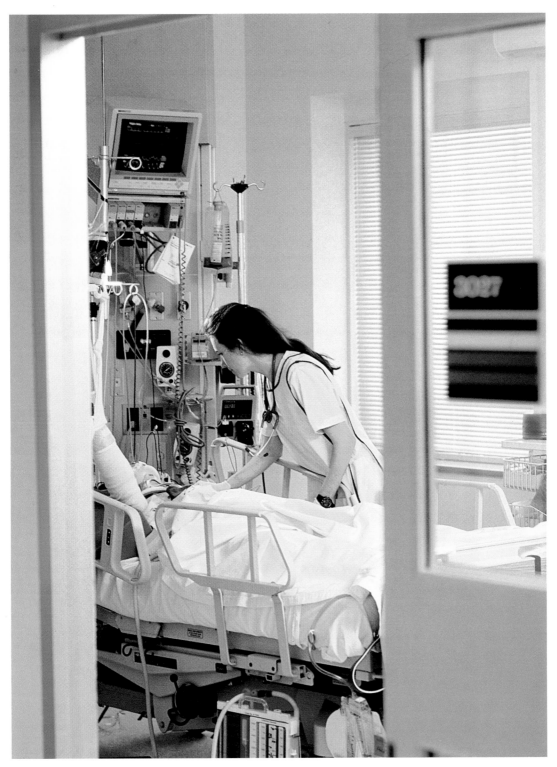

La monitorización cardiaca, o registro continuo de la actividad eléctrica del corazón, es una técnica de control habitual en los servicios de unidad coronaria y de cuidados intensivos, ya que permite el diagnóstico inmediato de los fallos súbitos de la función cardiaca.

La gammagrafía es una técnica de diagnóstico por imagen basada en utilización de isótopos radiactivos que, tras ser administrados por vía oral o mediante inyección, son captados por el tejido u órgano a estudiar y actúan como marcadores de sus características anatómicas o su funcionalidad. En la fotografía, la paciente mantiene situada la cabeza junto a la gammacámara, un escintilógrafo que detecta los rayos gamma emitidos por los radioisótopos y los convierte en estímulos lumínicos con los que se construyen las imágenes que pueden observarse en el monitor.

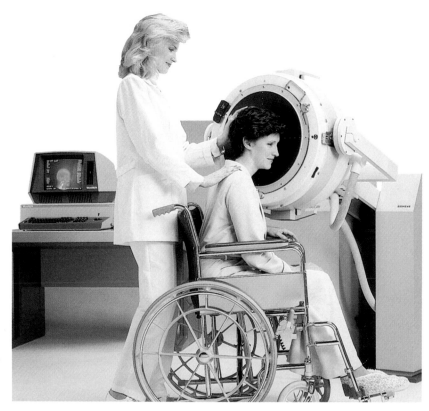

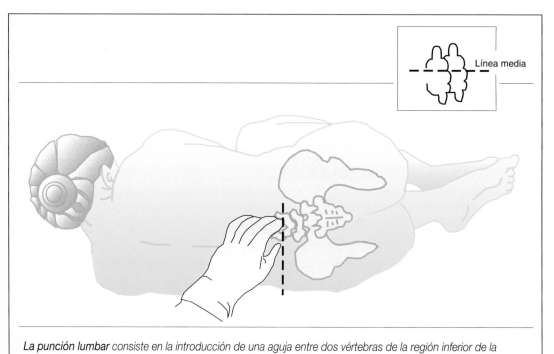

Línea media

La punción lumbar consiste en la introducción de una aguja entre dos vértebras de la región inferior de la columna hasta llegar al canal raquídeo y alcanzar el espacio subaracnoideo. En el dibujo se muestra la posición que debe adoptar el paciente durante la práctica y la zona donde se lleva a cabo la punción.

bombonas portátiles, de tal forma que se pueda deambular.

- *Nunca* hay que instalar un equipo de administración de oxígeno antes de poner en funcionamiento el oxígeno. Con esta medida se evitará que el paciente inhale una dosis excesiva de oxígeno inicial o la aspiración de agua a través del tubo.
- Si el paciente vomita y lleva una mascarilla, puede producirse aspiración.
- Los pacientes sometidos a oxigenoterapia no deben utilizar maquinillas de afeitar eléctricas.
- Los pacientes sometidos a oxigenoterapia deben estar sometidos a gasometría arterial diaria para controlar las dosis de oxígeno.

Potenciales evocados

Descripción

Esta técnica diagnóstica corresponde al registro de la actividad eléctrica generada en determinadas estructuras nerviosas tras la aplicación de estímulos sensoriales o sensitivos, midiendo el tiempo que tarda un estímulo externo hasta ser recibido por el sistema nervioso central. Para efectuar la prueba, se colocan en el cuero cabelludo unos electrodos conectados a un electroencefalógrafo, y a continuación se aplican los oportunos estímulos, con el debido registro gráfico.

La zona de aplicación de los electrodos depende del tipo de potenciales evocados:

- Los *potenciales evocados auditivos* se registran mediante electrodos situados en el vértex del cráneo, tras la estimulación sonora.
- Los *potenciales evocados visuales* se registran en la zona occipital, solicitando al paciente que fije la vista y observe imágenes en un monitor.
- Los *potenciales evocados táctiles* se provocan mediante una estimulación eléctrica cutánea y se registran en la región de la nuca y el cuero cabelludo.

Consideraciones de enfermería

- Infórmese al paciente sobre la técnica y su finalidad, explicando que la prueba es simple y totalmente inofensiva.

- Debe intentarse que el paciente se mantenga relajado durante el registro, puesto que un estado de nerviosismo puede llegar a distorsionar los resultados.
- No es preciso efectuar actuaciones de enfermería especiales ni antes del estudio ni después de su finalización.

Presión venosa central

Descripción

La presión venosa central (PVC) corresponde a la de la aurícula derecha del corazón (que recibe la sangre de retorno de todo el cuerpo). La presión viene determinada por el volumen de sangre, el estado de la bomba muscular cardiaca y el tono vascular. La PVC se utiliza para monitorizar la administración de líquidos en el sistema vascular.

Colocación y mantenimiento de una vía de PVC

- Se introduce un catéter EV a través de la vena basílica, subclavia o yugular interna, hacia la vena cava o hacia la aurícula derecha. Se realiza una radiografía de tórax para verificar la situación del catéter. Éste debe estar conectado a un equipo de administración EV que tenga un manómetro conectado mediante una llave de tres pasos. El sistema debe ser rellenado con líquido, habitualmente suero glucosado al 5%, antes de ser conectado al catéter de PVC.
- El manómetro se fija en posición vertical, con la marca de cero a nivel de la aurícula derecha. Este punto debe ser marcado con un rotulador indeleble en la línea media axilar del paciente para posteriores monitorizaciones.
- La llave de tres pasos en la base del manómetro permite que el líquido EV fluya hacia el paciente, haciendo posible de esta forma el mantener abierta una vía (20 a 30 ml/hora) de lectura. Con ello se mantiene la vía permeable (abierta).
- Para realizar una lectura, se coloca el paciente plano sobre la cama, aunque a veces tenga que realizarse con la cabecera de la cama

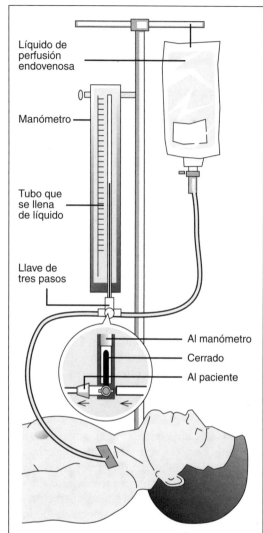

Líquido de
perfusión
endovenosa

Manómetro

Tubo que
se llena
de líquido

Llave de
tres pasos

Al manómetro

Cerrado

Al paciente

La presión venosa central corresponde a la presión
existente en la aurícula cardiaca derecha. Su
medición (esquema) requiere un cateterismo venoso
central y se realiza con un sistema de perfusión EV
conectado mediante una llave de tres pasos a un
manómetro, donde la columna de líquido refleja
la PVC.

que el catéter está acodado o que se ha formado un coágulo. Cuando se estabiliza el menisco, se realiza la lectura en el manómetro:
esta lectura indica la PVC.

- Se vuelve a colocar la llave de tres pasos en
situación de mantenimiento.
- La PVC oscila entre 5 y 12 cm de H_2O, en los
adultos, y entre 3 y 10 cm de H_2O en los niños. Los cambios con respecto a las determinaciones previas son más importantes que
una detección aislada anómala. Para conocer
los valores basales de un individuo, debe tomarse la PVC cada 15 minutos durante una
hora. A partir de entonces, se monitoriza conforme sea indicado por el médico.
- Un descenso importante de la PVC puede indicar hipovolemia. Un aumento importante
de la PVC puede indicar hipervolemia o insuficiencia ventricular derecha. Los cambios
de PVC indican el volumen sanguíneo, la necesidad de líquidos y el efecto de ciertos fármacos sobre la musculatura cardiaca.

Consideraciones de enfermería

- Un catéter de presión venosa central mal colocado, así como el uso de respiradores de
presión positiva intermitente, o bien un aco-
damiento del tubo, pueden dar lugar a lecturas falsas en la PVC. Mientras se determina la
PVC, debe desconectarse el respirador.
- Mientras se monitoriza la PVC deben llevarse
registros horarios de diuresis.
- Cuando se emplean catéteres EV siempre
existe riesgo de sepsis. Deben cambiarse la
vía EV y los apósitos, con técnica aséptica estricta, cada 48 horas.
- Consultar con el médico qué lecturas de PVC
deben serle comunicadas.

Punción lumbar

Descripción

La punción lumbar consiste en la introducción
de una aguja entre dos vértebras de la región
inferior de la columna hasta llegar al canal raquídeo y alcanzar el espacio subaracnoideo,
práctica que puede tener diversas finalidades

un poco elevada; en este caso las lecturas no
serán tan exactas como cuando el paciente
está totalmente plano.
- Se ajusta la llave de tres pasos de forma que
el líquido EV llene el manómetro hasta alcanzar un nivel de unos 20 ml. A continuación, se abre la vía que conecta con el paciente. El nivel de líquido fluctuará con las
respiraciones. La falta de fluctuación indicará

diagnósticas y/o terapéuticas. Puede llevarse a cabo para la obtención de una muestra de LCR con fines diagnósticos (examen del contenido, análisis bioquímico y bacteriológico, presencia de sangre, etc.); para la determinación de la presión de LCR (infecciones, hipertensión endocraneal); para la administración de anestésicos; para la administración de fármacos en el tratamiento de enfermedades; para la inyección de medios de contraste o gases destinados a efectuar estudios radiológicos (mielograma, neumoencefalograma), y también para la extracción de LCR acumulado en exceso.

La técnica de punción lumbar se encuadra bajo la responsabilidad del personal médico. La labor del personal de enfermería se centra en la preparación del material necesario, el control del paciente antes de la punción y durante la misma, la colaboración con el médico en el desarrollo de la técnica y los controles posteriores.

Técnica

- Se sitúa el paciente en la posición adecuada, optando por una de las dos siguientes formas:
  1. Acostado en decúbito lateral, con la espalda muy cerca del borde de la cama y en posición fetal: con la cabeza inclinada sobre el pecho y mirando al frente, la columna arqueada y las piernas juntas y flexionadas sobre el pecho, con el mentón lo más cerca posible de las rodillas.
  2. Sentado en el borde de la cama, con las piernas colgando, la espalda arqueada y el cuello flexionado, apoyando la cabeza en una almohada colocada sobre las piernas o bien sobre una mesa.
- A continuación, se practica una desinfección de la zona lumbar, incluyendo las crestas ilíacas, y se delimita la zona de punción con paños estériles.
- El médico practica la punción en la línea media de la región lumbar, entre las apófisis espinosas de las vértebras lumbares 3ª y 4ª o 4ª y 5ª , insertando la aguja hasta alcanzar el espacio subaracnoideo.
- Seguidamente, se lleva a cabo la técnica para la cual se ha realizado la punción, ya sea la obtención de muestras de LCR o la medición de su presión, o bien la inyección de fármacos, anestésicos o medios de contraste.
- Una vez cumplido el cometido de la punción, se retira la aguja y se presiona la zona con una gasa estéril durante 3-5 minutos.
- Finalmente, se cubre la zona con un apósito estéril autoadhesivo o fijado con cinta adhesiva.

Consideraciones de enfermería

- La punción lumbar debe practicarse siguiendo una estricta técnica aséptica.
- Explíquese la técnica al paciente, solicitando su colaboración y señalando la importancia de mantener una posición fija y evitar movimientos bruscos durante el curso de la punción, tanto porque podrían resultar peligrosos como porque podrían distorsionar los resultados. El procedimiento no es doloroso, pero el paciente puede notar una sensación molesta en el momento en que la aguja atraviesa la duramadre o cuando se administra anestésico. Infórmese sobre las incomodidades que podrá sentir, para que esté prevenido y evite todo movimiento brusco.
- Indíquese al paciente que vacíe la vejiga antes de la punción, porque posteriormente tendrá que mantenerse en reposo.
- Efectúese una evaluación completa del paciente antes del inicio de la técnica, para obtener datos de base que permitan el posterior control. Hay que determinar las constantes vitales, el nivel de conciencia y la existencia de signos neurológicos tales como cefalea.
- Deben controlarse las constantes vitales durante toda la práctica. Infórmese de inmediato al médico sobre cualquier modificación de la coloración cutánea, el pulso o la respiración, así como si el paciente refiere mareos o cefalea intensa durante la técnica.
- Si se practica una medición de la presión del LCR, hay que advertir al paciente que se mantenga relajado y respire con normalidad, indicándole que los resultados pueden alterarse si se mueve, tose, contrae los músculos o contiene la respiración.
- Debe procederse a la oportuna identificación de las muestras obtenidas y su envío al laboratorio, tomando las correspondientes precauciones cuando se sospecha que contienen gérmenes patógenos.

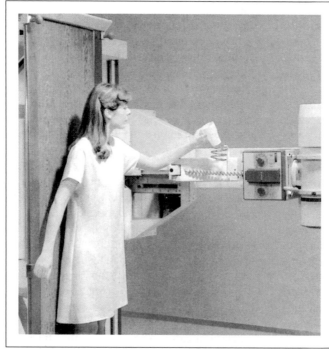

La exploración radiológica del tubo digestivo tras la ingestión oral de una sustancia radioopaca (papilla de bario) permite el estudio, tanto anatómico como funcional, del esófago, el estómago y el intestino. La preparación que se indique para la prueba depende del tipo de estudio que se vaya a realizar y debe ser respetada en todos sus puntos para obtener un resultado satisfactorio. En una exploración típica del tracto digestivo, el paciente se sitúa inicialmente sobre una mesa basculante en posición erecta, como se observa en la ilustración, para tomar las primeras placas, y a continuación se inclina la mesa a diferentes ángulos para lograr la mejor visibilidad de todas las regiones del tubo digestivo que se pretenden estudiar. La prueba puede durar varias horas, ya que en las seriadas se efectúan diversas placas de seguimiento, pudiéndose continuar el estudio hasta 24 horas después de la ingestión del bario.

- Una vez finalizada la punción, el paciente debe mantenerse en decúbito supino y en reposo absoluto durante 4-6 horas, siguiendo un reposo en cama las siguientes 24-48 horas. Si la punción se ha efectuado para realizar un estudio radiológico, el paciente debe mantenerse en posición semisentada, para evitar que el contraste provoque irritación meningocerebral.
- Contrólense con frecuencia las constantes vitales, el nivel de conciencia y la aparición de signos neurológicos durante las 24 horas siguientes a la punción. La valoración debe practicarse cada 15 minutos en las primeras 2 horas, y posteriormente cada 2 horas.
- Es posible que tras la punción el paciente presente una cefalea de localización frontal u occipital al ponerse de pie, pero la molestia desaparece si adopta la posición horizontal; en este caso, hay que informarle que se trata de una molestia normal. Si el paciente refiere una cefalea muy intensa mientras está tendido, hay que indicarle que se mantenga totalmente inmóvil y avisar al médico de inmediato.
- Contrólese con frecuencia el sitio de punción en busca de hemorragia o signos de escurrimiento de LCR. Debe cambiarse el apósito si se observa que está húmedo. Comuníquese al médico si se observa salida de sangre o LCR por el sitio de punción.

Radiología, preparación para

Consideraciones de enfermería

- Los estudios con bario deben realizarse, a ser posible, después de otras exploraciones radiológicas o ecográficas, dado que el bario tiende a permanecer durante un cierto tiempo en el tracto digestivo, con lo que puede alterar el resultado de otros estudios.
- Si la preparación del colon no ha sido del todo eficaz, debe comunicarse al servicio de rayos X, así como al médico, antes de enviar el paciente.
- Después de un estudio radiológico con bario se requiere una orden para administrar un laxante o enema.
- Las radiografías seriadas del tracto digestivo pueden durar varias horas. Compruébese que el paciente está preparado para ello, con la ropa de abrigo adecuada, así como que cuenta con material de lectura u otra distracción para pasar el rato.

Tabla 4   Preparación para estudios radiológicos

Exploración	Preparación
Colecistografía oral	1. 6.00 p.m.: cena sin contenido de grasas 2. 10.00 p.m.: administrar seis tabletas de contraste 3. Ayuno absoluto desde medianoche 4. Exploración radiológica por la mañana
Radiografía seriada gastroduodenal	1. Ayuno absoluto desde medianoche 2. Exploración radiológica por la mañana
Enema de bario	1. Dieta líquida el día anterior a la exploración 2. Enemas o laxantes la noche anterior a la exploración 3. Ayuno absoluto desde medianoche 4. Exploración radiológica por la mañana
Radiografía seriada gastroduodenal completa	1. Enema de bario el primer día, ver más arriba 2. *Segundo día*: radiografía gastroduodenal, ver más arriba
Pielografía endovenosa	1. Laxante la tarde anterior 2. Libre ingesta de líquidos 3. Nada sólido desde medianoche 4. Exploración radiológica a la mañana siguiente
* Colangiografía endovenosa	1. Ayuno absoluto desde medianoche 2. Exploración radiológica por la mañana
Radiología vías urinarias (con contraste) (debe realizarse antes de la pielografía endovenosa)	1. No es necesaria preparación 2. Cuando *avisen desde radiología*

* En este tipo de radiología se utilizan contrastes. Debe interrogarse al paciente sobre si es alérgico al contraste o si ha presentado alguna vez alguna reacción durante alguna exploración radiológica.

Reanimación cardiopulmonar (RCP)

TÉCNICA EN ADULTOS

1. Se debe colocar el paciente inconsciente sobre su espalda en una superficie *dura*. Si no se observan movimientos respiratorios, ábranse las vías aéreas mediante la hiperextensión del cuello o la tracción de la mandíbula (véase figura, A y B). En los pacientes con traumatismo de la columna vertebral o sometidos a tracción no debe practicarse la extensión del cuello.

2. Si el paciente no respira, se procederá a la respiración artificial mediante cuatro insuflaciones seguidas, boca a boca, tapando la nariz (véase figura siguiente, C). Si el paciente está traqueostomizado, la respiración artificial se realizará directamente a través del estoma; en esos casos no es necesario realizar las maniobras de apertura de las vías aéreas. Debe comprobarse que el tórax se hincha y deshincha con las insuflaciones. No debe continuarse la RCP a menos que se restablezca la permeabilidad de las vías aéreas.

3. Si las vías aéreas *están* obstruidas, gírese al paciente hacia el lado en que nos hallamos y

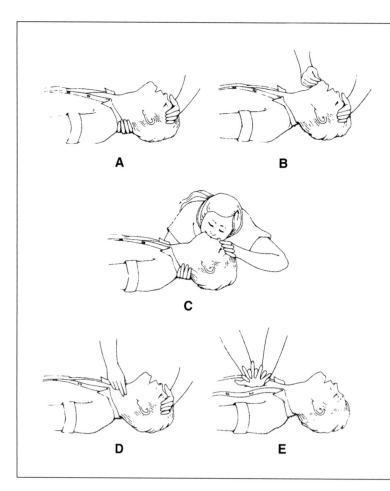

La reanimación cardiopulmonar básica comprende una serie de técnicas útiles en el tratamiento de urgencia del paro cardiorrespiratorio. A) Hiperextensión del cuello para propiciar la apertura de las vías aéreas: con una mano se sostiene el cuello y con la otra se presiona la frente hacia atrás. B) Tracción de la mandíbula, para facilitar la apertura de las vías aéreas. C) Si se constata que no existe respiración espontánea, se procede a la respiración artificial mediante el método boca a boca, tapando la nariz de la víctima. D) La palpación del pulso carotídeo sirve para detectar si existe paro cardiaco. E) En caso de paro cardiaco, se procede al masaje cardiaco externo mediante la aplicación de compresiones torácicas.

dénsele cuatro golpes en la espalda, en el espacio interescapular, con la parte posterior de la mano. Si aun así persiste la obstrucción, se le pondrá sobre su espalda y se le aplicarán cuatro compresiones abdominales o torácicas. Las manos de la persona que realiza la reanimación deben colocarse entre la cintura y el reborde costal, aplicando las compresiones en dirección hacia dentro y arriba. La posición de las manos para la compresión torácica es la misma que para la compresión abdominal. En el adulto, debe introducirse el dedo índice en la boca del paciente con el fin de extraer cualquier objeto que se halle en su interior, teniendo cuidado de no introducir dicho objeto aún más.

4. Tras abrir las vías aéreas, reposicionar la cabeza y administrar cuatro insuflaciones rápidas.

5. Compruébese el pulso carotídeo (véase figura, D).

6. Si no se palpan pulsos carotídeos, comiéncese la compresión torácica a unos 5 cm por encima del apéndice xifoides. El esternón debe hundirse de 2,5 a 5 cm (véase figura, E). Cuando realiza la reanimación sólo una persona, se efectúan 80 compresiones por minuto, a un ritmo de 15 compresiones seguidas y dos insuflaciones rápidas de forma cíclica. Si hay dos personas realizando la reanimación, se practican cinco compresiones y una insuflación de forma cíclica. La frecuencia de las compresiones debe ser de 60/min. La reanimación debe mantenerse hasta que se pueda disponer de más medios o hasta que el médico declare la muerte del paciente.

TÉCNICA EN NIÑOS DE 1 A 8 AÑOS

1. Síganse los pasos 1 y 2, igual que en el adulto. En el niño puede ser más fácil insuflar

aire simultáneamente a través de la boca y la nariz.

2. Si la vía aérea se halla obstruida, la persona que realiza la reanimación debe colocar el niño sobre sus muslos con la cara hacia abajo y la cabeza a nivel inferior que el tronco. Se dan cuatro golpes con la parte posterior de la mano en el espacio interescapular. Si la obstrucción persiste, colóquese el niño nuevamente sobre su espalda con la cabeza más baja que el tronco y efectúense cuatro compresiones en el tórax a nivel del área medioesternal. Pruébese nuevamente la ventilación. Si ha sido inútil, repítase la secuencia anterior hasta que la vía aérea sea permeable. En los niños no se recomienda aplicar compresiones abdominales, dada la elevada posibilidad de lesionar estructuras internas abdominales.

3. Compruébese el pulso carotídeo.

4. Si no existe pulso carotídeo, efectúense compresiones torácicas a nivel de la zona *medioesternal*. Los niños necesitan que las compresiones hundan el esternón de 2,5 a 3 cm mediante la compresión de *una sola mano*. Se aplica una insuflación cada cinco compre-

siones. Las compresiones han de aplicarse con una frecuencia de 80/min.

Técnica en niños menores de 1 año

1. La espalda debe hallarse sobre una superficie *dura* (*p.e.*, sobre una mesa).

2. No debe hiperextenderse el cuello del niño, dada la elevada probabilidad de lesiones. Manténgase la cabeza algo extendida con la ayuda de una mano.

3. Si el niño no respira, la persona que realiza la reanimación cubre con su boca la nariz y boca del paciente y se aplican cuatro insuflaciones rápidas. Debe vigilarse que la pared torácica ascienda y descienda con las insuflaciones, lo que indica que las vías aéreas son permeables.

4. Si las vías aéreas *están* obstruidas, sosténgase al niño sobre un brazo, manteniendo fijos la cabeza y el cuello. La cabeza debe hallarse a nivel inferior que el tronco. Practíquense cuatro golpes en la zona interescapular con la parte posterior de la mano. Si la obstrucción persiste, colóquese nuevamente el niño en la posición inicial, con la cabeza más baja que el tronco. Con el extremo de los dedos índice y medio, aplíquense cuatro compresiones en la zona *medioesternal*. Inténtese ventilar nuevamente. Si la obstrucción persiste, repítase toda la secuencia anterior. En los niños tan pequeños no debe aplicarse compresión abdominal.

5. Compruébese el pulso *braquial*.

6. Si no hay pulso, se inician las compresiones torácicas en la zona *medioesternal*. Debe hundirse el esternón de 1 a 2,5 cm con la punta de los dedos índice y medio. Se aplica una insuflación cada cinco compresiones torácicas. La frecuencia adecuada de compresiones es de 100/min.

Resonancia magnética nuclear (RMN)

Descripción

La resonancia magnética nuclear es una técnica diagnóstica que permite obtener imáge-

Técnica para desobstrucción de las vías aéreas en lactantes: sosténgase al niño sobre un brazo, manteniendo fijos la cabeza y el cuello, y efectúese una serie de golpes en la zona interescapular con el talón de la mano.

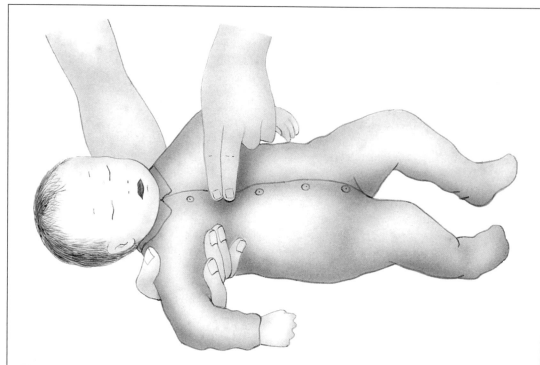

Masaje cardiaco en lactantes. En niños menores de un año que presentan un paro cardiorrespiratorio, las compresiones torácicas deben efectuarse con la punta de los dedos índice y medio sobre la zona media del esternón, aplicando la fuerza necesaria para deprimir el tórax de 1 a 2,5 cm. El masaje cardiaco debe efectuarse con una frecuencia de 100 compresiones por minuto, intercalando una insuflación cada cinco compresiones torácicas. Para comprobar la actividad cardiaca, conviene palpar el pulso braquial o bien el pulso femoral, puesto que el pulso carotídeo resulta difícil de detectar en lactantes.

nes de alta definición de los órganos del cuerpo mediante la medición y registro de las ondas emitidas por determinadas moléculas de los tejidos al ser sometidas a la acción de un campo magnético. Para efectuar la prueba, la zona a estudiar se sitúa en el interior de un gran electroimán en forma de túnel, que genera un intenso campo electromagnético y orienta los núcleos de hidrógeno de los tejidos en una misma dirección. En este estado, se incorpora una pulsación de radiofrecuencia de breve duración que hace vibrar y desplaza las moléculas de hidrógeno, las cuales, a su vez, al volver a su posición original, generan señales de radiofrecuencia que son captadas, amplificadas e interpretadas por un ordenador capaz de elaborar una imagen de la zona estudiada. Dada la diferente densidad de los átomos de hidrógeno en los distintos tejidos, las imágenes elaboradas a partir de las diversas áreas ofrecen una tonalidad característica, y ello permite representar gráficamente y con todo detalle las estructuras anatómicas.

- Durante el estudio, que suele tener una duración aproximada de media hora, el paciente debe permanecer dentro del túnel de exploración formado por el gran electroimán. En ocasiones se recurre a la administración de sedantes o incluso se aplica anestesia general para garantizar la inmovilidad del sujeto sometido al estudio durante el curso de la exploración (especialmente en niños y pacientes agitados), así como para prevenir crisis de claustrofobia.
- La RMN ofrece imágenes semejantes a las del TAC, pero más nítidas y con un mayor contraste entre los tejidos normales y los que presentan alguna anomalía, hasta el punto de permitir la detección de alteraciones tan pequeñas que pueden pasar inadvertidas en la tomografía computada. Este estudio, inicial-

mente aplicado al diagnóstico de patología del sistema nervioso, hoy en día también se emplea en el examen del corazón y los grandes vasos, las articulaciones, los órganos abdominales y otras estructuras, con una progresiva ampliación de sus indicaciones.

Consideraciones de enfermería

- Explíquese al paciente los fundamentos de la técnica, su finalidad y duración aproximada, solicitando que permanezca lo más inmóvil posible mientras se efectúa el registro e indicándole que la exactitud de los resultados depende de su colaboración.
- Debe comprobarse que el paciente no lleva objetos metálicos (reloj, joyas, adornos) que puedan distorsionar el registro, así como averiguarse si es portador de marcapasos cardiacos u otros dispositivos electrónicos capaces de generar interferencias, comunicándolo al médico responsable, en caso afirmativo.
- Hay que evaluar el estado de nerviosismo del paciente e indagar si existen antecedentes de claustrofobia antes de iniciar la prueba; si no se tiene la certeza de que permanecerá totalmente inmóvil durante el estudio, y siempre en el caso de los niños, solicitar al médico las oportunas instrucciones con respecto a la administración de sedantes o la conveniencia de practicar anestesia general.
- Enseñar al paciente la existencia de dispositivos de llamada en el interior del túnel de exploración, a fin de que pueda avisar al personal si tiene necesidad de salir.
- No es preciso efectuar otras actuaciones de enfermería especiales antes del estudio ni tampoco después de su finalización, excepto en aquellos casos en que se haya aplicado anestesia general.

Sangre, obtención de muestras

Descripción

El análisis de sangre es uno de los procedimientos diagnósticos más habituales en la práctica sanitaria para la valoración biomédica del estado del paciente, ya que brinda in-

formación sobre la concentración y características de los constituyentes normales y sobre la presencia de los que se encuentran en el curso de diversas alteraciones orgánicas. En los diferentes tipos de análisis, pueden determinarse múltiples parámetros hematológicos, bioquímicos o microbiológicos, ya sean rutinarios o bien solicitados de manera específica. La obtención de las muestras constituye el primer paso, y los resultados definitivos dependen de su correcta ejecución en cuanto a la técnica y los requisitos previos, así como de su adecuada conservación y transporte al laboratorio.

Tipos de muestras sanguíneas

- La mayor parte de los análisis se realizan a partir de una muestra de sangre venosa, obtenida mediante punción de los vasos superficiales del antebrazo (venas cubital, cefálica, mediana basílica), aunque la muestra también puede obtenerse de venas de la muñeca, del dorso de la mano o del pie y, en última instancia, de cualquier vena superficial del cuerpo.
- En algunos casos puede utilizarse una muestra de sangre capilar, obtenida mediante punción con lanceta en el dedo o en el lóbulo de la oreja (p.e.: determinación de glucosa, hemoglobina o tipo sanguíneo).
- En ocasiones se requiere una muestra de sangre arterial, obtenida mediante punción de las arterias radial, humeral o femoral (p.e.: gasometría).

Consideraciones de enfermería

- Debe explicarse al paciente con claridad la técnica que se va a realizar y la razón para efectuarla, siempre teniendo en cuenta su estado emocional, dado que puede encontrarse ansioso o atemorizado ante la extracción.
- Conviene aclarar al paciente que aunque la cantidad de sangre extraída parezca excesiva, en realidad se trata de un volumen muy reducido y que su extracción no comportará problemas orgánicos de ningún tipo. Cuando se trate de una punción arterial, debe informarse al paciente que puede sentir alguna molestia dolorosa, aunque momentánea.

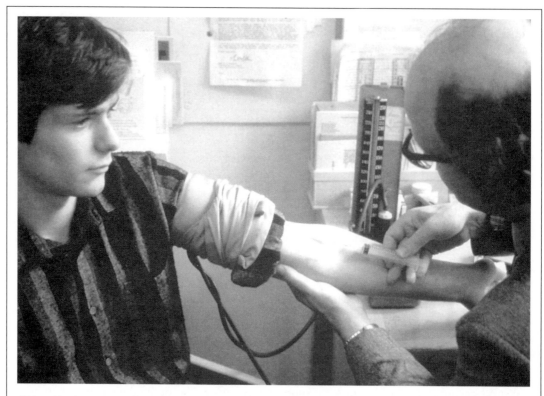

Obtención de muestras de sangre. La mayor parte de los análisis de sangre se practican con una muestra obtenida por punción de las venas superficiales del antebrazo. Se aplica un torniquete por encima del punto de extracción. Se desinfecta la zona y se procede a la punción manteniendo la aguja con el bisel hacia arriba y en un ángulo de 30 a 45°. Se avanza hasta que la aguja alcance la luz de la vena, comprobando que la sangre penetra en la jeringa, y se aspira la cantidad necesaria.

- Conviene efectuar la extracción de sangre con el paciente en decúbito, puesto que si es muy aprensivo puede sufrir un desvanecimiento ante la vista de sangre; si está sentado, deben adoptarse las precauciones oportunas para evitar caídas.
- Los requisitos de obtención de la muestra dependen del análisis a efectuar, debiéndose respetar las indicaciones del laboratorio. Para los estudios más habituales, el paciente debe estar en ayunas, por lo que conviene respetar esta norma excepto cuando se indique lo contrario.
- Si el paciente está ingresado en el medio hospitalario, conviene comunicarle que se hará la práctica el día previo a la misma e indicarle la hora en que se efectuará la extracción, advirtiendo si se llevará a cabo muy temprano y la necesidad o no de mantenerse en condiciones de ayunas.
- Previamente a la extracción de sangre, deben investigarse antecedentes de problemas de coagulación o de administración de tratamiento anticoagulante, a fin de adoptar las precauciones adecuadas para prevenir hemorragias.
- Todo el material utilizado para la extracción de sangre debe ser estéril; si en el curso de la maniobra la aguja se contamina accidentalmente, debe sustituirse por otra estéril.
- Cuando el paciente está recibiendo una perfusión endovenosa, no conviene emplear la vía establecida para obtener la muestra; la sangre debe extraerse del brazo que está libre, evitando así la contaminación o la dilución de la muestra.
- Una vez obtenida, la muestra debe remitirse al laboratorio lo más rápidamente posible, correctamente identificada y con todas las puntualizaciones correspondientes en la solicitud.

• Después de la extracción, deben adoptarse las debidas precauciones en la manipulación de la aguja para evitar riesgos de exposición accidental: la aguja no debe taparse con el protector, ni se tiene que tocar con las manos, doblar o romper, y tampoco hay que separarla de la jeringa cuando no sea indispensable. Las agujas y jeringas deben desecharse en contenedores especiales, situados oportunamente para su fácil utilización.

• Si se lleva a cabo una extracción de sangre arterial, debe tenerse presente que cualquier defecto en la forma o tiempo de compresión del sitio de punción comporta riesgo de hemorragia. Debe mantenerse una compresión de la zona como mínimo durante 5 minutos, y si el enfermo presenta un trastorno de la coagulación o recibe tratamiento anticoagulante, el período debe ser más prolongado.

Sangre oculta en heces

Descripción

La sangre no siempre es visible en las heces, ya que puede encontrarse como sangre oculta. La detección de sangre oculta en heces puede realizarse en la misma unidad mediante determinados reactivos. Léanse las instrucciones del fabricante.

Consideraciones de enfermería

• Para la determinación de sangre oculta en heces, el paciente debe estar sometido a dieta durante dos días. En ese período no debe tomar carne, ni otros alimentos específicos, ni ácido acetilsalicílico, ni tampoco más de 250 mg de vitamina C al día.

Sondaje digestivo

Descripción

El sondaje del estómago o intestino se realiza por los siguientes motivos:

• Para vaciar o descomprimir, extrayendo el gas o el contenido intestinal o del estómago por medio de succión (especialmente en casos de obstrucción intestinal).

• Para diagnosticar ciertas enfermedades mediante el análisis del material aspirado.

• Para lavar el estómago después de la ingestión de sustancias tóxicas o para obtener una contracción de los vasos sanguíneos del estómago en caso de hemorragia gastrointestinal.

• Para la instilación de alimentación enteral si el paciente no puede tomar alimentos por la boca.

La sonda suele insertarse por la nariz, especialmente cuando el paciente sea un individuo adulto, pero en ocasiones puede introducirse por la boca, vía por la que habitualmente se introduce en los niños.

Las sondas suelen conocerse como *nasogástricas* (las que llegan al estómago) y *nasointestinales* o *nasoentéricas* (las que van de la nariz al intestino). El denominado tubo de *gastrostomía* se inserta directamente en el es-

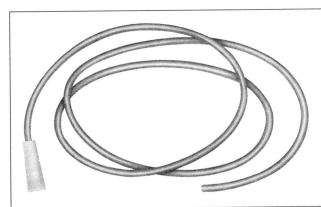

Sonda de Levin, empleada para el sondaje nasogástrico. Consiste en un tubo de luz única, de caucho o de plástico, desechable, del cual existen diferentes diámetros. Cuando la sonda es de goma, conviene enfriarla antes de su inserción a fin de que esté más rígida y resulte más fácil orientarla durante el sondaje, para lo cual puede colocarse en hielo durante unos 15 minutos o mantenerse algunas horas en el refrigerador. Cuando la sonda es de plástico, no es preciso llevar a cabo ningún tipo de preparación previa.

159

tómago mediante una abertura realizada en la pared abdominal, mientras que un tubo de *enterostomía* es el que se inserta directamente en el intestino, y el tubo de *esofagostomía* es el que se inserta en el esófago.

Material

- Los tubos de menor longitud son los que habitualmente se introducen hasta el estómago; por lo general miden de 105 a 127 cm de largo.
  1. *Sonda de Levin*. Es un tubo de luz única del cual existen diferentes diámetros. En los adultos suelen utilizarse sondas de 16 French (Fr, unidades francesas), mientras que en los niños se emplean sondas de 6 a 12 Fr, y en los neonatos, de 5 Fr. Cuando se requiere aspiración, la misma debe efectuarse a baja presión e intermitente. Las sondas de Levin de goma suelen ser enfriadas, para que se endurezcan, antes de ser insertadas, pero las de plástico no necesitan este tratamiento.
  2. *Sonda gástrica de Salem*. Es una sonda con doble luz (un tubo dentro de otro) y con dos aberturas, una para succión y otra para permitir el flujo de aire. En estas sondas se prefiere una succión continua a baja presión (30 mm Hg); en caso de no ser posible esta aspiración continua, se realiza una intermitente, pero a alto vacío. El tubo de ventilación debe producir un sonido como de silbido; si no se oye dicho silbido, o si se produce la salida de líquido por este tubo, debe reposicionarse el paciente para volver a colocarlo. Seguidamente (si el médico lo ha indicado) se irriga el tubo con 10 ml de suero fisiológico, y a continuación con 10 o 20 cc de aire. La luz del tubo de ventilación debe colocarse por encima de la línea media del paciente, y el recipiente de recolección por debajo de dicha línea.
  3. En la actualidad se dispone de sondas más elásticas, blandas y pequeñas para la alimentación nasogástrica. La colocación de estas sondas suele comprobarse mediante rayos X. Existen varias marcas, con distintos tamaños y diferente composición.
- Los tubos de mayor longitud (180 a 300 cm de longitud) se utilizan para la descompresión del intestino.
  1. *Sonda de Miller-Abbott*. Es una sonda de doble luz; en la punta tiene un balón que se hincha con aire y, parcialmente, con mercurio, para facilitar el paso del tubo a través del píloro hacia el intestino delgado. Debe marcarse el tubo de succión para poderlo identificar.
  2. *Sonda de Cantor*. Es un tubo de luz única con una pequeña bolsa de goma en el sistema distal que se llena con mercurio antes de ser insertado.
- *Sonda de gastrostomía*. En el estómago puede insertarse inicialmente una sonda de goma de gran tamaño (20 a 22 Fr). Después de que la herida se haya cerrado, el tubo puede ser extraído y reintroducido a voluntad.
- *Sonda de Sengstaken-Blakemore*. Esta sonda se utiliza para la compresión de varices esofágicas sangrantes. Consta de dos balones hinchables y tres luces (una para irrigación y aspiración del contenido gástrico; otra para llenar el balón de neumotaponamiento gástrico que sirve para fijación; y la tercera para llenar el balón de neumotaponamiento esofágico destinado a la compresión de las varices sangrantes).
- *Succión*. La succión se utiliza para descompresión, y también en los pacientes inconscientes o en aquellos que presentan peligro de aspiración del material regurgitado.
  1. Succión de pared: es un dispositivo que se fija a la pared en la cabecera del enfermo.
  2. Aspiradores portátiles: se utilizan para la aspiración intermitente a «alto» y «bajo» vacío.
- En algunos sistemas de alimentación enteral se necesitan bombas de administración volumétrica.
- Para la alimentación enteral se requiere:
  1. Para alimentación continua: equipo de administración (especial o improvisado) con una vía EV.
  2. Para alimentación intermitente: jeringa de 50 ml y recipiente con agua.
  3. Fórmula con los elementos nutritivos y electrólitos apropiados para las necesidades del paciente.

Consideraciones de enfermería

- Debe marcarse el nivel de líquido de drenaje en el recipiente al inicio de cada aspiración.

• En la aspiración gástrica pueden producirse graves trastornos electrolíticos si no se administran correctamente líquidos por vía endovenosa para su reemplazo. Cerciórese de que se mantiene la perfusión EV a la velocidad indicada.

SONDAJE NASOGÁSTRICO

Técnica

Introducción de la sonda

• Colóquese el paciente en posición de Fowler alta, a menos que exista alguna contraindicación, y manténgase en esta posición hasta una hora después de la ingesta, para evitar la regurgitación y la aspiración del contenido del estómago.
• En los adultos, mídase la distancia entre el puente de la nariz y el lóbulo de la oreja, más la distancia desde el lóbulo de la oreja al extremo del apéndice xifoides, y márquese en la sonda; esta medida corresponde aproximadamente a la longitud de sonda que deberá introducirse para alcanzar el estómago. En los niños, mídase la distancia desde el lóbulo de la oreja hasta el punto intermedio entre el apéndice xifoides y el ombligo.
• Debe elegirse la fosa nasal que presente mayor permeabilidad al paso de aire, a menos que se esté procediendo al cambio de fosa nasal de la sonda (en este caso se utiliza la contralateral). Cuando la sonda se introduzca a través de la boca (última elección), deberá comprobarse si el paciente es portador de dentadura postiza, y en este caso se quitará la prótesis dental.
• Cúrvese el extremo de la sonda, enroscándola alrededor de un dedo. La sonda debe lubricarse con agua estéril o gel lubricante. Insértese la sonda con la cabeza del paciente echada hacia atrás, intentando apuntar con la sonda hacia abajo y hacia la oreja. Una vez

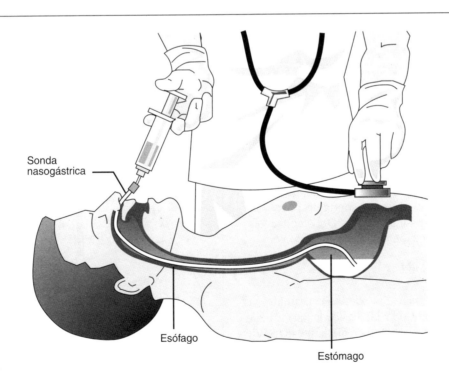

Sonda nasogástrica

Esófago

Estómago

Sondaje nasogástrico. Para comprobar que el extremo distal de la sonda se halla situado correctamente en el estómago, se conecta una jeringa y se inyectan 10 ml de aire mientras se ausculta con el estetoscopio a la altura del epigastrio: si la sonda está bien situada, se percibirá un típico ruido de «burbujeo» correspondiente a la entrada de aire en el estómago.

que la sonda haya pasado la parte posterior de la nasofaringe (en la que puede encontrar una ligera resistencia), hágase una pausa. Indíquese al paciente que eche la cabeza hacia delante, rótese la sonda unos 180° y procédase a su avance, introduciéndola en dirección al esófago, mientras el paciente traga pequeños sorbos de agua o sorbe aire a través de una cañita.

- Con la ayuda de una linterna, obsérvese la parte posterior de la garganta para ver si la sonda avanza correctamente. La aparición de molestias o resistencia durante la inserción puede indicar que la sonda se ha enrollado en la parte posterior de la faringe.
- Si el paciente no puede hablar, presenta tos o cianosis durante la inserción de la sonda, es probable que ésta haya pasado a la tráquea. Retírese.

Comprobación de la situación de la sonda en el estómago

- Tras la colocación, inmediatamente debe comprobarse si la sonda está en posición; lo mismo debe hacerse siempre antes de administrar alimentación por la sonda o, como mínimo cada 4 horas, cuando el paciente se halle sometido a alimentación continua.
  1. Se inyectan 10 cc de aire mientras se ausculta el abdomen a la altura del estómago. Si la colocación de la sonda es correcta, se oirá un ruido de «burbujeo» en dicha zona.
  2. Aspírese el contenido del estómago. Si no se aspira nada y no hay otros signos que sugieran que la sonda está en el tracto respiratorio, aváncese la sonda un poco e inténtese aspirar de nuevo. Debe conseguirse la extracción de algo de líquido.

Fijación de la sonda

- Nunca debe fijarse la sonda en la frente, ya que la presión sobre las alas de la nariz puede dar lugar a necrosis tisular. Mediante el uso de esparadrapo hipoalérgico, fíjese la sonda como se muestra en la figura. Sujétese su extremo (si está libre) al pijama o camisa de dormir del paciente con una goma elástica y un imperdible.
- Las sondas de gran longitud utilizadas para descompresión intestinal nunca deben fijarse cuando se están introduciendo.

- En los niños, las sondas raramente se dejan colocadas, sino que se reinsertan a través de la boca cada vez que se requiere una toma de alimentación.

Extracción de la sonda

- Debe pinzarse la sonda para evitar la aspiración del líquido drenado.
- La sonda nasogástrica se extrae de forma continua, con un movimiento moderadamente rápido, mientras el paciente expulsa aire lentamente. El paciente quizá tenga náuseas. Pueden ser útiles todas las técnicas de respiración profunda.
  1. Si el extremo de la sonda contiene algún peso, debe extraerse a través de la boca del paciente. El resto puede ser extraído por la nariz.

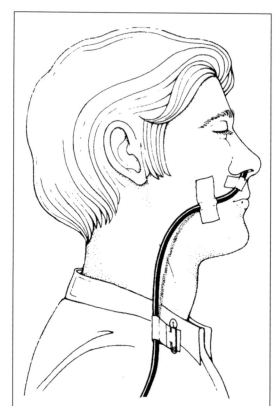

La sonda nasogástrica debe fijarse con esparadrapo a la cara del paciente por debajo de la nariz y en la región malar (nunca en la frente), asegurándose de que no quede tensa y haga presión sobre la mucosa nasal. El extremo libre puede sujetarse al pijama del paciente con la ayuda de un imperdible.

2. La sonda puede presentar mal olor. En dicho caso, enjuáguese la boca del paciente de inmediato.
3. Si la sonda ha atravesado la válvula ileocecal, puede extraerse por el recto.

Mantenimiento de la permeabilidad de las sondas

• Se consideran signos de que la aspiración no funciona adecuadamente: la aparición de vómito debido a la sonda nasogástrica, la distensión gástrica y la ausencia de drenaje a través de la misma.
1. El cambio de posición del paciente puede ser útil para desplazar la vía de aspiración de la sonda de la pared del estómago o del intestino.
2. Deben comprobarse los mecanismos de succión desconectando la sonda y probando si puede aspirar agua o no; en caso de que no se consiga aspirar agua, cambiar el aspirador.
3. La sonda puede comprimirse a modo de ordeño en dirección al aspirador. Esto permite comprobar su permeabilidad mediante una suave aspiración. La irrigación con 30 ml de suero fisiológico puede volver a dejarla permeable, pero es necesario contar con el visto bueno del médico. Todo lo que se introduce se contabiliza como entradas, y lo que se aspira, como salidas.

Control de las molestias del sondaje

• Con frecuencia el enfermo se queja de sequedad de labios y boca, faringitis, afonía, dolor de oídos y sequedad de la nariz. Estas molestias pueden aliviarse con la aplicación de pomada de labios, vaselina en labios y nariz, gargarismos, espray para la garganta, alguna pastilla para chupar o enjuagues de la boca con antibióticos cuando esté indicado.

ANÁLISIS DEL CONTENIDO GÁSTRICO

• Para analizar el contenido del estómago, se toman muestras de su contenido a través de la sonda. Esta técnica se aplica según sean las necesidades diagnósticas del paciente.

LAVADO GÁSTRICO

• Para el lavado del estómago se introduce repetidas veces un líquido (agua o suero fisiológico) y continuación se aspira.
• Los lavados con líquidos fríos se utilizan para extraer coágulos o disminuir el sangrado gástrico, gracias al efecto de constricción vascular que origina el líquido frío.
1. Las especificaciones serán fijadas por el médico.
2. Se introduce la sonda en el estómago.
   Suelen emplearse sondas de gran tamaño (36 a 40 Fr) introducidas por vía oral (las sondas de menor tamaño se obstruyen fácilmente con los coágulos).
   La inserción de una sonda gástrica de doble luz proporciona un lavado continuo más rápido: se introduce el líquido frío a través del orificio de menor tamaño, y se aspira a través del más ancho.
   Para la administración de líquidos fríos debe utilizarse una bolsa introducida en otra: en una de ellas se coloca el hielo, y en la otra se pone la solución a enfriar.
3. Si se utiliza una sonda gástrica de una sola luz, se instilan como mínimo 200 ml de solución (suero fisiológico o agua helada) y se deja en el estómago durante unos minutos. A continuación, se aspira.
4. La irrigación manual permite extraer los coágulos con más eficacia que la aspiración intermitente.
5. Debe registrarse la cantidad, el color y la consistencia del líquido aspirado.
6. Deben controlarse las constantes vitales del paciente.
7. Durante este procedimiento debe procurarse abrigar al paciente.

DESCOMPRESIÓN INTESTINAL

La inserción de una sonda gastrointestinal de larga longitud se utiliza para la descompresión de los intestinos (véase EMQ: Digestivo, obstrucción del tracto digestivo).

Técnica

• Se coloca el paciente sobre su lado derecho, con el fin de permitir el paso de la sonda a través del píloro sin problemas; la posición se modifica a medida que se confirme el avance de la sonda por rayos X. Posteriormente, debe animarse al paciente a que deambule.

- Se hace avanzar la sonda de 5 a 10 cm cada vez, siempre de acuerdo con las órdenes del médico. El avance lento evita que la sonda se enrosque.
- Nunca debe fijarse la sonda hasta que no se haya conseguido colocarla en su posición definitiva.
- Si se indica irrigación a través de la sonda, el líquido puede ser difícil de aspirar; por ello, el líquido que se introduce se considera como entradas de líquidos. Todo lo que se drena, incluido lo que se haya aspirado, en caso de que se contabilice, se anota como salidas.
- Se deben observar y registrar las características y el color del líquido drenado, así como la cantidad.
- Es esencial prestar un adecuado cuidado a la boca. El médico puede indicar enjuagues con antibióticos.

ALIMENTACIÓN ENTERAL

Descripción

La introducción de alimentos en el tubo digestivo a través de una sonda es una técnica que se lleva a cabo cuando el enfermo no puede alimentarse adecuadamente por vía oral por diversos motivos que provoquen dificultad o imposibilidad de la ingestión, masticación o deglución, siempre y cuando el estado del aparato digestivo permita una adecuada digestión y asimilación de los nutrientes.

Técnica

- Se eleva la cabecera de la cama unos 30° durante la alimentación, así como hasta una hora después de la misma si no existe contraindicación por otras causas. Los niños deben mantenerse en brazos, haciendo que eructen con frecuencia.
- Debe comprobarse la situación de la sonda antes de la administración de ingesta, o cada cuatro horas en el caso de que la alimentación sea continuada.

- En los adultos, debe comprobarse la existencia de residuos en cada toma de 2 a 4 horas después de la misma. La aparición de restos en cantidad superior a 150 ml indica un retraso en el vaciado gástrico. Si se da este caso, debe disminuirse la velocidad de administración y comunicarlo al médico. En los lactantes y niños, debe comprobarse la cantidad de alimento que se retiene en el estómago antes de cada nueva alimentación. La aspiración de restos debe hacerse de forma lenta.
- En los paciente intranquilos o desorientados es preferible inmovilizar las manos para evitar que se arranquen la sonda nasogástrica.
- *Alimentación enteral intermitente o en bolos:*
  1. Se administran lentamente por gravedad (nunca a presión) 250 ml de la fórmula, seguidos de 50 ml de agua. La fórmula debe hallarse a temperatura ambiente.
  2. La administración debe durar de 15 a 20 minutos; si es demasiado rápida, puede dar lugar a náuseas y vómitos, así como otros síntomas gastrointestinales.
- *Alimentación enteral continua:*
  1. Se emplea esta técnica cuando la sonda está situada en el intestino. Existen dos modalidades de administración: por gravedad o, con mayor frecuencia en la actualidad, mediante una bomba de infusión (nutribomba).
  2. La velocidad de infusión se fija según las necesidades del paciente, pero, en todo caso, debe ser continua, comprobándose cada 30 minutos en caso de que se administre por gravedad, y cada hora si se administra mediante bomba.
  3. Los equipos de administración difieren en cuanto a la capacidad, con variaciones posiblemente indicadas en número de gotas por mililitro (gtt/ml). Siempre debe comprobarse en el envoltorio del equipo. Cuando el equipo esté preparado, se marca el número de gtt/min. El cálculo se lleva a cabo igual que con los equipos de perfusión EV.

$$\frac{gtt/ml}{60\ min} \times ml/h = gtt/min$$

La reanimación cardiopulmonar básica corresponde a la combinación de las técnicas de masaje cardiaco externo y respiración artificial (boca a boca), métodos destinados a suplir temporalmente la función del corazón y los pulmones en caso de paro cardiorrespiratorio. La práctica debe iniciarse cuanto antes, considerándose que el tiempo límite para iniciar las maniobras es de diez minutos tras el inicio del paro cardiorrespiratorio. Cuando la reanimación es efectuada por una sola persona, deben efectuarse ochenta compresiones torácicas por minuto, siguiendo un ciclo de quince compresiones y dos insuflaciones. Si la reanimación es practicada por dos personas, deben efectuarse cinco compresiones y una insuflación de forma cíclica.

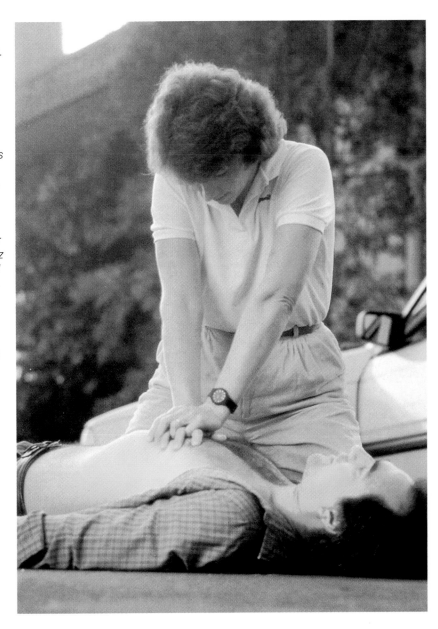

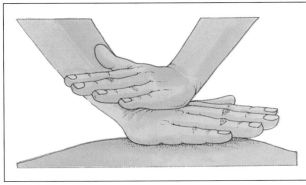

Masaje cardiaco externo. Para efectuar la compresión torácica, se localiza por palpación el esternón y se coloca el talón de una mano sobre el tercio inferior del mismo, a unos 5 cm por encima del apéndice xifoides.
A continuación, se coloca la otra mano sobre la primera, entrelazando o extendiendo los dedos de modo que no toquen el tórax, como muestra el dibujo, de tal modo que toda la presión se ejerza sobre el talón de la mano apoyada sobre el pecho.

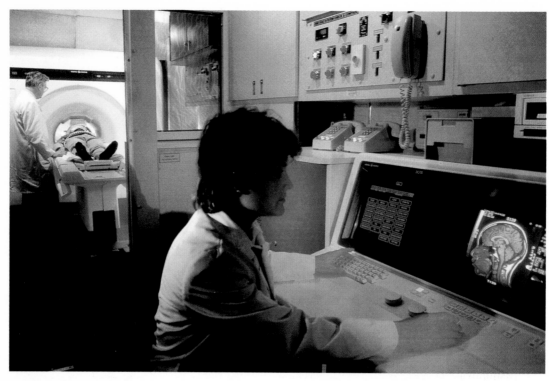

Las técnicas de diagnóstico por imagen, como la tomografía computada, la resonancia magnética nuclear o la tomografía por emisión de positrones han revolucionado la posibilidad de determinación de las enfermedades que afectan los órganos internos, puesto que permiten obtener imágenes semejantes a cortes anatómicos. Una importante aplicación de tales técnicas es el diagnóstico de patologías del sistema nervioso central. Arriba, realización de una resonancia magnética nuclear de la cabeza. Abajo dos imágenes del cerebro obtenidas por tomografía por emisión de positrones; a la izquierda cerebro normal y a la derecha cerebro afectado por la enfermedad de Alzheimer.

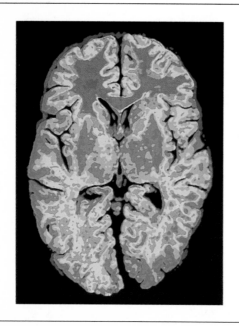
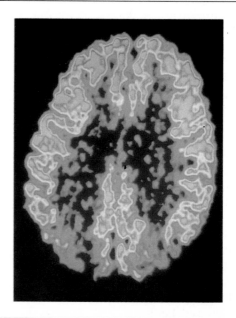

Ejemplo:

El médico ordena: alimentación continua a 75 ml/h, y el equipo está equilibrado en 20 gtt/ml:

$$\frac{20}{60} \times 75 = 25 \text{ gtt/min}$$

4. La fórmula no debe permanecer colgada más de 4 horas cada vez. Tampoco debe añadirse fórmula nueva sobre la antigua.
5. En la bolsa debe señalarse la cantidad de fórmula que se espera que quede cada hora siguiente, si ha sido calculada su administración.

Reconocimiento y prevención de complicaciones

- La intolerancia gastrointestinal a la fórmula puede dar lugar a diarrea, vómitos y retortijones.

  Disminúyase la velocidad de infusión o adminístrense fórmulas más diluidas; quizás pueda llegar a ser necesario la administración de antidiarreicos, según indicación médica.
- Los trastornos metabólicos a que puede dar lugar el elevado contenido en glucosa de muchas fórmulas pueden producir:
  1. Diarrea, náuseas, deshidratación.
  2. Glucosuria.
  3. Coma hiperosmolar hiperglucémico no cetósico, que está precedido por signos de aletargamiento, sed, glucosuria y poliuria.
- En los pacientes diabéticos o en los que están sometidos a tratamiento con corticoides puede observarse la aparición de intolerancia a la glucosa.
  1. Debe comprobarse la glucosuria cada 4-6 horas.
  2. En pacientes que presenten glucosuria se debe controlar el nivel de glucemia. La determinación puede realizarse por medio de punción en la yema del dedo.
  3. Puede ser necesaria la administración de insulina.
- Neumonía por aspiración.
  1. En los pacientes inconscientes o semiconscientes debe disponerse un equipo de as-

piración a la cabecera de la cama. Se aspirará según se crea conveniente para prevenir la broncoaspiración de la fórmula regurgitada.
2. Debe interrumpirse la alimentación continua cuando el paciente está recibiendo otros tratamientos (p. ej., fisioterapia respiratoria). La alimentación debe restablecerse 30 minutos después.
3. Para mayor comodidad del paciente y con el fin de evitar las complicaciones habituales de la alimentación enteral, se utiliza la alimentación a través de gastrostomía y enterostomía.
- Debe vigilarse la aparición de trastornos del equilibrio hidroelectrolítico.
- Debe vigilarse la aparición de distensión gástrica; debe prevenirse mediante la aspiración periódica del residuo remanente (véase más arriba).

ADMINISTRACIÓN DE FÁRMACOS A TRAVÉS DE LA SONDA NASOGÁSTRICA

- Los medicamentos de presentación líquida o los comprimidos sin recubrimiento entérico triturados pueden mezclarse con una pequeña cantidad de agua y administrarse a través de la sonda nasogástrica, utilizando las mismas precauciones que para la alimentación enteral. Inmediatamente, deben administrarse 30 ml de agua.
- En caso de utilizar aspiración, debe suspenderse hasta unos 30 minutos después de la administración de la medicación, para que pueda absorberse.

Sondaje vesical

Descripción

El sondaje vesical (sondaje urinario) tiene diversas indicaciones y es una técnica habitual, pero el reconocimiento de la elevada incidencia de infecciones urinarias asociadas con esta práctica ha hecho que se utilice sólo en caso de absoluta necesidad. Ante dificultades de evacuación urinaria, en primer término deben utilizarse medidas de enfermería que favorezcan el vaciado vesical fisiológico (cuña templada, intimidad, posición confortable, etc.), y sólo cuando todas estas actuaciones fallan puede ser necesario sondar. La técnica se emplea en caso de retención urinaria, para determinar la cantidad retenida, o en ocasiones para recoger orina estéril para análisis, así como para colocar una sonda vesical permanente o de retención, en especial después de una intervención genitourinaria.

- Es esencial mantener una técnica estéril durante el procedimiento de sondaje.
- Es necesario evitar la contaminación del sistema de recolección de la orina, así como efectuar un cuidadoso lavado de las manos antes de manipular la sonda.

Equipo

- Existen equipos estériles de sondaje que incluyen todo el material necesario para realizarlo.
- Debe disponerse de un segundo equipo y un segundo juego de guantes por si fuera necesario (si no se utilizan, pueden devolverse).
- Cuando el sondaje se realiza para determinar el volumen residual, hay que comprobar que el paciente haya orinado antes.
- Si se inserta una sonda de retención, debe disponerse de esparadrapo para su fijación.
- Las sondas más habitualmente utilizadas son:
  1. *French* o *Robinson*. Suelen utilizarse en el sondaje momentáneo.
  2. *Foley*. Es una sonda de dos luces (una para el balón hinchable) o tres luces (la tercera es para la irrigación). Es la sonda más utilizada.
  3. *Coude*. Es una sonda rígida con el extremo curvado, especialmente útil en casos de retención producida por hipertrofia prostática.
- Medida de las sondas de Foley, French y Robinson:
  1. A mayor número, mayor diámetro de la sonda.
  2. En las mujeres suelen utilizarse sondas de tamaño 14-16.
  3. En el varón suelen utilizarse sondas de tamaño 16-18, aunque algunos urólogos recomiendan los tamaños 18-20, ya que el extremo, de mayor tamaño, produce menos lesiones de próstata.

- Material: goma, silicona 100 % y látex recubierto de silicona.
  Si la sonda ha de permanecer colocada durante más de una semana, se recomienda la de silicona o la de látex recubierta de silicona.

Técnica de sondaje

- Deben seguirse las instrucciones del envoltorio del equipo o las normas del hospital al respecto.
- Es esencial respetar una técnica estéril.
- En la mujer:
  1. La posición lateral es más cómoda para la paciente y permite introducir la sonda más fácilmente.
  2. Antes de abrir el equipo, deben colocarse unos guantes estériles y hallar los puntos anatómicos de referencia: el meato urinario, el clítoris y la vagina. Compruébese que se distingue bien el meato urinario.

- En el paciente varón:
  1. Sosténgase el pene firmemente (si se hace demasiado suavemente, puede estimularse la erección). Con las piernas del paciente dobladas, sosténgase el pene a unos 60-90°, ligeramente inclinado hacia las piernas.
  2. Mediante una técnica escrupulosamente estéril, introdúzcase la sonda bien lubricada en la uretra. Cuando la sonda atraviesa el esfínter uretral interno puede percibirse una ligera resistencia. La presión debe ser constante y suave. *Nunca* debe forzarse la sonda.
- La descompresión de la vejiga debe hacerse paulatinamente. La cantidad máxima de orina a extraer cada vez es de 300 ml, a menos que el médico haya indicado lo contrario. Pasados 15 minutos pueden dejarse salir otros 300 ml. Sígase con esta pauta hasta vaciar totalmente la vejiga.

SONDA PERMANENTE O DE RETENCIÓN

- Debe procurarse disminuir la incidencia de infección.
  1. Debe procederse a un lavado de manos antes de tocar la sonda o cualquier zona del sistema urinario.

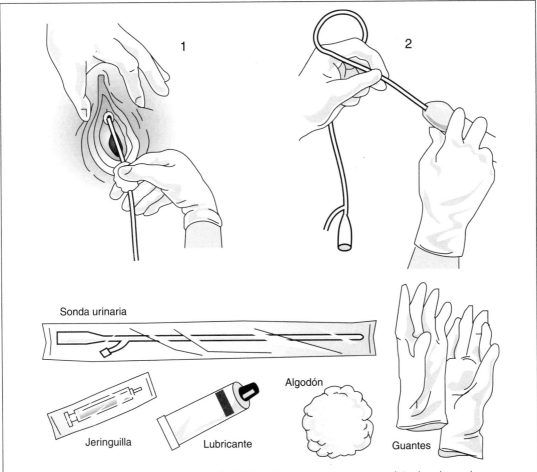

Sonda urinaria

Jeringuilla   Lubricante   Algodón   Guantes

Sondaje vesical. (1) En la mujer: se separan los labios vulvares con una mano y se introduce la sonda previamente lubricada por el meato urinario, avanzado unos 5-8 cm hasta que drene orina. (2) En el varón: se sostiene el pene firmemente, con el prepucio retraído, se introduce la sonda por el meato urinario y se avanza por la uretra hasta que alcance la vejiga. En la parte inferior de la ilustración, algunos de los elementos básicos necesarios para efectuar la técnica.

2. Debe forzarse la ingesta de líquidos, a menos que se haya indicado lo contrario. Debe monitorizarse cuidadosamente las entradas y salidas de líquidos.
3. Nunca debe situarse un paciente con una sonda permanente y equipo de drenaje en la misma habitación de otro que presente algún tipo de infección. También se procurará no poner dos pacientes con sistemas de drenaje urinario en la misma habitación.
4. La zona en la que la sonda contacta con el meato debe limpiarse previamente.
5. No debe tirarse de la sonda y exponer zonas de la misma que después vuelvan a entrar en la uretra, ya que se contaminarían.

6. Cuando se prevé el uso prolongado de una sonda, suele indicarse la ingesta de 1 g de ácido ascórbico al día.
7. Algunos estudios indican que la instilación periódica de agua oxigenada en la bolsa de drenaje urinario disminuye de forma significativa la incidencia de infecciones del tracto urinario producidas por el sondaje. En caso de que esté indicado, se introducen 30 ml de agua oxigenada al 3 % en la bolsa, una vez se ha vaciado la misma, ya sea a través del tubo de salida o bien a través del terminal de instalación que existe en algunos modelos de bolsas.

167

8. Los signos de infección urinaria en un paciente sondado son: sensación de quemazón alrededor de la sonda, fiebre, escalofríos y olor desagradable de la orina. Si se sospecha infección de la orina, el médico seguramente indicará la realización de un cultivo y un antibiograma antes de indicar el tratamiento (véase EMQ: Genitourinario, infecciones del tracto urinario).

• Fijación de la sonda de retención.

La sonda debe fijarse con esparadrapo de tal forma que no pueda ser estirada ni esté en contacto con la piel, lo cual suele conseguirse rodeándola con esparadrapo antes de fijarla a la piel. Las preferencias de los médicos varían con respecto a la forma y tipo de esparadrapo a utilizar. Las normas generales son las siguientes:

Mujer: la sonda se fija en la cara interna del muslo.

Varón: el catéter se fija de tal forma que el pene descanse sobre el abdomen, o bien lateralmente, con lo que se previene el desarrollo de una fístula o absceso en el ángulo que se forma entre el pene y el escroto.

• Pérdidas alrededor de la sonda.

1. Los escapes alrededor de las sondas suelen deberse al uso de una sonda de tamaño demasiado pequeño, a mal hinchado del balón o a los espasmos de la vejiga que suelen producirse después de la cirugía prostática (véase EMQ: Genitourinario, hipertrofia prostática).

2. El tamaño del balón también varía: suelen aceptar desde 5 a 30 ml de agua. La mayoría de los equipos estandarizados de sondas de Foley contienen sondas con balones de 10 ml. El médico puede indicar el uso de balones de mayor tamaño.

3. Debe comprobarse la estanqueidad del balón retirando un poco de agua a través de la válvula mediante una jeringa. A continuación, se rellena con agua estéril hasta la capacidad que se haya indicado. Si aun así siguen produciéndose escapes, el médico puede indicar la colocación de una sonda con un balón de mayor tamaño.

• Cualquier problema que se presente en una sonda colocada durante la cirugía genitourinaria debe ser comunicado al médico.

El catéter nunca debe ser extraído o manipulado sin el permiso del médico.

• Bolsas de drenaje urinario: almacenan la orina en un sistema cerrado. Por lo general se fijan en el lateral de la cama o en una silla. En un paciente que deambule, pueden utilizarse bolsas de menor tamaño que se fijan al muslo.

1. Debe procederse a un lavado de manos antes de manipular la sonda o la bolsa de drenaje.

2. Nunca debe dejarse la bolsa a una altura superior a la de la vejiga, para evitar el reflujo (flujo desde la bolsa a la vejiga). Debe enseñarse al paciente a llevar la bolsa siempre a una altura inferior a la de la vejiga cuando ande, e indicarle que nunca la deje sobre el suelo cuando se siente.

3. La bolsa debe colocarse hacia el mismo lado en que el paciente se gira cuando yace sobre la espalda. Debe prevenirse la obs-

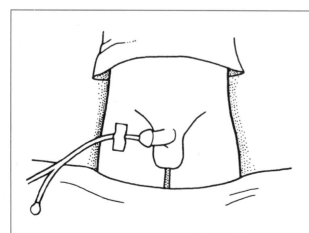

Fijación de la sonda vesical en el varón.
El catéter puede fijarse mediante esparadrapo al muslo o bien en el abdomen del paciente, siempre colocando el pene en posición lateral o hacia arriba, para prevenir la formación de fístulas o abscesos entre la base del pene y el escroto, y asegurándose de que la sonda no quede tirante entre el punto de fijación y el punto de penetración. El tubo de drenaje puede fijarse a las sábanas, comprobando que no presenta acodaduras y que permite los movimientos del paciente sin sufrir estiramientos.

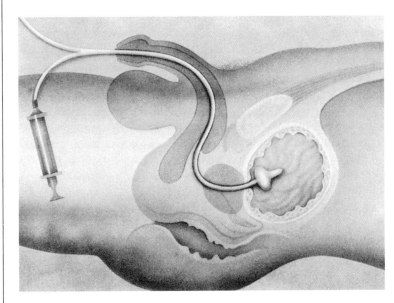

La sonda de Foley es un tubo de doble luz, por una de la cuales se rellena el balón que lleva en su extremo distal para garantizar la fijación del tubo en la vejiga. El balón puede aceptar entre 5 y 30 ml, si bien en los equipos más habituales su capacidad es de 10 ml. El balón distal se rellena con suero fisiológico inyectado por el conducto correspondiente, tras lo cual se retira un poco la sonda hasta advertir una resistencia indicativa de que se encuentra en la unión uretrovesical.

trucción del tubo por dobleces o por aplastamiento por parte del paciente.

4. Puede determinarse la diuresis horaria con la colocación de un dispositivo para medir pequeñas cantidades de orina.

5. La bolsa debe vaciarse como mínimo cada 8 horas, registrándose la diuresis. Para efectuar la práctica, previamente hay que lavarse bien las manos. Debe mantenerse el tubo de drenaje limpio y lejos de la copa en la que se vierte la orina para medirla. Debe utilizarse una copa distinta para cada paciente. Antes de fijar nuevamente el tubo de drenaje en la sonda, debe lavarse bien con alcohol.

6. En caso de que se observe algún tipo de sedimento en la bolsa o en el tubo, debe comunicarse al médico.

• Toma de muestras en el sistema de drenaje cerrado:

1. Nunca debe alterarse la estanqueidad del sistema, desconectando la sonda del tubo, para tomar una muestra.

2. Debe evitarse estrangular los tubos al tomar muestras.

3. En las sondas de silicona o plástico existen unas zonas especialmente diseñadas para la extracción de orina. En las de goma, puede hacerse entre el tubo del balón y el del drenaje.

4. Se extrae la cantidad de orina necesaria con una aguja y una jeringa estériles. En muchos centros, cuando las muestras son para cultivo se envía simplemente la jeringa en la que se han recolectado, con la aguja protegida. De esta forma se evita la posibilidad de contaminar la muestra al verterla en un recipiente.

Si la orina ha de verterse en un recipiente, primero quítese la aguja, evitándose de esta forma dañar las células y los cilindros que pueda haber en la orina.

• Extracción de una sonda permanente:

1. Se retira el agua del balón a través del tubo correspondiente con una jeringa (no debe cortarse este extremo), y entonces se retira suavemente el catéter.

2. Si no está contraindicado, debe forzarse la ingesta de líquidos.

3. Deben registrarse cuidadosamente las entradas y salidas de líquidos.

4. Debe procurarse que el paciente deambule (si lo tiene permitido) e inicie nuevamente los patrones habituales de diuresis.

5. Después de extraerse la sonda, debe registrarse la cantidad de la primera orina. Debe comprobarse el tamaño de la vejiga, ya que algunos pacientes orinan pero no vacían bien la vejiga (retención). Si un paciente presenta evidencia de distensión vesical a

las seis horas de haberse retirado la sonda, o al cabo del tiempo que el médico haya indicado, debe notificarse la situación.

Autosondaje intermitente

Descripción

El autosondaje intermitente suele estar indicado en aquellos pacientes que han sufrido un traumatismo de la médula espinal y han perdido el control vesical. Esta técnica reduce el riesgo de infecciones del tracto urinario, permitiendo una mayor independencia al paciente.

Durante la estancia en el hospital se requiere una técnica estéril, dado el peligro de infecciones intrahospitalarias. En el domicilio del paciente pueden utilizarse simplemente técnicas de limpieza.

Consideraciones de enfermería

- En el hospital debe utilizarse un equipo estéril.
- Enséñese a realizar el sondaje con técnica estéril.
  1. Debe enseñarse a la mujer a localizar los labios mayores, los labios menores, la vagina y el meato urinario con un espejo de mano (una vez la paciente lo haya aprendido bien, podrá hacerlo sin mirar).
  2. Después del sondaje, una vez que deja de salir la orina, el paciente debe comprimirse el bajo vientre para asegurarse de que la vejiga está vacía. Conforme se retira la sonda, debe taparse el extremo externo para evitar que refluya la orina al interior de la uretra.
- El paciente *debe* seguir un esquema regular para el autosondaje.
- A continuación se citan las modificaciones para una técnica limpia (a realizar en el domicilio):
  1. Es esencial un buen lavado de manos. El área del meato debe lavarse con agua y jabón (en la mujer es esencial hacerlo con movimientos de delante hacia atrás).
  2. Después del sondaje debe lavarse la sonda con agua tibia jabonosa. Debe aclararse bien por dentro y por fuera, y secarse con una toalla limpia, colocándola en una bol-

sa de plástico especial para catéteres usados. Debe utilizarse cada sonda sólo una vez.
  3. Cuando sólo queden una o dos sondas limpias sin utilizar, las sondas utilizadas deben hervirse durante 20 minutos en un recipiente con agua, y después se dejan secar sobre una toalla recién lavada.
  4. Cuando las sondas usadas empiecen a endurecerse, deben comprarse otras nuevas.
- Los pacientes deben abandonar el hospital con las instrucciones precisas con respecto a la técnica de sondaje, los requerimientos de líquido y la medicación prescrita.
  1. Algunos médicos indican que los pacientes registren cuidadosamente la cantidad de líquidos que entra y sale; debe asesorarse a los pacientes al respecto.
  2. La orina debe vigilarse por si hay cambios en las características de cantidad, olor, color, claridad, presencia de partículas o sangre.
  3. Pueden prescribirse medidas para evitar la formación de cálculos, como es la limitación de la ingesta de comidas ricas en calcio y fósforo (derivados de la leche, vísceras, mariscos, cereales, semillas, frutos secos, huevos y verduras verdes). (Véase EMQ: Riñón, cálculos urinarios.)

Irrigación vesical continua

Descripción

Después de la cirugía prostática o vesical puede estar indicada la irrigación vesical continua para evitar la formación de coágulos y prevenir la obstrucción de la uretra. En la actualidad, su utilidad para evitar la multiplicación de bacterias en un sistema de drenaje urinario cerrado está en entredicho. Se utiliza una sonda de tres vías (una para el drenaje, otra para el hinchado del balón y la tercera para la solución de irrigación). Suele utilizarse una solución antimicrobiana a una velocidad de 125 ml/hora, o aquella que el médico haya indicado.

Consideraciones de enfermería

- La solución debe hallarse a la temperatura ambiente, a menos que se indique lo contrario (en ocasiones se indica la irrigación con soluciones frías, que son irritantes, si existe formación de coágulos o si hay hemorragia).

- Los cuidados de este tipo de sondaje son los mismos que en las sondas permanentes y en los sistemas de drenaje urinario cerrado (véase más arriba).
- El cálculo de la diuresis se realiza restando la cantidad de solución irrigada del total de la bolsa de drenaje. La bolsa debe vaciarse y se registrará su contenido como mínimo cada 8 horas.

IRRIGACIÓN VESICAL INTERMITENTE

Descripción

La irrigación vesical intermitente suele indicarse para extraer coágulos y mantener la permeabilidad de la sonda después de la cirugía genitourinaria.

Consideraciones de enfermería

- Es necesario respetar una técnica estéril.
  1. Deben lavarse las manos y utilizar guantes estériles.
  2. Antes de desconectarse el sistema, debe desinfectarse la unión entre la sonda y los tubos con povidona yodada o alcohol al 70%.
  3. El extremo del tubo debe cubrirse con un tapón estéril.
  4. Debe utilizarse una jeringa estéril nueva para cada irrigación.
  5. Deben utilizarse botellas pequeñas de solución irrigante (200 a 500 ml), de tal forma que puedan agotarse en 24 horas. Entre un uso y otro, las botellas deben mantenerse refrigeradas para evitar el crecimiento bacteriano. Antes de su utilización, la botella debe calentarse con agua tibia en una batea u otro recipiente.
- Irríguese cada vez con 30 a 50 ml, permitiendo que el líquido salga o aspirando con suavidad. Este procedimiento suele repetirse de dos a tres veces. Si no se observa salida de líquido por la sonda, debe comunicarse inmediatamente al médico. A menos de que se haya indicado lo contrario, nunca debe aspirarse con fuerza a través de una sonda.
- Debe anotarse el carácter y color del contenido aspirado.

SONDA SUPRAPÚBICA

Descripción

Las sondas suprapúbicas se insertan directamente en la vejiga a través del abdomen, a unos 5 cm por encima de la sínfisis púbica, mediante una técnica aséptica estricta. Existen varios tipos de sonda a utilizar. Una vez fijas en su sitio, estas sondas funcionan por el principio de sifón, drenando directamente en sistemas cerrados. Se utilizan en una gran variedad de problemas de cirugía tanto ginecológica como de la vejiga urinaria o próstata, dado que suelen presentar pocos problemas de infección y son menos dolorosas, a la vez que facilitan la micción espontánea.

Consideraciones de enfermería

- Mediante controles horarios, debe diferenciarse entre la obstrucción y los espasmos de la vejiga el primer día después de la intervención.
  1. La obstrucción, manifestada por un descenso en la diuresis, así como por distensión y dolor ante la palpación, es peligrosa y debe corregirse inmediatamente. La sonda debe ser permeable.
  2. Los espasmos de la vejiga suelen remitir a las 48 horas. Pueden ser dolorosos pero no afectan la diuresis; pueden aliviarse con baños de asiento o agentes antiespasmódicos.
- Debe controlarse la cantidad de la orina y sus características.
- Deben evitarse los acodamientos u otras causas de oclusión de la sonda, así como las tensiones excesivas.
- La piel de alrededor de la sonda debe protegerse mediante pomadas antimicrobianas y manteniendo unos apósitos secos y estériles.
- El médico puede indicar el estrangulamiento intermitente de la sonda para restablecer el tono y la función de la vejiga, con lo que se prepara el paciente para la retirada de la sonda.

171

Tacto rectal

Descripción

La exploración digital del recto proporciona información sobre los trastornos anorrectales y de los órganos adyacentes, tanto del aparato digestivo (colon) como del genitourinario (próstata, útero y anexos), siendo también de utilidad en la investigación de las anomalías del ritmo de evacuación intestinal (impacción fecal). Se realiza en posición de Sims o en posición genupectoral.

Consideraciones de enfermería

- No es preciso practicar la maniobra bajo condiciones estériles, a no ser que existan lesiones abiertas que así lo exijan. Siempre debe efectuarse un lavado de manos antes y después de la exploración rectal, teniendo en cuenta que la zona se considera contaminada y que pueden favorecerse las infecciones cruzadas si no se respeta esta premisa.
- Indíquese al paciente que vacíe la vejiga antes de la exploración, para reducir la presión dentro de las cavidades abdominal y pélvica, lo que facilita la exploración del recto y de los órganos adyacentes.
- Explíquese al paciente el procedimiento que va a realizarse, para atenuar su ansiedad y contar con su colaboración. Debe informarse que la maniobra puede resultar incómoda pero no dolorosa, a menos que mantenga contraído el esfínter anal; para que relaje dicho esfínter, conviene que respire regular y profundamente durante la introducción del dedo. Si existen alteraciones locales, cabe la posibilidad de que el esfínter anal se contraiga de modo reflejo ante la irritación mecánica que supone la introducción del dedo, originando dolor; en este caso, debe tranquilizarse al paciente y señalar que se interrumpirá la maniobra si provoca molestias intensas, para que no mantenga en tensión la musculatura de la zona como resultado de una ansiedad anticipada.
- Debe garantizarse la intimidad del paciente dentro de lo posible, efectuando la práctica en una habitación individual o aislando con-venientemente la zona con biombos o cortinas.
- Si el paciente presenta una patología anorrectal conocida, la maniobra debe efectuarse con precaución y sólo bajo indicación médica.
- Si es preciso practicar la exploración rectal en un enfermo con fisuras anales, se debe lubricar abundantemente el dedo y proceder con mucho cuidado, porque una maniobra brusca puede desencadenar una contracción dolorosa del esfínter anal. También se debe extremar la prudencia si el enfermo presenta alteraciones susceptibles de acentuarse con la maniobra, como náuseas, o de ser desencadenadas por la misma, como accesos convulsivos.
- Si al introducir el dedo se aprecia resistencia, conviene detener la maniobra, sin forzar nunca su avance, y dejar pasar un tiempo prudencial antes de volver a intentarla. Si en un nuevo intento no es posible vencer con facilidad la obstrucción, suspéndase el procedimiento y comuníquese al médico.
- Si la exploración desencadena necesidad de defecar, deténgase la introducción del dedo durante unos momentos, hasta que el deseo desaparezca espontáneamente y se pueda proseguir el tacto.
- Si en el curso de la maniobra se produce una hemorragia rectal, interrúmpase la exploración y comuníquese al médico.

Toma y cultivo de muestras

Descripción

El cultivo de líquidos y secreciones corporales se realiza con el fin de identificar microorganismos infecciosos. Simultáneamente con el cultivo suelen practicarse estudios de sensibilidad ante los antibióticos (*antibiogramas*), para intentar determinar los más adecuados a fin de eliminar el germen.

Consideraciones de enfermería

- La obtención de muestras debe ser realizada con una técnica estéril, excepto si se trata de

Tabla 5 Toma de muestras para laboratorio

Región	Cantidad necesaria	Recipiente	Patógenos	Técnica
Garganta	Escobillón	Se coloca el escobillón en un recipiente estéril	*Streptococcus* grupo A, beta-hemolítico	Antes de introducir el escobillón, inspecciónese la garganta con una linterna para identificar las amígdalas y la faringe posterior
Heridas (úlceras de decúbito)	Debe introducirse el escobillón al máximo en la herida	Se coloca el escobillón en un recipiente estéril	*Staphilococcus aureus*, grupo A, *Streptococcus* beta-hemolítico	Evítese el contacto del pus con la piel. Debe lavarse ésta con suero fisiológico para evitar en lo posible la contaminación por la flora cutánea normal. Tomar muestras de distintas áreas si la herida es muy extensa
Heces	Tamaño de un guisante	Recipiente limpio	*Salmonella*, *Shigella*, *Campy-lobacter*, y huevos de algunos parásitos	Puede bastar el cepillado rectal con escobillas; consultar con el laboratorio. Las heces no deben contener bario si se quiere estudiar la presencia de parásitos. Las heces no deben tener más de una hora
Orina	5 ml	Jeringa o recipiente estéril. Ver también la toma de orina estéril	Cualquier organismo en cantidad superior a 50 000-100 000/ml, excluyendo la flora propia del área perineal	Cuando se remita al laboratorio una sonda vesical, debe lavarse el meato antes de extraer la sonda. Córtese el extremo de ésta con unas tijeras estériles. Nunca debe tomarse la muestra directamente de la bolsa de drenaje. Las muestras de un sistema de drenaje permanente pueden tomarse del dispositivo especial hecho a propósito, previa limpieza con alcohol. Las muestras no deben tener más de una hora antes de analizarlas. La incidencia de infección urinaria es máxima a los tres días de llevar una sonda vesical

Tabla 5 Toma de muestras para laboratorio *(continuación)*

Región	Cantidad necesaria	Recipiente	Patógenos	Técnica
Esputo	3-5 ml	Recipiente estéril	Cualquier organismo	La mejor muestra es la obtenida a primera hora de la mañana (sin saliva) tras una respiración y tos profunda. También puede obtenerse por aspiración o mediante una sonda de Lukens. El bacilo de la tuberculosis tarda varias semanas en crecer
Líquido cefalorraquídeo (LCR)	10 ml o más	Tres recipientes estériles marcados: 1, 2, 3	Cualquier organismo	Debe remitirse al laboratorio *inmediatamente*
Sangre	Habitualmente lo determina el personal del laboratorio	En caso de realizarlo personal que no sea del laboratorio, consúltese	Cualquier organismo	Suelen hacerse tres o cuatro extracciones a intervalos de 30 minutos con el fin de evitar la posibilidad de perder algún germen y confirmar el diagnóstico. Debe extraerse entre los picos febriles y los escalofríos
Líquidos corporales (p. e., líquido pleural)	Consúltese con el laboratorio	Recipiente estéril. Consúltese con el laboratorio. Puede ser necesario un recipiente especial	Cualquier germen	Debe remitirse inmediatamente

muestras de heces. Las muestras contaminadas con microorganismos existentes en la piel dan lugar a resultados erróneos, y a veces obligan a realizar un nuevo cultivo.
- Debe procurarse no contaminar la parte exterior del recipiente.
- Para que los resultados sean adecuados, debe remitirse la muestra inmediatamente al laboratorio. Las muestras que se hayan secado o permanecido demasiado tiempo en un lugar inadecuado no pueden utilizarse para efectuar un cultivo.

- Rellénense los datos de la petición y la etiqueta del recipiente, sin dejar de especificar la hora de obtención de la muestra.
- Si se sospecha que puede tratarse de una enfermedad contagiosa, debe especificarse en la etiqueta del recipiente.
- No debe iniciarse el tratamiento antibiótico hasta no haber tomado las muestras. Si esto no fuera posible, indíquese en la etiqueta el tratamiento administrado.
- La identificación aproximada del microorganismo requiere 24 horas, y la definitiva,

48 horas o más, con la excepción de la tuberculosis, que puede precisar varias semanas.

• Debe comunicarse inmediatamente al médico el germen aislado. Consúltese con el laboratorio si los resultados son de valoración difícil.

Tomografía computada (TAC o escáner)

Descripción

La TAC fue utilizada inicialmente, a comienzos de la década de los 70, para la exploración incruenta del cerebro. Su eficacia fue tal que en la actualidad se emplea para explorar prácticamente cualquier parte del organismo. La técnica requiere que el paciente se mantenga completamente inmóvil mientras se toman imágenes radiológicas, de forma secuencial y en ángulos diferentes, alrededor de su cuerpo. Se utilizan numerosas imágenes radiológicas, cada una desde un ángulo diferente, y con ayuda de un computador se compara y combina la densidad de pequeñas partes (denominadas *pixels*) de cada imagen radiológica. Las imágenes compuestas resultantes, producidas por el análisis matemático de 30 000 pixels, muestran los órganos y estructuras internas en secciones transversales llamadas *tomografías*. Estas tomografías tienen el detalle suficiente como para mostrar anomalías que no podrían observarse en las radiografías convencionales. En ocasiones se inyecta una sustancia de contraste que aumenta de forma selectiva la densidad radiológica de estructuras u órganos corporales, con lo que se obtiene todavía un mayor detalle. Dada la técnica con la que se utilizan los rayos X a la hora de realizar una TAC, el cuerpo no recibe más radiación que cuando se expone a una radiografía convencional. La TAC está reemplazando en la actualidad muchos de los métodos de diagnóstico invasivos (*p. e.*, neumocefalogramas, angiografías cerebrales y mielogramas). Así mismo, es también la técnica preferida en los traumatismos crane-

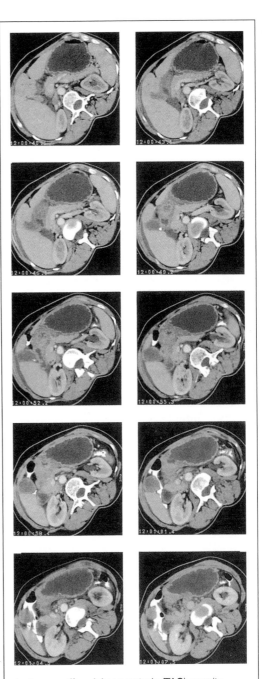

La tomografía axial computada (TAC) permite obtener nítidas imágenes radiológicas equiparables a cortes anatómicos del organismo. En la ilustración, una serie de imágenes de la región abdominal correspondientes a cortes transversales de 5 mm obtenidos con intervalos de 3 segundos donde, entre otras estructuras, pueden visualizarse con claridad la columna vertebral, los riñones y el hígado.

ales, debido a la velocidad y alta definición de la tomografía resultante, y también porque pone de manifiesto el edema cerebral. Cada vez son más frecuentes las tomografías que se hacen de otras zonas del organismo y, con ayuda de la biopsia con aguja, este estudio reemplaza a la mayoría de técnicas quirúrgicas de biopsia.

Consideraciones de enfermería

- Debe explicarse al paciente la técnica y su finalidad, indicando que no resulta dolorosa y que deberá mantenerse absolutamente inmóvil durante su ejecución para obtener unos buenos resultados.
- Dada la necesidad de que el paciente se mantenga completamente inmóvil de 30 minutos a una hora, los niños deben ser previamente sedados o incluso sometidos a anestesia general, al igual que los adultos que presenten un estado de agitación.
- Debe programarse la TAC antes de hacer otras pruebas que requieran la administración de bario.
- La TAC puede realizarse con o sin sustancias de contraste, las cuales pueden administrarse por vía oral, rectal o endovenosa. Suele administrarse contraste en la TAC de órganos abdominales, con el fin de mejorar la visualización de los órganos muy vascularizados, así como también en todos aquellos casos en que quieran realzarse los resultados de la prueba.
- Si se van a inyectar sustancias de contraste, debe comprobarse que no exista alergia a las mismas. Los pacientes deben saber que en el momento de inyectar el contraste por vía EV pueden sentir de forma momentánea una sensación de calor, así como un gusto raro. Además, dado que el contraste suele ser hipertónico, puede producirse un aumento de la diuresis en las horas siguientes a su administración.
- Antes de la prueba debe comprobarse que el paciente no lleva objetos metálicos (reloj, joyas, adornos) que puedan distorsionar el registro.
- No es preciso efectuar otras actuaciones de enfermería especiales antes del estudio ni tampoco después de su finalización, excepto

en aquellos casos en que se haya aplicado anestesia general.

Toracocentesis

Descripción

La aspiración mediante una aguja de líquido pleural o de aire en el espacio pleural se realiza con fines terapéuticos y diagnósticos. En algunos casos pueden inyectarse medicamentos en el interior del espacio pleural. Este método se realiza con anestesia local y técnica estéril.

Consideraciones de enfermería

- En algunos centros es necesario el consentimiento del paciente por escrito.
- La posición del paciente vendrá determinada por las indicaciones médicas. La posición sentada favorece la salida del líquido.
- Debe advertirse al paciente que no realice movimientos bruscos durante el proceso, y que procure evitar la tos.
- Contrólese con frecuencia el pulso y la respiración. Vigílese la aparición de cualquier síntoma indicador de problemas respiratorios durante el proceso (dificultad respiratoria, disnea, tos incontrolada, esputo sanguinolento, shock, palidez, cianosis, debilidad, diaforesis y dolor).
- Puede aparecer shock, neumotórax, infección y trastornos electrolíticos. (Véase EMQ: Postoperatorio; Respiratorio, neumotórax.)
- La extracción de líquido se hace de forma lenta, sin superar los 1 000 ml en una sola vez.
- Después del proceso:
  1. Aplíquese presión mediante un apósito en el punto de punción.
  2. Colóquese el paciente de tal forma que descanse sobre el punto de punción, para disminuir al máximo las posibles fugas a través del mismo.
  3. Contrólense las constantes vitales cada 4 horas después de la punción, o durante más tiempo si el médico así lo indica.
  4. Anótese la cantidad y características del líquido extraído.

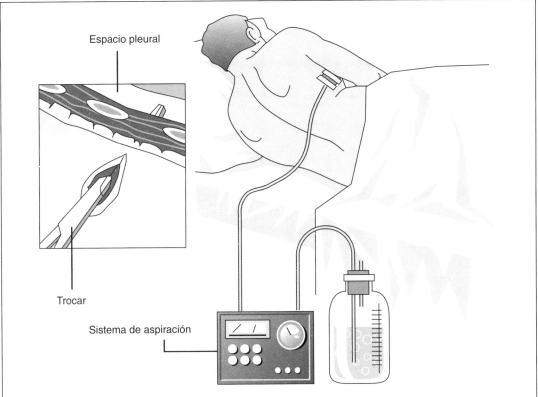

La toracocentesis se efectúa mediante una punción con un trocar especial que se introduce hasta alcanzar la cavidad pleural, a fin de evacuar el líquido o aire allí acumulado con propósitos diagnósticos o terapéuticos. Cuando es preciso efectuar una evacuación continua y lenta, se conecta el catéter introducido en el espacio pleural a un sistema de drenaje, como se muestra en la ilustración.

Torniquetes rotatorios (sangría blanca)

Descripción

Los torniquetes rotatorios se utilizan para complementar el tratamiento de la insuficiencia ventricular izquierda, con el fin de disminuir el trabajo del corazón. Estos torniquetes se aplican de forma rotatoria en las cuatro extremidades, para disminuir la cantidad de sangre que retorna al corazón. La técnica forma parte del tratamiento de emergencia del edema pulmonar.

Inicio y mantenimiento

- Colóquese el paciente en posición de Fowler.
- Antes de hinchar los torniquetes, así como ca-

da 15 minutos posteriormente, tómese la tensión arterial.
- Aplíquense los torniquetes lo más cerca posible del tronco en cada una de las extremidades. No deben aplicarse torniquetes en un brazo en el que exista una vía EV.
- Hínchense tres de los torniquetes a una presión ligeramente inferior a la diastólica. Siempre deben ser palpables los pulsos distales posteriores al torniquete. Debe evitarse la constricción arterial producida por torniquetes demasiado hinchados. Compruébese frecuentemente el color de la piel de las extremidades.
- Rótese el hinchado de los torniquetes de modo que cada extremidad tenga un torniquete sin hinchar durante 15 minutos de cada hora.
- Compruébese que no se aplica un torniquete hinchado en una extremidad durante más de 45 minutos. En los pacientes ancianos, los torniquetes deben rotarse cada 5 minutos.

177

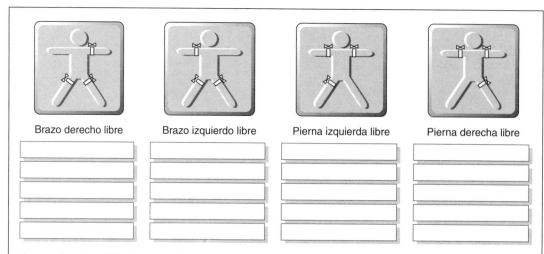

Brazo derecho libre	Brazo izquierdo libre	Pierna izquierda libre	Pierna derecha libre

Los torniquetes rotatorios se emplean como parte del tratamiento de urgencia de la insuficiencia ventricular izquierda y el consecuente edema pulmonar, a fin de reducir el volumen de sangre circulante. Inicialmente se aplican torniquetes en tres de las extremidades del paciente, dejando la cuarta libre. Cada 15 minutos, se retira uno de los torniquetes y se aplica en la extremidad previamente libre, registrando el procedimiento en una gráfica como la que se muestra en la ilustración para evitar confusiones.

- Los torniquetes deben deshincharse en el sentido de las agujas del reloj, y *nunca* todos al mismo tiempo. Entre cada deshinchado debe dejarse un período de 15 minutos.
- Compruébese la diuresis horaria.
- Cuando se utiliza una máquina para la aplicación de torniquetes rotatorios, el ajuste de la presión de los manguitos debe hallarse entre un intervalo de 20 y 50 mm Hg, para disminuir el retorno venoso pero sin interrumpir el flujo arterial. Estos dispositivos no se utilizan durante un tiempo superior a 3 o 4 horas.
- Durante la hora posterior a la retirada de los torniquetes, explórense el corazón y los pulmones del paciente.

Tracción

Descripción

La tracción es un procedimiento ortopédico mediante el cual se efectúa un estiramiento de una parte del cuerpo para corregir la alineación de dos estructuras contiguas o mantenerlas en la posición adecuada. La técnica proporciona alineamiento y estabilidad a una fractura, reduciendo la misma y manteniendo el hueso en la posición correcta. También se emplea para prevenir contracturas por flexión, reducir la escoliosis y disminuir el espasmo muscular (dolor de espalda). Si la parte traccionada se eleva por encima del nivel del corazón, también disminuye el edema.

La contratracción es la tracción en dirección opuesta a la de la tracción.

Por lo general, la tracción se aplica de forma continua, aunque las tracciones cervical y pélvica pueden ser intermitentes.

- En la tracción directa, la fuerza de estiramiento está en un plano y el mismo cuerpo proporciona la contratracción (*p. e.*, tracción de Buck).
- En la suspensión, o suspensión de equilibrio, existe una fuerza hacia arriba aplicada en la extremidad (suspensión), lo que permite el movimiento del paciente mientras se mantiene la línea de tracción (*p. ej.*, tracción esquelética mediante férula de Thomas y fijación de Pearson).
- La tracción manual se aplica durante la colocación del yeso.
- La tracción cutánea (de Buck y de Russell) se aplica con un esparadrapo fijado al pie con un vendaje circular, o mediante un botín de Buck fijado al pie y al que se sujetan una cuerda, una polea y unos pesos.

- La tracción esquelética se aplica directamente sobre el hueso mediante la inserción de dispositivos tales como la aguja de Steinmann, de Kirschner o de Crutchfield. Se utiliza una suspensión equilibrada.

Equipo

- Cama con colchón duro (si es posible), una cabecera fija y, en la mayoría de los casos, marco y trapecio.
- Poleas, cuerdas o tensores, pesos (del tamaño ordenado por el médico) y barras para la fijación de las poleas.
- Algunos tipos de tracción necesitan un equipo especial:
  1. La tracción de la extremidad inferior puede requerir los siguientes elementos:
     a. Placa para el pie, destinada a mantener la posición normal del mismo, y un dispositivo para fijarla.
     b. Férula de Thomas (sujeta el muslo), con fijación de Pearson (fija la pantorrilla), en la tracción esquelética.
     c. La fijación de Böhler-Braun se realiza en un plano inclinado; el marco descansa en la cama. Puede utilizarse para la tracción cutánea o esquelética de la extremidad inferior.
  2. La tracción pélvica requiere un cinturón a medida.
  3. Para la tracción cervical, puede utilizarse cualquiera de los siguientes métodos:
     a. Fijación cefálica.
     b. Fijación de Crutchfield, Barton, Vinke o Gardner Wells para la tracción craneal, con un marco en la cama que facilite el giro (p. e., marco de Foster o Stryker).
     c. Tracción halo-esquelética.

Consideraciones generales de enfermería

- El cuerpo del paciente debe estar bien alineado y proporcionar como mínimo algo de contratracción. La posición del paciente en la cama y sus limitaciones de movimiento deben ser especificadas por el médico.
- La tracción en las extremidades debe ser tal que esté alineada con el eje longitudinal del hueso.
- La tracción debe ser continua (a menos que se indique lo contrario).

- Enséñese al paciente a utilizar el trapecio para elevar espalda, nalgas y hombros de la cama en línea recta.
- Debe eliminarse toda posibilidad de fricción de los elementos que modifiquen la línea de tracción, así como entre el paciente y el peso.
  1. Los pesos deben colgar libremente y nunca deben retirarse sin orden médica previa. Deben mantenerse separados del suelo y de la cama.
  2. Las cuerdas deben estar libres de obstrucciones y no hallarse en contacto con la ropa de cama.
- Habitualmente es más fácil hacer la cama desde la parte superior, de la cabecera a los pies.
- Cualquier queja del paciente debe comprobarse. Deben buscarse signos de afectación neuromuscular: dolor, palidez, ausencia de pulso, parálisis o parestesias.
- Deben prevenirse las complicaciones secundarias a la inmovilización:
  1. Pulmonares (véase TE: Fisioterapia respiratoria).
  2. Circulatorias (véase EMQ: Postoperatorio, complicaciones vasculares).
  3. Estreñimiento y fecalomas.
  4. Úlceras de decúbito.
  5. Litiasis renal (véase EMQ: Genitourinario).
  6. Atrofia/contractura muscular.
  7. Problemas emocionales: aburrimiento, depresión y, en algunas ocasiones, readaptación al cambio de imagen corporal.

EXTENSIÓN DE BUCK

Descripción

La extensión de Buck puede realizarse con un esparadrapo adherido a la piel (fijado con un vendaje, habitualmente elástico y circular, alrededor del mismo) y fijado en una pieza de fijación del pie o en una barra con un gancho en el extremo. Habitualmente se utiliza el botín de Buck. El peso debe ser determinado por el médico.

La tracción de Buck puede aplicarse sólo durante un corto período de tiempo. Por lo tanto, sólo está indicada en la inmovilización temporal de las fracturas de cadera (en especial, las fracturas subcapitales) mientras se espera la intervención quirúrgica. También puede utilizarse para inmovilizar la pierna en abducción después de la implantación de una prótesis total de cadera.

Consideraciones de enfermería

- Véanse las consideraciones generales de enfermería para la tracción.
- El botín de Buck debe ser del tamaño adecuado.
- La tracción de Buck suele interrumpirse cada 8 horas para inspeccionar el pie.
- Los esparadrapos de tracción sólo pueden aplicarse si la piel está en buen estado. El vendaje circular debe aplicarse en forma de espiral, libre de arrugas y no demasiado apretado. La placa circular del pie o la barra deben ser lo suficientemente anchas como para evitar que los esparadrapos rocen con el tobillo. Debe observarse, y comunicar inmediatamente, la aparición de cualquiera de los siguientes síntomas:
  1. Sensación de adormecimiento, hormigueo, edema, cambio de color, dolor, disminución de la sensibilidad al calor, frío o tacto,

trastornos de la movilidad del pie. Todos ellos son signos de afectación neurovascular. Debe evitarse la presión sobre el nervio peroneo (unos 6 cm por debajo de la rodilla en la cara externa de la pierna).
  2. Sensación de quemazón o irritación por debajo del vendaje, por desplazamiento de los esparadrapos (que implica una posible lesión cutánea).
  3. Demasiada presión del vendaje elástico producida por el edema.
- Tanto en la tracción cutánea como si se usa el botín de Buck, debe protegerse de presión el tendón de Aquiles y el tobillo, colocando una toalla doblada bajo la pantorrilla y utilizando protectores de talón. Puede emplearse algodón para proteger los maléolos.
- Debe mantenerse al paciente lo más cerca posible de la cabecera y con el cuerpo convenientemente alineado.
- El médico debe especificar la posición del paciente y sus limitaciones.
- Por lo general, y con el fin de realizar los oportunos cuidados de la espalda, el paciente puede ser girado unos 45° hacia un

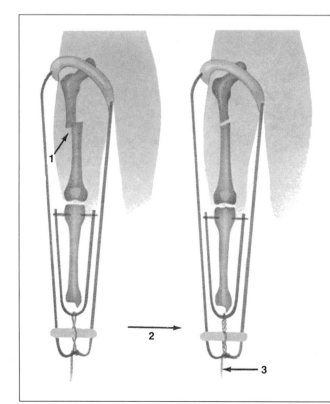

La férula de Thomas es un dispositivo empleado para practicar tracción esquelética en fracturas de cadera o fémur (1). Esta férula, con la cual puede efectuarse una tracción en suspensión o equilibrada, descarga el peso de la rodilla, mediante la fijación de un alambre metálico o un clavo en la tibia, y lo transfiere a la pelvis, por medio de un anillo colocado en la región iguinal. El grado de tracción se complementa con un dispositivo específico (2), y el armazón se conecta con un sistema de cuerdas, poleas y pesos (3) que hace posible mantener el miembro en suspensión. Generalmente se complementa con el dispositivo de Pearson, que proporciona un soporte para la pierna en posición paralela a la cama. Cuando se emplean estos dispositivos, es preciso controlar regularmente la ausencia de complicaciones neurocirculatorias en la extremidad, así como la aparición de alteraciones cutáneas en las zonas de presión y en la región inguinal, donde se encuentra el anillo de la férula.

lado o hacia el otro, con una almohada entre las piernas.

- Es muy importante practicar con regularidad los cuidados de la espalda. Hágase masaje con una mano mientras con la otra se empuja el colchón hacia abajo.

FÉRULA DE THOMAS CON FIJACIÓN DE PEARSON Y TRACCIÓN ESQUELÉTICA

Descripción

Con el fin de reducir una fractura de fémur, cadera o pierna, se procede a la tracción esquelética mediante la inserción de una aguja metálica o alambre (Steinmann o Kirschner) en el interior o a través de un hueso distal a la fractura, aplicándose tracción directamente sobre ella. La suspensión equilibrada se consigue gracias a la férula de Thomas, que proporciona un soporte para el muslo, y a la fijación de Pearson, que apoya la pierna en una posición paralela a la cama. La rodilla se flexiona unos 45°. La ventaja de esta posición es que el paciente puede elevar la pierna y mover el cuerpo, con lo que se mejora la circulación sanguínea.

Consideraciones de enfermería

- Véanse las consideraciones generales de enfermería para la tracción.
- El médico debe pautar la posición y limitación de movimientos del paciente en la cama. Como normas generales, se utilizan las siguientes:
- Movimiento:
  1. Pueden realizarse la mayoría de los movimientos dentro del límite de tolerancia del paciente.
  2. No puede efectuarse la rotación interna ni la rotación externa de la pierna.
  3. Cuando se eleve el cuerpo, el paciente debe hacer fuerza hacia abajo con la pierna libre y mantener recta la cintura.
- Debe comprobarse el color, el pulso, la temperatura y la capacidad de flexión plantar y dorsiflexión en ambos pies, como mínimo una vez en cada turno de enfermería. La placa de la planta del pie debe colocarse adecuadamente.

- Los puntos sometidos a presión que deben vigilarse con mayor atención son: el hueco poplíteo, el tendón de Aquiles, el talón y el nervio peroneo (unos 6 cm por debajo de la cara externa de la rodilla), especialmente si la férula de Tomas permite algún movimiento. Los signos de afectación del nervio peroneo son: tendencia a la inversión del pie y dificultad para extender los dedos.
- El material colocado bajo la férula debe ser suave; no debe ponerse ningún tipo de almohadilla entre el anillo de cuero y la piel.
- El anillo de la férula de Thomas debe mantenerse limpio y seco, con medio anillo situado sobre la cara anterior del muslo. Búsquese la presencia de signos de efracción cutánea en las zonas donde el anillo pueda producirlas (ingle, etcétera).
- Debe vigilarse la aparición de enrojecimiento u otros signos de infección en las zonas de inserción de la aguja. El cuidado de dichas zonas varía según los distintos centros, pero uno de los métodos más empleados consiste en limpiar la piel alrededor de la inserción con solución de agua oxigenada, utilizando un aplicador estéril para cada tipo de aguja, como mínimo una vez en cada turno de enfermería durante los primeros días de postoperatorio. Después de 4 o 5 días pueden utilizarse gasas empapadas en alcohol para limpiar la aguja. En esta zona puede permitirse el contacto con el aire, aunque algunos médicos prefieren que esté cubierta con un apósito estéril.
- La pierna debe lavarse con alcohol u otra loción.
- Debe evitarse la aparición de lesiones en la pierna.

TRACCIÓN CERVICAL CON FIJACIÓN DE CRUTCHFIELD, BARTON, GARDNER WELLS O VINKE

Descripción

Los sistemas de tracción de Crutchfield, Barton, Gardner Wells o Vinke, colocados en la parte superior del cráneo, proporcionan la tracción esquelética continua necesaria para el tratamiento de las fracturas o luxaciones cervicales graves.

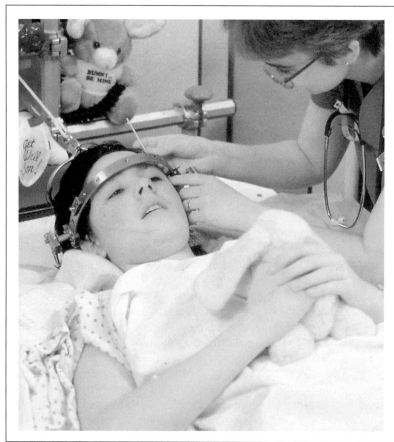

La tracción cervical es un método utilizado para inmovilizar la columna vertebral, principalmente pare el tratamiento de fracturas o luxaciones graves en la región cervical. Existen distintos sistemas para efectuar este tipo de tracción, como es la fijación mediante inserción de clavos en la tabla externa de la calota craneal y la utilización de un halo de acero fijado al cráneo, en combinación con un sistema de poleas y pesos u otro método que proporcione una tracción continua. Cuando se efectúa este método, es preciso conocer las limitaciones de movimiento del paciente y controlar con regularidad el sistema para verificar la ausencia de complicaciones así como la efectividad de la tracción.

Consideraciones de enfermería

- Véanse las consideraciones generales de enfermería para la tracción.
- Es conveniente contar con un marco en la cama que permita el movimiento necesario para los giros.
- Debe comunicarse inmediatamente cualquier cambio en el estado sensitivo/motor, así como la aparición de vómitos y trastornos respiratorios.
- Debe vigilarse la aparición de sangrado alrededor del compás de tracción, así como las lesiones cutáneas en la parte superior de la cabeza. Debe protegerse la zona occipital contra la presión. Si está indicado, deben hacerse masajes y lavar la cabeza con champú.
- Gírese el paciente alrededor del marco cada 2 horas.
- Dada la dificultad que el paciente presenta para masticar y beber en la posición de decúbito supino, y el consiguiente riesgo de bronco-aspiración, debe disponerse de un equipo de aspiración a la cabecera de la cama.
- La sábana bajera de la cama debe hacerse con dos medias sábanas y no con una entera, para facilitar el arreglo.

TRACCIÓN CERVICAL CUTÁNEA

Descripción

Se aplica tracción con un dispositivo de fijación de la cabeza, tanta como se tolere. Por lo general, se recurre a este procedimiento para tratar la miositis cervical y fracturas menores.

Consideraciones de enfermería

- Véanse las consideraciones generales de enfermería para la tracción.
- La barra de tracción debe ser lo suficientemente ancha como para prevenir la presión en las regiones laterales de la cabeza.

- Deben protegerse las orejas, la parte posterior de la cabeza y el mentón con el sistema adecuado. Si está permitido, aplíquense masajes suaves.
- Debe aplicarse champú con frecuencia para limpiar y estimular el cuero cabelludo, si el médico así lo ha indicado.
- Con el fin de forzar al mínimo la masticación, deben darse comidas blandas.

TRACCIÓN CERVICAL HALO-ESQUELÉTICA

Descripción

La tracción halo-esquelética es un método para inmovilizar la columna vertebral. En primer término, se ajusta un anillo de acero inoxidable alrededor de la cabeza y se fija en su posición mediante unas agujas introducidas en el cráneo. Posteriormente, dicho aro es fijado a un corsé de yeso u otro sistema que garantice la fijación al cuerpo.

Consideraciones de enfermería

- Compruébese el estado neurovascular, como mínimo cada 8 horas.

- Empléese alguna técnica adecuada de fisioterapia respiratoria (espirómetro de incentivo).
- Debe retirarse diariamente la inmovilización corporal con el fin de cuidar la piel e inspeccionar la misma.
- Practíquese fisioterapia articular.
- Inspecciónese el dispositivo para comprobar que todos los tornillos están bien apretados. Las herramientas para su manipulación deben hallarse a la cabecera de la cama.

TRACCIÓN DE BRYANT

Descripción

Es una tracción cutánea que se aplica en ambas piernas y las mantiene en extensión vertical. Se utiliza para la reducción de las fracturas de fémur en los niños pequeños.

Consideraciones de enfermería

- Véanse las consideraciones generales de enfermería para la tracción.
- Las caderas y las nalgas se mantienen elevadas y separadas de la cama. El niño necesita

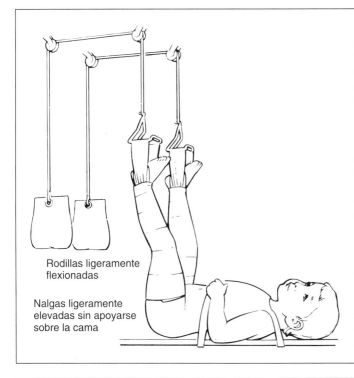

Rodillas ligeramente flexionadas

Nalgas ligeramente elevadas sin apoyarse sobre la cama

La tracción de Bryant es un sistema de tracción cutánea empleada especialmente en el tratamiento de fracturas de fémur en niños pequeños, cuyo reducido peso no hace posible una contratracción efectiva. Para la tracción se aplica un vendaje en las piernas y se mantienen los miembros elevados hacia arriba con un sistema de cuerdas, poleas y pesos, a la par que se utiliza un arnés u otro dispositivo para fijar el cuerpo del paciente a la cama e impedir sus movimientos. Es muy importante mantener las caderas y nalgas del paciente ligeramente elevadas, sin que se apoyen en la cama, como se observa en la ilustración. Las vendas deben cambiarse con regularidad, vigilando el estado de la piel y de la circulación en las extremidades, con especial atención en las zonas del tobillo y el talón que soportan presión.

que se le fije la espalda sobre la cama para evitar que pueda girarse de lado.

- Pueden elevarse los pies de la cama para evitar que el niño se deslice hacia la parte inferior de ésta. Con el mismo fin puede utilizarse una chaqueta o un arnés de fijación.
- Las piernas se vendan para mantener la tracción cutánea en su sitio. Estos vendajes deben cambiarse dos veces al día, vigilando el estado de la piel y comprobando el estado de la circulación con frecuencia. Préstese especial atención a la cara interna del tobillo y al talón.

TRACCIÓN DE RUSSELL

Descripción

Es una forma de tracción cutánea parecida a la de Buck, en la que se aplica una suspensión equilibrada mediante una cincha situada debajo de la rodilla. Se utiliza en determinadas fracturas femorales (preferentemente las intertrocantéricas o subtrocantéricas), así como en algunos tipos de traumatismo de la rodilla.

Consideraciones de enfermería

- Véanse las consideraciones generales de enfermería para la tracción.
- El médico debe determinar las limitaciones de movimiento, así como la posición adecuada para el paciente. Como normas generales, cabe destacar las siguientes:
- La cincha que pasa por debajo de la rodilla debe elevar la pantorrilla lo suficiente como para que se produzca un ángulo de 20° entre la cadera del paciente y la cama, con la pantorrilla paralela a esta última. Esta relación debe mantenerse en cualquier posición que se adopte. El talón no debe reposar sobre la cama.
- Movimiento:
  1. El paciente puede incorporarse con ayuda del trapecio, haciendo fuerza hacia abajo con la pierna libre mientras mantiene recta la cintura.
  2. No debe permitirse la rotación externa ni interna de la parte superior de la pierna.
  3. La parte inferior del cuerpo puede inclinarse, permitiendo el movimiento de todo el

cuerpo hacia los pies o la cabecera de la cama sólo durante cortos períodos de tiempo.

- Compruébese que no existen signos de efracción cutánea ni ninguna complicación. La zona posterior de la rodilla puede protegerse con una pieza de fieltro o con piel de oveja.
- La colocación de una almohada debajo de la pantorrilla depende del médico.
- Compruébese el color, la temperatura, la sensibilidad y el movimiento del pie (la capacidad de flexión plantar y el dolor). Colóquese una placa en la planta del pie.
- Las consideraciones de enfermería descritas en la tracción de Buck también se pueden aplicar en este caso.

TRACCIÓN PÉLVICA

Descripción

La tracción pélvica tiene como principal indicación la hernia discal. La tracción puede aplicarse «tanto como se tolere» mediante pesos de 900 a 1 200 g.

Consideraciones de enfermería

- Es esencial un buen ajuste de la cintura, siendo necesario medir la circunferencia pélvica para determinar el tamaño del cinturón. La parte superior del cinturón debe hallarse a nivel de la cresta ilíaca, y la parte inferior tiene que situarse ligeramente por debajo del trocánter mayor.
- Obsérvese la aparición de signos de irritación cutánea en la cresta ilíaca.
- Movimiento y posición:
  1. La espalda debe mantenerse recta, plana y adecuadamente alineada.
  2. Puede colocarse una almohada debajo de la cabeza, pudiendo doblarse la cama a nivel de las rodillas para que se forme un ángulo entre el fémur y el cuerpo de unos 45 a 60°, colocando los pies a la misma altura que las rodillas (posición de Williams) con el fin de proporcionar la adecuada contratracción.
  3. El paciente no debe doblar ni girar la espalda.
  4. El timbre de la habitación debe hallarse al alcance del paciente.

- La barra tensora debe mantenerse paralela a los pies de la cama.
- El estreñimiento puede empeorar el dolor de espalda. Con el fin de prevenirlo, debe procurarse una atención especial a dicho problema.
- Debe comunicarse inmediatamente al médico cualquier falta de sensibilidad en las piernas.
- Para la reaplicación de la tracción pélvica, colóquese el cinturón cuidadosamente y suspéndanse los pesos de forma suave y sin brusquedad.
- La ropa de la cama no debe tocar el pie ni las cintas del cinturón.

Traqueostomía, cuidados

Descripción

La traqueostomía consiste en una conexión artificial directa, mediante un tubo, entre un estoma en la garganta y la tráquea. Suele aplicarse cuando es necesario mantener una vía aérea artificial durante más de 72 horas. Generalmente se trata de un recurso temporal que se retira cuando se hace innecesario, aunque se mantiene indefinidamente en caso de practicarse una laringectomía.

Mantenimiento y cuidados

- El obturador del tubo de traqueotomía debe estar siempre a la vista, preferiblemente fijado a la cabecera de la cama.
- Debe disponerse de un equipo de traqueostomía extra (del mismo tamaño) a la cabecera del enfermo. En caso de expulsión accidental, manténgase abierto el estoma con un hemostato.
- Siempre debe disponerse de un aspirador al lado de la cabecera de la cama.
- Los tubos de traqueostomía pueden ser de metal o bien de material plástico; estos últimos son los más utilizados en la actualidad, por ser más ligeros, suaves y flexibles, así como porque pueden recortarse a la longitud deseada. Generalmente el tubo es doble, con una cánula externa y otra interna; los tubos de metal disponen de cánulas internas cambiables, mientras que los de plástico pueden tenerlas o no.

- En el ambiente hospitalario, el cuidado de la traqueostomía debe realizarse empleando técnica estéril, debiéndose enseñar al paciente una técnica higiénica para ser llevada a cabo en el domicilio. La complicación más grave de las traqueostomías es la infección pulmonar, puesto que se produce la entrada directa de polvo e impurezas en los pulmones. Nunca deben utilizarse gasas con algodón para los apósitos de la traqueostomía.
- Si existe una cánula interna intercambiable, extráigase y límpiese o reemplácese inmediatamente por otra nueva estéril después de la cirugía, y posteriormente, como mínimo, cada 8 horas. Si no es desechable, debe limpiarse con agua oxigenada y suero salino estéril. Aspírese a través de la cánula externa antes de reinsertar nuevamente la interna. Insértese y bloquéese.
- La piel de alrededor del estoma debe lavarse, como mínimo, cada 8 horas, con agua oxigenada, aclarándola con agua o suero fisiológico estéril. Cámbiense los apósitos mojados tan frecuentemente como sea posible, para mantener seca la zona. Vigílese la aparición de infecciones. La manipulación debe ser muy cuidadosa, dado que la piel puede estar irritada.
- A la vez que se realizan los cuidados de traqueostomía debe proporcionarse una adecuada higiene bucal, teniendo en cuenta que la boca suele estar seca.
- Dado que se deriva la vía aérea superior, el aire debe estar caliente y humidificado. Por lo general, se fija el tubo de un nebulizador a una rama de la T del tubo de traqueostomía. Con el fin de eliminar el agua condensada que se acumula en el tubo, éste debe desconectarse del de la traqueotomía. Al comenzar cada turno de enfermería debe comprobarse que el nivel de agua en el nebulizador sea el adecuado. Tanto el agua como los fármacos que sean nebulizados deben ser estériles. *Ni el equipo ni la medicación deben ser compartidos con otros pacientes.*
- Algunos tubos de traqueostomía tienen un balón acoplado que puede hincharse para sellar la tráquea. Estos balones se hinchan y deshinchan según las prescripciones médicas. Es habitual hinchar el balón antes de la ingesta oral o la alimentación a través de sonda, pa-

185

ra mantenerlo así hasta unos 30 minutos después de la misma a fin de evitar la aspiración de posibles regurgitados.

• El balón nunca debe hincharse demasiado, para evitar la necrosis de la pared traqueal. Debe

mantenerse una presión inferior a 15 mm Hg.

• Debe aspirarse la nariz y la boca antes de deshinchar el balón traqueal para evitar la aspiración de mucosidades. La sonda de aspiración debe desecharse y utilizar una nueva

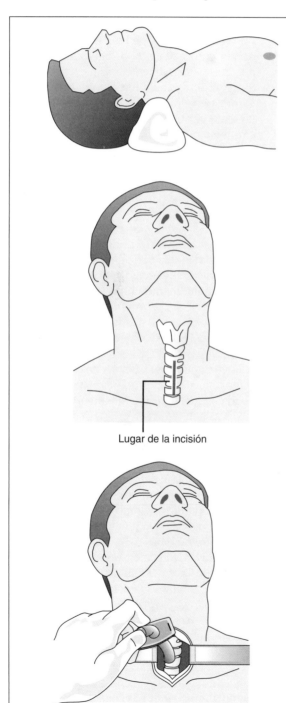

Lugar de la incisión

La traqueostomía consiste en una conexión directa entre el exterior y la tráquea mediante la inserción de un tubo que asegure el paso de aire hacia los pulmones ante una obstrucción severa de la vía aérea superior o cuando se requiere una intubación traqueal durante períodos muy prolongados. El procedimiento se efectúa tras colocar el cuello del paciente en extensión máxima, para lo cual resulta útil poner un rodillo bajos los hombros. Se practica una incisión en la línea media del cuello y se separan los planos subyacentes, con la retracción o sección de la glándula tiroides, a fin de dejar expuesta la tráquea, en cuya línea media se efectúa una abertura para introducir el tubo, que se mantiene fijado al cuello con una cinta u otro dispositivo. Existen diversos tubos de traqueostomía, de metal o de plástico, ya sea un tubo único o uno doble, con una cánula externa y otra interna, intercambiable o no, que debe cambiarse periódicamente. La instauración de una traqueostomía requiere una serie de cuidados del estoma, así como la aspiración de secreciones bajo estrictas condiciones de asepsia y otras medidas relativas a los cambios y fijación de tubos que dependen del modelo utilizado en cada ocasión y con los cuales el personal de enfermería debe familiarizarse.

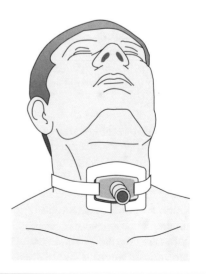

sonda estéril para extraer las secreciones traqueobronquiales.

- La aspiración de restos de comida por la traqueostomía indica la presencia de una fístula entre el esófago y la tráquea. Debe comunicarse inmediatamente al médico.
- Es importante enseñar al paciente a toser con el fin de evitar la infección pulmonar. Se realiza una inspiración profunda ocluyendo la apertura de la traqueostomía momentáneamente, con lo que se producirá la tos. Debe enseñarse al paciente a mantener el tubo en su sitio durante la tos, así como a cubrir la apertura mientras tose.
- Cuando se cambia el tubo de fijación, una enfermera debe mantener el tubo en su sitio mientras otra cambia las fijaciones.
- La fijación debe anudarse a un lado del cuello.

Consideraciones de enfermería pediátrica

- Deben sujetarse las manos de los niños para evitar que se toquen y desplacen el tubo.
- Debe evitarse que la mandíbula del niño ocluya la apertura.
- En los niños, la piel de alrededor del estoma debe limpiarse con agua oxigenada rebajada a la mitad, aclarándola bien con suero fisiológico estéril.
- Los signos de distrés respiratorio en un lactante o niño pequeño son: aparición de cianosis en boca y nariz, taquipnea, taquicardia e intranquilidad.

Tuberculina, prueba de

Descripción

Esta técnica, denominada también test de Mantoux, es una prueba cutánea destinada al diagnóstico de la infección tuberculosa. Se practica mediante una inyección intradérmica de un derivado proteínico purificado (PPD), obtenido de filtrados de cultivo de bacilos tuberculosos esterilizados por calor.

El resultado se interpreta a las 48-72 horas, con la observación del sitio de inoculación y la medición del diámetro de la zona que presenta una induración consecuente a la reacción inmunitaria local. En personas inmunológicamente competentes, la reacción se vuelve positiva al cabo de 2 a 10 semanas de la infección, sin que ello signifique necesariamente el desarrollo de la enfermedad. Por lo común, los resultados se interpretan de la siguiente forma:

1. Diámetro inferior a 5 mm: negativo.
2. Diámetro entre 5 y 9 mm: dudoso (debe repetirse).
3. Diámetro de 10 mm o superior: positivo, indicativo de infección tuberculosa (lo que no significa necesariamente que se esté sufriendo la enfermedad).

Consideraciones de enfermería

- La ejecución de la prueba de tuberculina y la interpretación de los resultados debe efectuarse con la máxima precisión posible, tanto para evitar falsos negativos o positivos como para garantizar la corrección de la lectura.
- La inyección intradérmica se practica en la cara anterior del antebrazo izquierdo, a unos 10 cm por debajo del pliegue del codo, comprobando que se produce una pápula transparente sobreelevada, de unos 10 mm de diámetro, en el sitio de aplicación.
- Conviene marcar con un rotulador indeleble un área de unos 20 mm alrededor de la zona de inyección para recordar dónde se ha efectuado y proceder a su lectura correcta en el plazo oportuno.
- Indíquese al paciente que no debe frotar o rascar el sitio de la inyección.
- Para interpretar el resultado, se debe palpar el área y comprobar la induración, único signo que debe tenerse en cuenta (no el eritema acompañante).
- Se debe medir el diámetro mayor de la induración con una regla calibrada en milímetros. Existen reglas especiales para la medición.

Vendajes

Descripción

La técnica de vendaje consiste en la aplicación de una venda o banda continua de material diverso en alguna parte del cuerpo, para proporcionar soporte, inmovilizar o efectuar una compresión.

Las indicaciones del vendaje son muy variadas. Puede usarse para sujetar y mantener apósitos o medicamentos tópicos, a fin de proteger la zona de la contaminación exterior. También se recurre al vendaje para proporcionar sostén a una parte del cuerpo o sujetar férulas, con el objetivo de impedir desplazamientos, así como para inmovilizar una parte afectada como complemento del tratamiento de fracturas no desplazadas, luxaciones, desgarros musculares, etc. Puede emplearse el vendaje con fines hemostáticos, para la prevención o tratamiento de hemorragias o hematomas, así como para favorecer la absorción de líquidos y exudados, o como método de prevención o tratamiento de edemas. También se aplican vendajes para impedir o corregir la estasis venosa de las extremidades, especialmente en miembros con insuficiencia circulatoria y venas varicosas, y en pacientes de riesgo sometidos a un encamamiento prolongado. Otra utilidad del vendaje consiste en moldear zonas del cuerpo después de intervenciones y especialmente para favorecer la evolución de los muñones de amputación.

Tipos

Según sean sus aplicaciones, se diferencian diversos vendajes básicos:
- *Vendaje blando* o *de contención*: para sujeción de curas de heridas, quemaduras, etcétera.
- *Vendaje compresivo*: para ejercer una compresión metódica y uniforme en una parte del cuerpo.
- *Vendaje elástico*: para proporcionar una compresión progresiva en un miembro (desde la parte distal a la proximal) y favorecer el retorno venoso.
- *Vendaje rígido*: para la inmovilización total de la parte afectada.

Técnica

Para efectuar el vendaje, se sostiene el extremo libre de la venda en un determinado punto de la parte a tratar y se practican una serie de vueltas alrededor de la misma, de manera que se cubra la zona y se logre el efecto pretendido en cada caso. Hay distintas formas básicas de superposición de la venda, en función del lugar de colocación y la finalidad del vendaje:
- *Vuelta circular*: cada vuelta de la venda cubre exactamente la anterior, de tal modo que el ancho del vendaje es semejante al de la propia venda. Este método se utiliza para vendar una parte cilíndrica del cuerpo, para mantener apósitos en su sitio y también para fijar el extremo inicial o final de los diferentes vendajes.
- *Vuelta oblicua o en espiral*: cada vuelta es paralela a la precedente y la cubre parcialmente (dos tercios de su ancho). Este método sirve para vendar partes cilíndricas del cuerpo con circunferencia uniforme (brazos, dedos, tronco) y se aplica en dirección ligeramente oblicua al eje de la extremidad.
- *Vuelta en espiga*: se inicia con dos vueltas circulares para fijar el vendaje; a continuación, se dirige la venda hacia arriba, para efectuar una vuelta en espiral ascendente, y luego hacia abajo, para efectuar una vuelta en espiral descendente; se repiten las vueltas en espiral, ascendentes y descendentes, de modo que en cada una se cubra la mitad de la anterior vuelta en el mismo sentido, constituyéndose un dibujo en forma de espiga. Este método sirve para vendar partes de forma cónica (muslos, piernas, antebrazos).
- *Vendaje en ocho*: se inicia con dos vueltas circulares en el centro de la articulación, que debe estar ligeramente flexionada; a continuación, se dirige la venda hacia arriba y luego hacia abajo de la articulación, en forma de 8, de tal modo que cada vuelta cubra parcialmente la anterior y que en la parte posterior pase por el centro de la articulación. Este método sirve para vendar zonas de articulaciones móviles (rodillas, tobillos, codos, muñecas).
- *Vuelta recurrente*: se inicia con vueltas circulares en el límite proximal de la zona a vendar; a continuación, se lleva el rollo de venda en dirección perpendicular a las vueltas circulares, hasta pasar por el extremo distal y llegar a la parte posterior, y entonces se hace

un doblez y se vuelve hacia la parte frontal; se sigue el procedimiento con pases alternativos a la parte posterior y a la frontal, cubriendo parcialmente las vueltas precedentes hasta vendar completamente toda la zona. Este método sirve para vendar la punta de los dedos, el puño, un muñón de amputación o la cabeza.

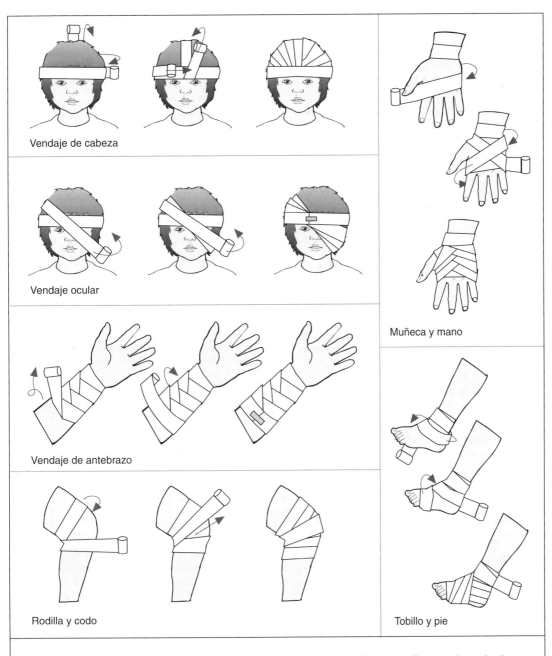

Vendaje de cabeza

Vendaje ocular

Vendaje de antebrazo

Rodilla y codo

Muñeca y mano

Tobillo y pie

Los vendajes se utilizan para proporcionar soporte, efectuar una compresión o inmovilizar una determinada parte del cuerpo. En las ilustraciones se muestra la técnica de realización de diversos vendajes, mostrando el punto de iniciación y señalando el tipo y la dirección de las sucesivas vueltas que se practican hasta cubrir la zona a tratar.

Consideraciones de enfermería

- El vendaje siempre debe tener una indicación precisa y nunca se empleará de forma rutinaria o cuando su aplicación no resulte realmente necesaria.
- Debe procederse a un lavado de manos antes y después de la aplicación de un vendaje. Si existe una herida en la zona a tratar, debe efectuarse con una técnica aséptica.
- El tipo de venda, su ancho y longitud deben seleccionarse en función de la extensión y el grosor del segmento a vendar y del efecto pretendido.
- Para proceder al vendaje, debe evitarse que la parte a tratar esté en contacto con una superficie que dificulte la tarea, y manteniendo la zona en la posición que debe tener una vez vendada (en lo posible, una posición funcional).
- Siempre debe comenzarse el vendaje por la parte más distal, avanzando hacia la proximal.
- Conviene vendar de izquierda a derecha, o al revés cuando quien aplique el vendaje sea zurdo. Hay que mantener el rollo de venda hacia arriba y sin desenrollarlo demasiado.
- Nunca deben darse más vueltas de las necesarias; si la venda es muy larga, conviene cortar la parte sobrante.
- Cuando se observa un defecto de colocación mientras se practica el vendaje, conviene retroceder hasta ese punto o comenzar nuevamente.
- Debe controlarse que el vendaje mantenga el mismo espesor en toda su extensión, sin que queden zonas más consistentes que otras.
- Deben protegerse con un almohadillado las zonas de articulación o prominencias óseas antes de aplicar el vendaje, así como separar con almohadillado las zonas adyacentes que se incluyan en el vendaje (*p. e.*, los pliegues interdigitales).
- Deben rellenarse con algodón las concavidades presentes en la zona que cubrirá el vendaje.
- Deben practicarse los vendajes tan ajustados como sea necesario para cumplir su objetivo, pero cuidando que no queden demasiado ceñidos y originen problemas circulatorios en la zona. Si se trata de un vendaje compresivo, la compresión debe ser uniforme en toda su extensión.

- Tras colocar el vendaje, hay que comprobar que resulte indoloro y que el paciente esté cómodo y pueda mover sin dificultad las partes libres. Debe inspeccionarse la parte distal en busca de signos neurovasculares que sugieran el desarrollo de complicaciones por compresión excesiva, valorando el estado y coloración de la piel (palidez, enrojecimiento, cianosis, edema), la temperatura (frialdad cutánea) y la sensibilidad (parestesias, pérdida de sensibilidad, dolor).

Yeso, cuidados de enfermería

Descripción

Los yesos se utilizan para inmovilizar y mantener la alineación de un hueso o una articulación, así como para mantener reducida una fractura y corregir y evitar deformaciones. Pueden estar hechos a base de capas de yeso o a partir de material sintético, como poliéster, fibra de algodón, fibra de vidrio o termoplásticos. En comparación con los yesos convencionales, los sintéticos son más rápidos de colocar, abultan y pesan menos, y además pueden sumergirse en agua; como contrapartidas, son más caros y tienen un mayor potencial de producir irritación y maceración de la piel.

Observaciones

- Debe vigilarse al paciente hasta 48 horas después de la colocación de un yeso, teniendo en cuenta que los signos de afección neurovascular debida a un edema por debajo del yeso son: dolor rebelde al tratamiento, palidez, parestesias o parálisis y ausencia del pulso. Cualquiera de dichos síntomas debe ser comunicado inmediatamente, tendiendo en cuenta que no conviene administrar analgésicos hasta que no se aclare el origen del dolor. Puede ser necesario cambiar el yeso, abrirlo longitudinalmente, o incluso retirarlo.
- Si el yeso está colocado en una extremidad, debe comprobarse que los dedos de los pies estén calientes y de color rosado, que tienen

sensibilidad y que se pueden flexionar y extender.

- Debe controlarse la revascularización del lecho ungueal tras aplicar presión sobre el mismo. Por lo general, recupera el color inmediatamente después de liberar la presión: un retraso en la recuperación del color indica que la circulación está afectada y debe comunicarse de inmediato.
- *Precaución*: el síndrome compartimental, que conduce a la contractura de Volkmann, es una temible complicación que se debe al compromiso vascular que afecta a un grupo muscular (habitualmente en el brazo o mano). Si no se trata antes de 6 horas, las secuelas pueden ser permanentes. Debe abrirse el yeso, ya que éste puede cambiarse, pero la contractura no (para más detalles sobre el síndrome compartimental, véase EMQ: Fracturas; Postoperatorio, consideraciones de enfermería).
- Compruébese la presencia de hemorragias:
  1. Debe revisarse la zona externa en busca de cualquier mancha sospechosa de sangrado y anotar la hora.
  2. Búsquese en la parte baja del yeso, dado que la sangre tiende a acumularse en las zonas declives.
- La presencia de zonas calientes o malolientes indica la posibilidad de maceración cutánea.
- Vigílese la presencia de zonas de presión sobre el tendón de Aquiles en aquellos pacientes con la pierna enyesada.
- Debe vigilarse la aparición de síntomas de complicaciones (neumonía, estreñimiento, litiasis renal y problemas neurovasculares).

Consideraciones de enfermería

- La piel que se cubre con el yeso debe estar seca, limpia y en buenas condiciones.
- Debe comunicarse al paciente que mientras se seca, el yeso desprende calor durante unos 20 minutos. Posteriormente se enfriará, se secará y se hará más ligero.
- La colocación del yeso puede posponerse hasta que disminuya el edema o hinchazón de la extremidad. Mientras tanto, deben administrarse analgésicos y manipularse con cuidado.
- La extremidad afectada debe elevarse para favorecer la reducción del edema.

Cuidados del yeso nuevo

- Los yesos convencionales necesitan de 24 a 48 horas para secarse, dependiendo de la humedad y del grosor del mismo.
- Para favorecer el secado del yeso:
  1. Dejar todos sus lados al aire. No es recomendable aplicar dispositivos para acelerar el secado.
  2. Dejar el yeso al descubierto. Tápese al paciente si el ambiente es frío.
  3. En caso de yesos que abarquen gran parte del cuerpo, cambiar de posición al paciente cada 3 horas, para lo cual conviene manipularlo en bloque con la ayuda de tres o cuatro personas, evitando lesionar las zonas delicadas. En la mayoría de los casos debe colocarse al paciente con el miembro afectado hacia arriba.

Para manipularlo, hay que actuar solamente con las palmas de las manos. Los yesos nunca deben apoyarse sobre una superficie dura mientras están húmedos, dado que esto alteraría su forma.

En caso de que se recomienden bolsas de hielo para reducir el edema, éstas deben llenarse sólo hasta la mitad y ser colocadas en los laterales del yeso para no alterar su forma.

No se deben utilizar barras de abducción para dar la vuelta al paciente. Cuando esté en posición prono, las puntas de los pies deben colgar por la parte inferior de la cama.

- Las curvaturas del yeso deben sostenerse sobre almohadas no recubiertas de plástico (ya que ello enlentece el secado) con el fin de que no se ejerza presión sobre zonas delicadas (sacro, tobillos, etcétera).
- Cuando el paciente lleve un yeso que abarque una gran parte del cuerpo, es mejor colocarlo en una cama con colchón duro, con una tabla debajo del mismo y con un trapecio de tracción.
- En caso de que el cirujano haga una ventana en el yeso, guárdese el trozo extraído, puesto que quizás sea deseable reponerlo posteriormente.

Protección del yeso

- El extremo proximal del yeso puede protegerse con esparadrapo.

1. Si los bordes de los yesos plásticos son cortantes, pueden limarse con una lima de uñas.
- Para limpiar el yeso:
  1. El yeso convencional puede limpiarse con un trapo húmedo, procurando no mojarlo. Para eliminar el olor puede utilizarse una solución al 1:750 de cloruro de benzalconio en las áreas manchadas y malolientes.
  2. Los yesos sintéticos pueden limpiarse con agua y jabón. Es esencial enjuagarlos y secarlos cuidadosamente para evitar que se macere la piel.
- Los yesos sintéticos se modifican según sean la forma de moldeado, el secado y el modo en que se hayan vuelto a secar si se han humedecido posteriormente. Consúltese con el médico al respecto.
- En los yesos que ocupan gran parte del cuerpo o en los pelvi-pédicos:
  1. Debe protegerse la zona perineal con plástico para evitar que se moje con heces u orina.
  2. Debe utilizarse una cuña para fracturas. Colóquese una almohada bajo la espalda del paciente para evitar que se rompa el yeso. Debe levantarse ligeramente la cabecera de la cama.
  3. Debe evitarse que el paciente sufra estreñimiento, proporcionándole una dieta rica en fibras, así como laxantes, si está indicado.

Picor bajo el yeso

- Puede colocarse una cinta entre el yeso y la piel para moverla arriba y abajo cuando el paciente sienta picor.
- Puede insuflarse aire bajo el yeso con un secador de aire frío o una jeringa.

Normas para los pacientes con yesos sintéticos

- No deben realizarse actividades físicas extenuantes.

- En caso de que el yeso se moje, debe secarse cuidadosamente para evitar que se macere la piel bajo el mismo.
  1. Frotar el yeso con toallas.
  2. Secarlo con un secador de pelo ajustado a mayor o menor temperatura. Puede tardarse hasta una hora.
  3. Debe evitarse ir a la playa, ya que se puede introducir arena entre el yeso y la piel y producir irritación. En caso de que se produzca la entrada de arena, debe enjuagarse el yeso y secarse a continuación.
- A veces el yeso es rugoso o con irregularidades, pudiendo dañar los muebles y la ropa, por lo que debe apoyarse sobre una almohada cuando se está sentado.

Retirada del yeso

- Equipo necesario:
  1. Sierra para yeso (sierra oscilante en lugar de la que tiene movimiento circular), tijeras para yeso y separadores.
  2. En los yesos convencionales puede utilizarse una solución de una parte de vinagre y cuatro de agua para ablandar el yeso en la línea de corte.
- Debe advertirse al paciente que el procedimiento hace mucho ruido y produce sensación de calor, pero que no es peligroso ni duele.
- Siempre se produce algo de hinchazón en el miembro que ha estado enyesado. Por este motivo, debe mantenerse elevado después de retirar el yeso.
- La piel debe limpiarse con una loción o con lanolina y a continuación con agua y jabón.
- Nunca debe forzarse una articulación que haya estado inmovilizada por un yeso.
- Suele indicarse fisioterapia para recuperar la movilidad, o bien puede ser preciso enseñar al paciente a caminar con muletas, en caso necesario.